D0773876

Y Maison du Soleil

Mared Lewis

Gwasg
Gwynedd

Argraffiad cyntaf — Rhagfyr 2008

© Mared Lewis 2008

ISBN 0 86074 249 0

Mae'r cyhoeddwyr yn cydnabod cefnogaeth ariannol
Cyngor Llyfrau Cymru.

*Cyhoeddwyd ac argraffwyd
gan Wasg Gwynedd, Caernarfon*

I Mam a Gwyn

DIOLCH

I Richard O. Williams ac i Marian a Bernard Sautin am gymorth gyda rhai manylion ffeithiol.

I Nia a'r teulu am eu cwmnïaeth droeon yn Ffrainc.

I Catrin am ei chefnogaeth gyson a'i chyfeillgarwch.

Ac i Dafydd Elis ac Iddon am fod yn Dafydd Elis ac Iddon!

Ni bu ferch erioed cyn laned,
Ni bu ferch erioed cyn wynned;
Ni bu neb o ferched dynion
Nes na hon i dorri 'nghalon.

– HEN BENNILL TRADDODIADOL

Tim

GWAHODDIAD

14 Mehefin

gan y Maison du Soleil

i rannu pythefnos gyda chriw dethol o ffrindiau.

Yr un pythefnos ag arfer fis Gorffennaf.

Pawb i gyrraedd rhwng 5 a 7 yr hwyr.

Dewch â'ch tyweli efo chi, fel arfer.

Gwin ar gael o'r tapiau, drwy drefniant arbennig gyda'r Mairie!

Atebwch Tim erbyn: 28 Mehefin, y ffernols!

Diolch ac au revoir!

Tim x

Plygodd Tim yn ôl yn ei gadair ar ôl stwffio'r ail wahoddiad i'r ail amlen euraid a'i chau. Caeodd ei lygaid am funud, fel petai o newydd orffen sgwennu traethawd hir yn hytrach na gwahoddiad, traethawd oedd wedi llyncu misoedd o'i fywyd. Gafaelodd yn y ddwy amlen a'u gosod yn dwt ar y bwrdd o'i flaen. Amlen i Cadi a Ben, amlen i Gareth a Non. Dwy blydi amlen i bedwar o bobol. Sut oedd hynna wedi cymryd noson gyfan iddo'i sgwennu? Ond roedd o isio cael y geiriau'n iawn, 'doedd? Isio cael y tôn yn iawn, falla, yn fwy na'r geiriau. Ddim yn rhy gynnes, ddim yn rhy joli. Fasa hynna'm yn addas 'dan yr amgylchiadau'.

Ond doedd o'm isio iddo fo swnio'n despret chwaith. Nac

fel gorchymyn. Nac yn rhy stiff, nac yn rhy ddigalon . . .
Roedd o wedi stryglo efo tôn y gwahoddiad oherwydd ei fod
o'n meddwl cymaint am y 'Tim' yn lle'r 'Tim ac Esyllt' arferol
ar ddiwedd y llythyr. Ond roedd hi'n hanner nos, a gwaith yn
galw fory. Fe fyddai'n rhaid iddo fo neud y tro.

Plygodd Tim ymlaen a chymryd jochiad go dda o weddill
y gwin gwyn oedd yn y gwydryn. Hon oedd y botel ola o'r
Muscadet sur Lie ers y gwyliau yn y Maison llynedd. Roedd
o'n win da, hwn, yn gadael awgrym o ffresni melon. Dyna
oedd y blyrb ar y label yn 'i ddeud beth bynnag, os oedd o'n
dallt y Ffrangeg yn iawn. Ta waeth, fe fyddai'n rhaid iddo fo
ddŵad â bocs neu ddau o hwn adra efo fo eto 'leni. Fe fyddai
dau focs yn ddigon, 'wrach, tro 'ma – gan mai dim ond un
ohonyn nhw oedd adra i'w yfed erbyn hyn. Heb feddwl,
tynnodd y gwin drwy'i ddannedd a gneud sŵn, gan dynnu'i
wefusau'n ôl fel ci'n trio gwenu. Lwcus 'doedd Esyllt ddim
yma, 'de, neu mi fasa 'na le. Roedd yn gas gan Esyllt ei weld
o'n gneud hynna.

Doedd o ddim am roi stamp dosbarth cynta ar y diawlad
petha. Mi wnâi ail ddosbarth y tro'n iawn. Roedd y criw wedi
hen arfer â chadw pythefnos cynta mis Gorffennaf yn rhydd
ar gyfer y Maison, beth bynnag. Ers saith mlynedd bellach,
yr un fyddai'r drefn: pawb yn gneud eu ffordd eu hunain i
lawr i'r Maison du Soleil yn ardal Poitou-Charentes yn
Ffrainc, ac yn cyfarfod yn y tŷ fin nos rhwng pump a saith.
Syniad Esyllt oedd gosod rhyw fath o amser fel'na, wrth
gwrs. Esyllt a'i hawydd i reoli, i gael trefn.

Y tro cynta i'r criw gyfarfod, roedd pawb wedi cyrraedd ar
adeg wahanol, a Ben wedi pwdu am fod pawb arall wedi
meddiannu stafell wely heb fod hynna'n cael ei benderfynu
drwy ddull democrataidd. Roedd Esyllt wedi cynnig wedyn
fod pawb yn mynd â'u bagiau allan i'r cyntedd a'u bod yn
tynnu enwau allan o het. Cadw at yr un stafelloedd wnaeth

pawb o hynny allan. A chyrraedd tua'r un amser hefyd. Rhwng pump a saith. Doedd dim rheswm i beidio cario'r traddodiad yn ei flaen.

Cymerodd Tim jochiad arall o win. Tybed fyddai rhywun o'r criw wedi mentro torri ar y drefn eleni, meddyliodd. Tybed fyddai rhywun yn ddigon powld? Yn ddigon dewr?

Y blydi cwrteisi 'ma tuag at rywun oedd yn galaru. Am faint fyddai hwnnw'n para? Beryg fod ganddo fisoedd lawer o hynna, a dim ond chydig wythnosau oedd 'na ers i Esyllt farw. Dyna oedd Tim yn ei gael yn anoddach i'w ddiodda na dim. Y niwl 'na oedd wastad yn sefyll rhyngddach chi a phobol eraill. Waeth pa mor glên oeddan nhw, waeth pa mor dda oeddach chi'n eu nabod nhw, roedd y ffaith eich bod chi wedi cael eich cyffwrdd gan 'yr ochor arall', drwy golli rhywun, wastad yn creu rhyw fwlch rhyngddach chi a phobol eraill.

Non oedd yr un. Non oedd yr un fasa'n mentro torri'i chwys ei hun, os fyddai rhywun. Hyd yn oed tasa fo'n ddim ond i'w dangos ei hun, i dynnu sylw pobol at gymaint o gymeriad oedd hi, hogan oedd yn gneud pethau yn ei ffordd ei hun.

Tarodd Tim y gwydryn yn ôl ar y bwrdd, gan dywallt ton fechan o win dros y bwrdd wrth neud hynny. Cododd, a chydio yn yr amlenni a'u taro ar ben y ffeil oedd ganddo ar gyfer y cyfarfod cynllunio yn y bora. Fe fyddai'n eu postio ar y ffordd i'r swyddfa.

Ia. Dyna fyddai orau. Stamp ail ddosbarth. Iddo fo gael dau ddiwrnod i baratoi cyn i'r gwahoddiadau landio ar fatiau Ben a Cadi, a Gareth a Non. Cyfle i feddwl tybed be ddiawl oedd o'n neud yn anfon gwahoddiad i bawb ddŵad i'r Maison heb Esyllt yn y lle cynta.

Pennod 2

Cadi

'Agor ceg yn fawr i Mami 'ŵan . . . agor, Guto! Gut . . . '

Llwyddodd Cadi i gael y llwy fach efo iogwrt arni i mewn i geg y bychan deunaw mis, cyn iddo'i chau eto'n glep. Roedd o wedi dechrau mynd yn ddigon styfnig ers rhyw wsnos rŵan, meddyliodd Cadi, gan roi'r llwy i orwedd ar ymyl y bowlen iogwrt a chymryd cadach i sychu ymylon ei geg.

Roedd Ben yn bendant o'r farn nad cyd-ddigwyddiad oedd y ffaith fod Guto bach wedi dechrau ymddwyn fel hyn y funud roedd o wedi gorfod dechra mynd i feithrinfa Hwrli Bwrli. Ac, wrth gwrs, yn ôl Ben, doedd y ffaith fod Cadi wedi mynd 'nôl i weithio am ddau ddiwrnod yr wythnos yn swyddfa gwerthu tai Jenkins and Fox ddim yn help. Roedd Ben yn un da am weld cysylltiadau rhwng un peth a'r llall. Neu am greu cysylltiadau i'w siwtio fo'i hun, meddyliodd Cadi gyda gwên, cyn dechrau llywio cegiad arall o iogwrt i geg Guto.

Er bod Ben yn athro ers sawl blwyddyn bellach, ac mewn ysgol fonedd ers dwy flynedd, doedd o fawr callach sut oedd plant yn byhafio go iawn, a'u bod nhw'n mynd drwy gyfnodau o ymddwyn yn wahanol, a hynny am ddim rheswm o gwbwl.

Ffordd o gadw Cadi adra efo Guto drwy'r wythnos oedd hyn. Ddim fod Ben yn un o'r dynion rheiny oedd yn meddwl mai lle dynes oedd bod adra'n magu, gan adael ymladd yr eirth i'r dyn! Toedd o wedi bod ar sawl pwyllgor llywio oedd yn gyfrifol am sicrhau cydraddoldeb yn y byd gwaith? A fo fyddai'n cwcio'n amlach na pheidio, yn enwedig ers i Guto landio. Fe fyddai'n ymfalchïo mewn pori drwy lyfrau coginio, a gneud yn siŵr fod pob cynhwysyn yn berffaith cyn dechrau.

Ac ar ôl y ffasiwn ymdrech, doedd dim rhaid iddi fod wedi rhoi mwy na rhyw fforciad neu ddwy yn ei cheg cyn teimlo llygaid Ben arni, er ei fod o'n trio'i orau i beidio gneud hynny'n amlwg. Doedd dim modd osgoi'r 'Wel?' ffug ddidaro ganddo wedyn.

'Neis,' fyddai hi'n ddeud.

'Neis?' fyddai Ben yn gofyn.

'Neis iawn, 'ta. Dwi rioed 'di ca'l seleri efo garlleg o'r blaen. Oedd o'n newid neis!'

'Ond 'sa chdi'm yn 'i gymryd o eto . . . '

''Nes i'm deud hynna, naddo? Dwi rioed 'di'i ga'l o o'r blaen, dyna ddudis i.'

'Ond 'nest ti'm deud 'sa chdi'n gymryd o eto.'

''Nest ti'm rhoid lot o gyfla i mi!'

'Ond 'sa chdi 'di deud yn syth 'sa chdi'n . . . '

'BEN!'

Roedd Cadi wedi dallt nad oedd modd swcro'r paranoia yma. Roedd Ben yn ymateb yn well i ddogn o synnwyr cyffredin. A beth bynnag, doedd ganddi ddim amser na mynedd bod yn fam i ddau blentyn ar hyn o bryd, un deunaw mis a'r llall yn dri deg pump! Esyllt sy wastad . . . Roedd y syniad wedi llithro heibio iddi fel awel. Ysgydwodd ei phen fel tasa hynna'n medru cael gwared o'r llithriad gramadegol. Esyllt *oedd* wastad yn deud hynna, a hynny yng ngŵydd Ben er mwyn ei wylltio.

Clywodd Cadi glec y twll llythyrau ac wedyn slipars Ben yn brysio ar hyd llawr teils y cyntedd. Saib. Cododd Cadi lwyaid arall o'r hylif llwyd-binc a'i hanelu i gyfeiriad Guto.

'Agor geg i Mami. Bron iawn 'di mynd i gyd 'ŵan, Guto!
Hogyn da w't ti, 'de! Hogyn mawr 'di Gut . . . '

Synhwyrodd fod Ben wedi dod i mewn i'r stafell. Roedd
o'n sefyll ac yn darllen llythyr yn ddyfal. Gwelodd fod 'na
amlen euraid yn ei law arall. Er ei bod hi'n ddydd Sadwrn,
byddai Ben wastad yn gwisgo'n drwsiadus. Doedd ganddo fo
ddim tei, wrth reswm, ond roedd y crys yn dwt ac wedi'i
smwddio, a'r trowsus yn un o'r rhai lliw llygoden rheiny yr
oedd ganddo fo resiad ohonyn nhw yn ei wardrob.

Cododd ei ben a dechrau chwifio'r llythyr yn ddramatig.
Sylwodd Cadi fod llygaid Guto'n serennu ar y pilipala papur
yn ei law.

'Ti 'di gweld hwn? Ti 'di gweld hwn?'

'Naddo, siŵr. Sut fedrwn i?'

Roedd Cadi'n gwybod ei bod yn defnyddio'r llais mamol
mymryn yn nawddoglyd yna efo fo pan oedd o'n cael
hyrddiau fel hyn. Ers dyfodiad Guto oedd hynna. 'Ta oedd
o'n digwydd cyn hynny?

'Be 'di o? Bil?'

''Dio'n gall? 'Di Tim 'di colli ar 'i hun yn llwyr, d'wad?'

'Pam?'

'Mae o 'di'n gwahodd ni i gyd i'r Maison eto 'leni, 'do!
Meddylia!'

Cododd Cadi'i mab allan o'r gadair uchel a rhoi'i bwysau
bach meddal i lawr ar y carped. Dechreuodd yntau gropian
ar hyd llawr y lolfa fel tasa fo'n beiriant bach wedi'i weindio.

Cymerodd Cadi'r llythyr a dechrau darllen. O gil ei llygaid,
gallai weld Ben yn cerdded i fyny ac i lawr y lolfa'n anniddig.

'Ma' 'na ffasiwn beth ag eticét . . . Oedd pawb ohonan ni'n
dallt yn iawn na fasa 'leni 'run fath. Sut fedra neb ddisgwyl
i ni fynd 'nôl am yr un pythefnos i'r Maison fel tasa na'm byd
'di digwydd! Fel tasa Esyllt . . . '

16

Roedd y geiriau 'yn dal yn fyw' yn hofran rhyngddyn nhw cyn suddo i mewn i'r carped lliw hufen.

'Ella . . . na'm yn licio peidio mae o.' Doedd Cadi ddim am ddechrau neidio ar gefn yr un ceffyl â Ben. Roedd hi'n nabod Tim yn ddigon da i wybod na fasa fo byth yn gneud rhywbeth mor ansensitif â hyn heb fod 'na reswm da dros neud hynny. Eto, falla fod y gorau'n colli weithia.

'Galar yn medru gneud petha rhyfadd i bobol.'

'A be ma' hynna i fod i' feddwl?'

'Wel . . . ' dechreuodd Cadi, gan sefyll a cherdded at ei ymyl. Daeth yn ymwybodol bron yn syth o Guto'n gwau ei ffordd rhwng ei thraed, fel cath.

'Deud dwi na chei di'm dau berson yn ymatab yr un fath i'r un farwolaeth. A weithia, agosa'n byd ydi rhywun i'r un sy 'di marw, mwya . . . anghyffredin mae o'n byhafio . . . '

'Blydi od, ti'n feddwl.'

'Ben! Cofia fod Guto o gwmpas!' Doedd hi ddim am i'w air cynta fod yn rheg.

'Ma'n annisgwyl, mi ro' i hynna i chdi,' meddai hi eto'n amyneddgar. 'Ond sgynnon ni'm hawl, nag oes? I ddeud wrth Tim sut i deimlo ar ôl i'w wraig o farw'n sydyn fel'na. Dim hawl o gwbwl.'

'Ond ddim Tim 'di'r unig un sy 'di 'i cholli hi.'

Edrychodd Cadi ar Ben a gweld bod ei wyneb yn goch. Falla fod y stafell fymryn yn boeth, a'r haul wedi bod yn danbaid arni ers y bora cynta.

'Be?'

'Wel . . . ti, er enghraifft, ti 'di colli ffrind, 'do? A Non. Wel, nid fod Non ac Esyllt 'di bod yn fêts gora, dwi'm yn deud, â Non gymaint o hen jolpan wirion.'

'A Gareth.' Brathodd Cadi'i gwefus. Damia.

'Gareth?'

'Wel, ia. Ti 'di enwi pawb arall, 'do?'

'Ond sôn o'n i am bobol roedd Esyllt yn golygu rwbath iddyn nhw, 'de. Pobol fatha chdi a Non.'

'O, ia. Sori.'

Aeth Ben yn ei flaen, a dechreuodd Cadi glirio llestri bach plastig lliwgar Guto oddi ar y y bwrdd.

'Sgin Tim ddim 'styriaeth o deimlada'i ffrindia hi, d'wad, yn gorfod mynd 'nôl i'r hen dŷ mawr 'na, ac Esyllt . . . olion Esyllt yno ym mhobman?'

'Olion Esyllt?' Roedd y syniad yn aflednais. Yn hyll. Dechreuodd Cadi deimlo fymryn yn sâl.

Mi ro' i ganiad i Tim yn nes ymlaen, meddyliodd. Cael sgwrs efo fo. Awgrymu falla fod y syniad yn mynd i fod yn anodd i ambell aelod o'r criw. Falla byddai flwyddyn nesa . . . Ond roedd yn gwybod yn iawn fod Tim wedi meddwl yn ofalus cyn gneud hyn. Ei fod o wedi gyrru'r gwahoddiadau am ei fod o'n meddwl mai dyna oedd y peth iawn i' neud.

Roedd Ben wedi cerdded allan o'r stafell am y gegin erbyn hyn, wedi gwasgu'r gwahoddiad a'i daflu i mewn i'r bin bach gwellt oedd wrth ddrws y lolfa.

Aeth Cadi at y bin a chodi'r belen bapur a'i dad-gyrlio'n ara, ara bach.

Pennod 3

Non

Plygodd Non ei phen yn ôl ar y glustog a disgwyl i Gareth ddod yn ôl allan drwy ddrws y stafell molchi. Teimlodd y crensian oddi tani wrth i'r plu suddo dan bwysau'i phen. Edrychodd ar ei gwallt tywyll ar draws gwynder crychedig y dillad gwely. Symudodd ei phen ac ysgwyd ei gwallt fel ei fod o'n syrthio'n fwy cyfartal. Dyna fo. Perffaith. Doedd ei gwallt ddim wedi bod cyn hired ers tro byd, ac roedd yn dechrau mwynhau'r teimlad o'i gael yn disgyn yn drwm o gwmpas ei sgwyddau fel tasa gynno fo'i fywyd ei hun.

Gallai glywed y synau roedd hi wedi dechra'u cysylltu efo'r weithred o gael rhyw: sŵn y pi-pi, sŵn y dŵr yn y sinc, sŵn y molchi . . . Byddai'n arfer cyfri hefyd pa mor hir y cymerai Gareth i neud hyn i gyd, er na fyddai byth yn deud wrtho fo, wrth reswm, rhag ofn iddo fo feddwl nad oedd hi'm yn gall. Roedd hi'n amau ei fod o'n meddwl hynny beth bynnag. Doedd hi'm yn gallu helpu'i hun, nag oedd? Ddim yn medru helpu'i hun rhag agor ei cheg a dangos yr ansicrwydd oedd yn ei hamgylchynu fel gwe pry cop; dim ond blaen troed oedd isio i chwalu'r cwbwl lot.

Deg, un ar ddeg, deuddeg, un deg tri . . .

Roedd o'n rhyw da tro 'ma 'fyd. Dwfn. Cyflawn. Yn cyrraedd yr holl ymysgaroedd. Guinness o garu. Ond yn y swsio a'r llyfu a'r sugno, falla'i bod hi wedi colli gafael ar y llun i gyd. Ynghanol ei phleser hi ei hun, wedi colli gafael ar Gareth a sut oedd pethau 'di bod iddo fo. Oedd hi wedi'i blesio? Oedd o wedi bod yn caru efo hi fel 'tai hi oedd y peth pwysica yn ei fywyd o erioed? Fel 'tai hi oedd bob dim?

'Gar?'

Dau ar bymtheg. Deunaw . . .

Un peth oedd y caru. Un rhan. Ond roedd y cofleidio a'r cysuro a'r sicrhau – roedd hwnnw'n bwysig hefyd. Yn hollbwysig.

'Gar?'

Doedd o'm yn siaradwr mawr ar y gorau. Roedd Gareth 'di deud wrthi hi unwaith ei fod o 'di meddwl pan oedd o'n hogyn bach mai hyn a hyn o eiriau oedd gan bawb. Hyn a hyn, a dyna fo. Ac mai dyna pam nad oedd o'n siarad rhyw lawer pan oedd o'n fychan, am fod ganddo ofn wastio'r geiriau a mynd drwyddyn nhw i gyd, fel na fyddai gynno fo'm gair ar ôl ar gyfer rhyw amser pan fyddai o'u hangen nhw go iawn.

Roedd Non yn medru dallt. Rhyw fath o ddallt. Meddyliai am y Gareth ifanc, hirwalltog yn cadw petha da bach amryliw yn dynn, dynn yn ei ddwrn bach chwyslyd, nes eu bod nhw'n dechrau troi'u lliw, efo un lliw yn toddi i mewn i'r lliw nesa. Nes yn y diwedd, nid da-da o wahanol liwiau fyddai gynno fo ond un lwmpyn sgwishlyd oedd ddim yn lliw iawn o gwbwl. Pelen fach feddal o eiriau oedd yn gymysg i gyd ac yn gneud dim sens.

Weithia, roedd Non yn amau fod Gareth yn meddwl hynny o hyd efo geiriau. Nad pethau i'w wastio oeddan nhw, ond pethau i'w cadw'n glòs glòs, tan oedd raid – tan oedd rhywun yn gorfodi'r dwrn i agor, fys wrth fys.

Ond roedd ei wefusau o'n gneud mwy o lawer na siarad efo hi, 'doeddan? Symudodd Non ei chorff fel cath ar draws y gwely, a theimlo saeth o bleser yn mynd drwyddi wrth iddi gofio am y blysio a'r gwasgu a'r llithro. Taenodd ei thafod ar

draws ei gwefus isa yn ara, ara a dechrau cau'i llygaid . . .
Falla'i bod hi isio mwy na jest dipyn o gysur tro 'ma 'fyd.

Prin oedd hi'n ymwybodol o silwét Gareth yn erbyn y
petryal golau o'r stafell molchi.

'Fi'n gorffod mynd.'

'Mynd?' Fatha cletsh. 'I lle ti am fynd?' meddai mewn llais
canu grwndi. 'A finna'n fan'ma, yn . . . barod amdana
chdi . . . '

Symudodd ei choesau, fel agor siswrn, fel ei bod yn
amlwg i Gareth be'n union roedd hi'n ei feddwl.

''Da fi bractus, on'd o's e? Wedes i 'sen i'n cwrdd â Mel a
Phil yn y stiwdio erbyn hanner dydd.'

'Stiwdio?' Sythodd Non a theimlo'n oer yn sydyn. 'Garej
sgin Mel, ddim blydi stiwdio!'

'Ma'n stiwdio i ni ar y funed, nes bo' . . . '

'Tan i chi neud 'ych ffortiwn, ia? Tan i chi ga'l 'ych
"darganfod"? God, Gareth!'

'God beth?'

'Oedd o'n neis ddeng mlynadd 'nôl. Secsi. Ond rŵan?
God! Deffra, nei di? Ma'n *boring*!'

Doedd Non ddim yn siŵr be oedd yn mynd dan ei chroen
fwya – y ffaith fod Gareth yn dal 'i afael mor dynn yn ei
ugeiniau cynnar 'ta'r ffaith ei fod o'n ei gadael hi ar ôl wrth
neud hynny.

Ddywedodd Gareth ddim gair, dim ond gafael yn ei drôns
a'i drowsus a dechrau gwisgo. Roedd ei wallt hir wedi'i
glymu'n ôl mewn cynffon erbyn hyn. Dylai fod hynna wedi
rhybuddio Non ei fod o am ei drawsnewid ei hun i fod yn
Gerddor Mawr nad oedd neb wedi'i ddallt.

Gwelodd yr amlen fach liw aur yn syrthio allan o'i
drowsus a disgyn heb smic ar y carped. Llamodd Non arno
fo mewn eiliad. Roedd hi wedi gweld enwau'r ddau ohonyn

nhw ar yr amlen cyn i Gareth gael cyfle i drio'i dwyn oddi
arni.

'Be 'di hwn?'

Ddywedodd o 'run gair am funud. Gallai Non weld y
llygaid fyddai mor llonydd fel arfer yn gwibio o un pen o'r
stafell i'r llall, fel tasa fo'n trio sganio'r llinell oedd i fod i
ddŵad nesa oddi ar y waliau, fel roedd o'n ei neud ar sgrin
y cyfrifiadur. Roedd 'na gar yn gweryru yn y stryd tu allan,
a'i injan yn nogio. Cyfarthiad ci. A'r amlen. Yn nwylo Non, fel
cleddyf.

'Be 'di o, Gareth?'

'Dim, iawn? Dim byd pwysig! Wedyn, gad e!' Roedd ei lais
yn llawn rhybudd.

Ond erbyn hyn, roedd Non wedi rhwygo'r amlen – er nad
oedd raid, gan ei bod eisoes wedi cael ei hagor yn ddigon twt
gan Gareth. Darllenodd y gwahoddiad heb ddeud gair.
Darllenodd o eto ac eto, i neud yn siŵr nad hen wahoddiad
o'r llynedd oedd o, neu fod yna rywun arall yn eu gwahodd
i dŷ arall yn Ffrainc. I gael cogio'u bod nhw'n medru dechrau
eto. Roedd y geiriau'n toddi i mewn i'w gilydd.

'Pa bryd . . . ? Pam 'nest ti'm . . . ?'

Roedd Gareth yn eistedd ar erchwyn y gwely erbyn hyn.
Roedd o'n syllu ar y llawr, ar batsyn tywyllach na gweddill y
carped, lle roedd Non wedi colli jochiad o win coch ryw dro.

'Smo ni'n mynd, eniwê,' medda fo.

'Be! Be ti'n feddwl, 'dan ni'm yn . . . ?'

'Smo ni'n mynd, reit? Shwt yffach . . . Wedyn, sdim
pwynt, o's e?'

'Pwy sy'n deud?'

'Fi!'

'Be, a ti'm yn meddwl ella 'sa gin i farn wahanol i chdi?'

Distawrwydd. Injan y car tu allan yn tagu ac yn darfod.

'Gareth!'

22

Cododd Non ar ei thraed a mynd i sefyll o'i flaen fel nad oedd ganddo fo ddewis ond sbio arni. Mi wnaeth hynny am eiliad cyn troi'i ben yn ôl i syllu ar yr hen staen gwin. Roedd ei lygaid o'n sgleinio'n rhyfedd. Gwyrdd ei lygaid o'n wyrdd pwll budur.

'Gareth!'

'Alla i ddim . . . Allen . . . ni ddim.'

'Be uffar haru chdi?'

'Be sy'n bod arnoch chi! Ar . . . ar Tim yn hyd yn oed meddwl . . . ar ôl . . . ' Roedd nerth ei eiriau o'n diasbedain rhwng un wal a'r llall, yn ôl ac ymlaen, fel pêl ping-pong. Fel pêl ping-pong sgwishlyd bob lliw.

Cydiodd Non yn ei freichiau. Teimlodd lyfnder y croen a chwydd caled y cyhyrau ar dop ei fraich. Cododd Gareth o ymyl y gwely, a gafael yn frysiog yn y crys-T oedd wedi cael ei daflu ar y llawr ym mrys y caru neithiwr. Doedd gan Non ddim ffordd arall o ddechrau caru. Dim ond brys a chynnwrf, fel 'tai hwn oedd y tro cynta erioed, efo rhywun newydd.

'Smo ni'n mynd. Sori am anghofio pasio'r gwahoddiad mla'n i ti, ond smo ni'n mynd, Non. No wê.'

Doedd 'na'm eiliad i'w sbario ganddo fo, meddyliodd Non. Fel tasa'r tŷ ar dân, a bod yn rhaid iddo fo afael yn y peth agosa er mwyn cael dengid. A rywsut roedd geiriau Non wedi mynd i gyd i rywle. Wedi diflannu i mewn i'r waliau, i mewn i'r staen yn y carped, i mewn i'r llygaid gwyrdd budur 'na.

'Fi'n hwyr! Wela i di wedyn.'

Suddodd Non yn ôl ar y gwely, a gwrando arno'n rhuthro i lawr y grisiau. Symudodd hi ddim tan i glep y drws ffrynt orffen diasbedain drwy'r tŷ. Yna aeth i chwilio am ei ffôn.

Pennod 4

Tim

Roedd y caffi'n orlawn pan gyrhaeddodd Tim, a cael a chael oedd hi iddo weld Non yn y gornel bella. Doedd hi ddim yn hogan fawr iawn, a dim ond ar ôl i rywun ddŵad i'w nabod roedd hi'n llenwi stafell. Roedd hi wedi dewis y caffi'n benodol am ei fod rownd y gornel o lle roedd Tim yn gweithio, chwarae teg iddi, ond roedd yn andros o le poblogaidd amser cinio efo pobol y swyddfeydd. Gwibiodd llygaid Tim yn frysiog i weld oedd o'n nabod rhywun, ond doedd o ddim heddiw, wrth lwc.

Y munud y gwelodd Non ei fod o wedi cyrraedd, roedd hi ar ei thraed ac yn chwifio'i breichiau'n wyllt. Teimlodd Tim ei wyneb yn cochi. Ond doedd Non ddim fel tasa hi'n sylwi, a rhoddodd sws fawr iddo wrth iddo gyrraedd y bwrdd.

Sylwodd ar gochder ei lipstic wrth iddi eistedd eto, a symudodd ei law at ei foch yn reddfol i dynnu'r siâp sws coch oedd yn siŵr o fod wedi cael ei blannu ar ei groen. Doedd o ddim yn beth derbyniol, debyg, i ŵr oedd yn weddw ers chydig wythnosau fod yn cerdded rownd efo lipstic coch ar ei foch, fel tasa gynno fo ddim ots. Chwerthin fasa Esyllt 'di neud. Chwerthin a deud wrtho fo am beidio poeni cymaint be oedd pobol eraill yn ei feddwl. Hi oedd yn iawn, mae'n siŵr.

'Ti'n edrach yn dda . . . yn well.' Roedd Non yn hanner gwenu. Sylwodd Tim o gornel ei lygaid fel roedd ambell foi ifanc mewn crys a thei trendi yn ei llygadu.

'Dŵad drwyddi'n ara deg, 'de!' medda fo, gan symud ei ben mewn ffordd oedd yn trio'n rhy galed i fod yn ysgafn.

'Cysgu'n well?'

'Be?'

'Cadi. Hi oedd yn deud bo' chdi 'di bod yn ca'l traffarth cysgu.'

'Pryd welist ti Cadi?'

'Taro mewn iddi ryw bnawn yn dre. 'Di bod â'r babi . . . '

'Guto – a 'dio'm yn fabi, Non! Mae o jest yn ddwy!'

Rholiodd Non ei llygaid, a chwifio'i llaw yn ddifynedd.

'Ti'n gwbod be dwi'n feddwl. Ma'n nhw'n dal yn fabis i mi tan maen nhw yn 'u hiwnifform ysgol, sti! Dwi'n hoples!'

'Wyt!'

Gwenodd y ddau ar ei gilydd. Gafaelodd Tim yn y fwydlen.

'Cysgu'n well, yndw. A byta'n iawn, diolch 'ti.'

'Dau allan o dri ddim yn ddrwg,' meddai Non. Roedd Tim yn gwybod o'r ffordd roedd hi'n edrych i fyw ei lygaid be roedd hi'n ei feddwl. Dim ond Non fasa mor hy. Penderfynodd beidio llyncu'r abwyd.

'Dechra dŵad i arfar peidio cwcio i ddau? Yndw.'

Dim ond gwenu wnaeth Non, a dechrau rhoi mwy o sylw o lawer i'r pellter rhwng cyllell a fforc ar y bwrdd, a safle'r tyrau pupur a halen.

'Na, mae'n anodd dwi'n siŵr, Tim.'

'Be?'

'Pob dim, 'lly.'

'Yndi.'

Anodd cysgu'r nos. Anodd codi'r bora. Symud fel drwy driog du . . .

'Esyllt yn llenwi bob man rywsut, 'doedd?'

'Pob dim, pob man.'

'Pawb!'

'Pawb?'

Esyllt yn llenwi pawb, fel mwg mewn jar.

'Sna'm un ohonan ni 'run fath, sti.'

'Nag o's.'

Pawb yn pwyso ar ei gilydd yn y fynwent, fel coed mewn storm. Pawb i' weld fymryn yn hŷn wedyn, uwch y sgons a'r bara brith yn y te angladd. Pawb wedi cymryd cam arall bychan bach, yn nes . . .

'Hyd yn oed Gareth . . . '

Rhoddodd Non hanner gwên fach nerfus ac estyn am y fwydlen.

'Be ti ffansi? Waw! Dewis 'ma, 'does? Tatan bôb efo caws, tatan bôb efo caws a nionyn, caws a ham, caws a . . . '

'Sut ma' Gareth?' gofynnodd Tim.

Chododd Non mo'i llygaid wrth siarad. Roedd hi fel tasa hi am osgoi sbio arno fo. Neu falla mai fo oedd yn dychymygu'r peth.

'Ia! Gareth . . . '

'Gawsoch chi'r gwahoddiad, 'ta?'

''Dio'm am ddŵad, medda fo. I'r Maison. 'Dio'm am ddŵad ar gyfyl y lle. Sori.'

'O'n i'n ama.'

'Oeddat?' Cododd ei phen ac edrych yn iawn arno fo. Roedd ei llygaid almond yn grwn, wedi synnu.

'Disgwyl rwbath tebyg gin amball un. Ben, ella.'

''Di Ben am wrthod 'fyd?'

'Mi ffoniodd fi, 'do?' meddai Tim. 'Syth ar ôl i'r llythyr gyrraedd. O'n i'n gallu clywad Cadi yn y cefndir yn trio'i gwlio fo lawr tra oedd o'n tantro efo fi ar y ffôn.'

'Crinc.'

'Ella. Fedri di ddallt.'

Rhoddodd Non ei llaw fodrwyog ar law Tim. Roedd ei

gwinedd wedi'u peintio'n goch a du bob yn ail. Edrychai'r croen yn wyn, wyn yn ymyl cryfder lliw'r gwinedd.

'Sut fedri di fod mor neis, Tim! Dwi'n meddwl bod o'n ofnadwy o rŵd! Bo' chdi 'di mynd i draffarth i'n gwahodd ni i gyd i'r Maison eto 'leni ar ôl pob dim . . . A bod pobol fatha Ben . . . a Gareth 'fyd, jest yn ei daflu o 'nôl yn dy wynab di!'

'Pwy sy'n deud wnân nhw lwyddo?' Roedd llais Tim yn dawel.

'Be ti'n feddwl?'

'Ella 'dio'm i fyny iddyn nhw'n diwadd. Esyllt . . . '

Yr enw'n sibrwd 'nôl a blaen rhyngddyn nhw. Es . . . yllt . . .

'Be am Esyllt?' meddai Non.

'Dyna oedd hi isio.'

Dim gair, dim ond sŵn clebran y cwsmeriaid, sŵn cyllyll a ffyrc. Gallai Tim weld fod Non mewn penbleth.

'Sori, Tim, ond dwi'm yn dallt hyn 'ŵan.'

'Dyna oedd hi isio!' meddai eto.

'Ddudodd hi hynna wrthach chdi? Cyn y ddamwain?'

'Dyna ddudodd hi droeon. Tasa rwbath yn digwydd iddi hi, bod pawb ohonan ni i fynd i'r Maison 'run fath. A roedd hi'n deud ei bod hi am ei roi'n y 'wyllys 'fyd. Dwn i'm os gnath hi . . . '

'Ti'm 'di sortio . . . '

'Naddo, ddim eto.'

''Dio'm yn orchymyn, nacdi?'

'Nacdi. Ddim yn union. Ma' gin bawb hawl i beidio cymryd sylw. Os ydan nhw'n teimlo, o ddifri calon.'

Gallai Tim deimlo Non yn pwyso a mesur pob dim roedd o wedi'i ddeud. Daliodd ei wynt.

'Basdads gwael,' meddai hi'n chwyrn. Trodd y cwpwl oedd ar y bwrdd nesa i'w chyfeiriad am eiliad, cyn troi'n ôl at ei gilydd.

'Pwy? Gareth a Ben? Sdim rhaid iddyn nhw, nagoes?'
Roedd llais Tim mor gytbwys ag y gallai fod.

'Ia, ond os oedd Esyllt 'di gofyn . . . Oedd hi 'di meddwl
am y peth, 'doedd? 'Di sgwennu'r peth i lawr, ella . . . '
Anwybyddodd Tim y cwestiwn, os mai cwestiwn oedd o.

'Fydd 'na rai ohonan ni yna, sti. Paid â phoeni,' meddai.

'Be ti'n feddwl?'

'Wel, ges i air efo Cadi nes mlaen, pan oedd Ben 'di gada'l
y tŷ mewn tempar. Ma' hi a'r bychan am ddŵad eu hunain
os oes raid, medda hi.'

'Cadi'n dŵad heb Ben? Dyna ddudodd hi? A wedyn os ydi
Cadi, fi, Guto bach, chdi . . . ?' mentrodd Non.

Edrychodd Tim arni, a chodi'i sgwyddau fel petai o'm yn
siŵr be oedd hi'n mynd i'w ddeud. Tynnu'n ôl oedd yr
allwedd; tynnu'n ôl, gadael i Non deimlo'i bod hi'n
penderfynu drosti hi ei hun.

''Swn i'n dallt 'sa chdi'm yn medru, siŵr. Os 'di Gareth . . . '

'Damia blydi Gareth!'

Roedd ei llais wedi codi chydig nodau yn uwch na'r lefel
dderbyniol mewn caffi, ac edrychodd sawl cwsmer i'w
cyfeiriad y tro 'ma. Synhwyrodd Tim fod 'na eiliad neu ddau
o dawelwch hefyd ond falla mai fo oedd yn dychmygu hynny.

'Dwi'n dŵad 'fyd. Os wyt ti a Cadi a'r babi 'na'n mynd,
rydw inna 'fyd!'

'Dwi'm isio rhoid pwysa . . . '

'Dwyt ti ddim, Tim! Yli, ti'n gwbod gymaint dwi wrth fy
modd efo'r Maison! A 'di bod yn *jobbing actress* ddim yn talu
cystal fel bo' fi'n medru fforddio gwrthod gwylia am ddim yn
yr haul, nacdi!'

Ceisiodd Tim beidio edrych yn rhy fuddugoliaethus wrth
estyn ymlaen a gwasgu'i llaw.

Pennod 5

Tim

Y tu allan i Nantes yr oedd Tim pan ddechreuodd y car dagu. Roedd o wedi rhyw led fwriadu galw yn y ddinas a threulio pnawn bach yn crwydro'i strydoedd culion coblog cyn cario mlaen ar y daith i'r tŷ. Ond ddigwyddodd pethau ddim yn eu trefn. Rhyw bwl bach o dagu a chario mlaen i ddechrau. Wedyn, fe drodd y peswch yn asthma drwg, a megin yr hen gerbyd yn gwichian cyn penderfynu rhoi'r gorau iddi. Llwyddodd Tim i droi i mewn i gilfach fach ar ochr y ffordd, wrth lwc.

Ond roedd dod o hyd i garej wedyn bron yn amhosib. Roedd hi'n bnawn cynnar erbyn hyn, a phob siop a busnes wedi tynnu'r bleinds i lawr dros amser cinio. Tarodd Tim ei draed ar y palmant yn ddifynedd wrth iddo grwydro ymhellach ac ymhellach oddi wrth y car. Ar y rât yma, meddyliodd, fe fyddai wedi cyrraedd y Maison ar droed!

Ond daeth haul ar fryn pan welodd garej fechan, flêr yr olwg, a'r perchennog wrthi'n cau i lawr am y pnawn. Dyn bach blêr, digon tebyg i'w garej, oedd hwn hefyd – ei ofarôl yn dangos olion ffidlan efo sawl injan a'i fwstásh yn olew-car o ddu. Ond roedd y llygaid glas pefriog yn awgrymu fod 'na fwy iddo fo nag ofarôl a mwstásh. Dyn busnes oedd hwn yn amlwg, a dyn busnes nad oedd yn gallu fforddio gwrthod cyfle i flingo rhyw dwrist bach oedd wedi mynd i drybini.

Cerddodd y ddau tuag at y car a dim byd ond sŵn eu sgidiau ar y concrid yn gwmni. Buan iawn roedd Tim wedi

29

mynd drwy hynny o Ffrangeg ysgol oedd ganddo, a doedd hwnnw ddim yn cynnwys geirfa trin ceir. Fe fyddai Esyllt wedi cadw'r sgwrs i fynd yn iawn, wrth gwrs. Falla fod ganddi hyd yn oed lai o ddiddordeb na Tim mewn mecanics, ond fe fyddai hi wedi swyno'r hen foi, yn saff. Byddai wedi dŵad i wybod ers faint roedd o wedi priodi – os oedd o, lle roedd o wedi cyfarfod â'i wraig a faint o blant neu wyrion oedd ganddo fo. Fe fyddai'r ddau wedi ffarwelio'n wresog, a'r hen foi wedi gostwng ei bris efo pob gwên a chwerthiniad roedd Esyllt wedi'i daflu ato. Fydda fo byth cweit yr un fath eto.

Doedd yr un swyn ddim yn perthyn i gyfarfyddiad Tim â'r dyn garej. Diwedd y stori oedd fod Tim wedi cael ei berswadio i adael y car yn y garej fach flêr, a llogi car i fynd â fo i'r Maison. Fe fyddai un o'r mecanics yn gyrru'r car draw ar ôl iddo gael ei drwsio. Roedd Tim yn falch ei fod wedi cymryd polisi insiwrans gwell nag arfer tro 'ma. Doedd o ddim am adael dim byd i siawns. Doedd aros yn Nantes tan oedd y car yn barod ddim yn opsiwn; roedd yn rhaid symud mlaen i gael bod yn y Maison du Soleil cyn i'r lleill gyrraedd.

Roedd hi tua pump o'r gloch pan gamodd Tim allan o'r car llogi a sbio i fyny ar y Maison. Roedd yr haul yn uchel yn yr awyr o hyd, a'r gwres o'r ddaear yn treiddio drwy'i sandalau. Doedd gan y car llogi ddim system awyru a doedd Tim ddim wedi meddwl holi am hynny dan yr amgylchiadau. Roedd dyn y garej wedi gneud iddo deimlo'n hynod, hynod ddiolchgar nad oedd o'n gorfod mynd ymlaen â gweddill ei siwrne ar gefn beic!

Tarodd Tim y rhifau hollbwysig i mewn i'r bocs bach ar y wal ac edrych ar y giatiau marweddog yn agor iddo. Roedd wastad yn mwynhau'r teimlad yma. Aeth yn ôl i mewn i'r car poeth a gyrru i fyny at y tŷ. Gallai deimlo'i grys yn glynu wrth ei gefn rŵan. Penderfynodd barcio'r car y tu ôl i un o'r cytiau yng nghefn y tŷ, fel bod yna ddigon o le i bawb arall barcio ar ei ôl.

Sylwodd yn syth fod rhywbeth yn wahanol. Roedd y chwyn yn garped trwchus dros y cerrig mân, yn amlwg wedi cael llonydd ers misoedd lawer. Be ddiawl oedd ar Bruno, yn gadael i'r Maison fynd â'i ben iddo fel hyn, meddyliodd, gan deimlo'i dymer yn codi. Roedd y cythral hy yn ddigon blydi parod i dderbyn yr ewros roedd Esyllt yn eu weirio iddo fo bob mis fel tâl am edrych ar ôl y lle. Roedd Tim wedi gneud yn siŵr fod yntau hefyd yn parhau â'r traddodiad ariannol yma, am y tro beth bynnag, tan iddo benderfynu'n iawn be oedd o am 'i neud nesa. Doedd gan Bruno ddim cyfrif banc, ffaith a âi o dan groen Tim, yn wahanol i Esyllt, oedd yn licio'r elfen honno amdano. Ond roedd hi'n bwysig i Tim fod Bruno'n dal yn rhan o'r lle.

Dechreuodd gerdded o gwmpas y tŷ, gan edrych ar gloriau glas y ffenestri, i gyd ar gau, fel llygaid. Sylwodd fod y paent wedi dechrau pilio yma ac acw. Tŷ carreg oedd o, yn debyg iawn i'r holl dai carreg felen eraill yn ardal y Charente. Ac eto, roedd y Maison du Soleil yn gneud argraff, nid yn unig oherwydd ei faint ond hefyd am ei fod ar y cyrion. Roedd galw'r ffordd fechan oedd yn arwain allan o'r pentre'n draffordd chydig fel galw eglwys y plwy'n gadeirlan. Lôn oedd wedi gweld tarmac ers rhyw ugain mlynedd yn unig oedd hi mewn gwirionedd, yn syth hollol, efo jest digon o le i ddau Deux Chevaux basio'i gilydd heb i'r naill grafu'r paent oddi ar y llall. O boptu'r lôn roedd caeau o flodau haul yn un reiat am y gwelech chi, ac ambell gae bob hyn a hyn efo byddinoedd o goed grawnwin wedi'u tocio'n ofalus.

Natur gymharol anghysbell y lle oedd wedi apelio at Arthur, tad Esyllt, medda fo wrth Tim sawl gwaith, uwch gwydriad go nobl o wisgi.

'Ymhell o sŵn y byd a'i bethau, Timothy bach. Ymhell o dwrw'r byd . . . '

Ac eto, prin hanner milltir oedd hi i'r pentre, ac yno roedd *boulangerie* ar gyfer bara, siop Françoise oedd hefyd yn swyddfa bost, *charcuterie* yn gwerthu pob math o gigoedd, ac archfarchnad fach ddigon 'tebol efo silff reit dda o win. Doedd Arthur ddim yn un i fynd heb hanfodion bywyd, a thipyn o sioe i'r ffrindiau adra oedd brolio'i fod yn encilio wrth dreulio bob gwyliau yn y Maison du Soleil. Llathen o'r un brethyn oedd Esyllt.

Arthur oedd wedi prynu'r Maison. Roedd o wedi derbyn swm go barchus wrth ymddeol o un o'r cwmnïau mawrion 'na tua gogledd Lloegr ac wedi prynu'r Maison am bris rhesymol iawn pan oedd o ac Olwen wedi mynd i'r ardal am wyliau ryw dro.

Pan aeth y wisgi a'r bwyd da yn drech na 'rhen Arthur druan, aeth i'w encil ola yn y nen. Dyna sut ddaeth y *gîte* i berchnogaeth Esyllt. Doedd gan Olwen, mam Esyllt, mo'r diddordeb lleia yn y lle, yn wahanol iawn i'w hunig ferch. Fe fyddai Olwen yn amal iawn yn aros adra yng Nghymru tra oedd Arthur yn dŵad yma efo Esyllt. Synnodd neb, felly, pan adawodd Arthur y lle i Esyllt yn hytrach nag i Olwen. Ddaeth Olwen ddim yma unwaith wedyn, a bu hithau farw bum mlynedd yn ddiweddarach gan adael Esyllt yn amddifad yn wyth ar hugain.

Blydi Bruno! Roedd y pwll nofio'n edrych yn ddigon tila, a deiliach a changhennau wedi dod o hyd i lanfa yno ar ôl rhyw storm neu'i gilydd. Aeth Tim ar ei fol a thynnu talp o wyrddni i un ochor a syllu ar gyflwr y teils ar lawr ac ochrau'r pwll. O graffu'n fanylach, doedd y pwll ddim mewn cyflwr rhy ddrwg, heblaw am ambell batsyn yma ac acw. Ond tasa Bruno wedi cofio rhoi'r cemegolion i ladd tyfiant fel roedd o i fod i' neud, fe fyddai'r pwll yn lân ac yn barod i bawb ei ddefnyddio heddiw.

Cododd a chuddio'i lygaid rhag yr haul. Y bwriad ar ôl cyrraedd y Maison oedd neidio i mewn i'r pwll a thorheulo yn yr ardd tan i bawb gyrraedd. Doedd o ddim wir isio mentro i mewn i'r Maison ar ei ben ei hun heb y lleill. Diffyg cwrteisi fyddai hynny, meddyliodd, gan fygu unrhyw wirionedd arall a allai godi i'r wyneb. Ac fe fyddai nofio'n symud ei feddwl, neu'n hytrach yn suo'i feddwl ar ôl straen y siwrne. Doedd dim yn well ganddo na gorwedd ar ei gefn yn y pwll a gadael i'r dŵr gymryd ei bwysau fel 'tai o'n gorwedd yn nŵr hallt y Môr Marw. Ond efo'r lle mewn ffasiwn lanast . . .

Penderfynodd y byddai'n well iddo daro golwg sydyn drwy'r tŷ cyn i bawb arall gyrraedd, i neud yn siŵr fod Bruno wedi gosod y cynfasau'n daclus ar waelod y gwelyau, fel arfer. Mam Bruno oedd yn arfer cymoni'r tu mewn i'r tŷ, ond roedd Bruno wedi cymryd drosodd ers i honno ddechrau mynd yn rhy fusgrell i neud y gwaith ei hun.

Aeth Tim i'w fag i chwilio am oriad y drws cefn. Doedd dim angen iddo agor y drws er mwyn dychmygu'r teils brown ar lawr y gegin, a'r celfi glas golau roedd Esyllt ac yntau wedi'u peintio llynedd. Caeodd ei lygaid a gwthio'r drws ar agor.

Yr ogla drwg a'i trawodd gynta. Roedd o mor gry nes gneud iddo gamu'n ôl ar stepan y drws a rhoi'i law dros ei geg. Ymestynnodd a gwthio'r drws ar agor led y pen i gael awyr iach i mewn i'r lle, gan gadw'i ddwy droed yn ddiogel ar y stepan. Gwyddai'n syth mai ogla cnawd oedd o. Ogla rhywbeth wedi marw, a hwnnw'n gymysg efo ogla llwydni ac ogla rhywbeth arall hefyd, rhywbeth nad oedd o'n gallu'i nabod.

Syllodd am eiliad i mewn i dywyllwch y tŷ. Roedd o fel tu

33

mewn i ogof efo cloriau'r ffenestri ar gau fel hyn. Cymerodd gam i mewn, gan roi'r garreg wrth y drws yn ei lle rhag ofn i'r drws gau ar ei ôl a'i adael efo'r drewdod diawledig yma. Yn raddol daeth yn amlwg o ba gyfeiriad roedd yr ogla'n deillio – o'r hen le tân oedd wedi'i osod ar ganol wal bella'r gegin. Teimlai ei hun yn cerdded fel rhyw actor ceiniog a dimai mewn drama feim. Un droed, ac wedyn y llall, ac yna . . . Syllodd ar y düwch oedd yng ngwaelod y grât, y casgliad o ddüwch drewllyd oedd yn gorwedd heb symud. Heb feddwl ddwywaith, gafaelodd mewn coes brwsh llawr (dyna'r peth cynta wrth law) a rhoi pwniad i'r peth du – yn ofalus y tro cynta, ac wedyn yn fwy hyderus, yn fwy brwnt. Camodd yn ôl wrth i'r peth hwnnw ildio'i du mewn coch oedd yn berwi efo cnonod. Cododd blaen y coes brwsh un adain ddu, a'i siâp yn ffan perffaith o hyd. Safodd Tim yno heb symud, gan ddal yr adain allan. Teimlodd biti mwya sydyn dros y frân oedd wedi mentro i lawr simne ddiarth ac wedi pydru'n ddiseremoni yno wedyn. Roedd pob creadur yn haeddu gwell diwedd na hynna.

Fe fyddai'n rhaid iddo fo sortio'r deryn yn reit handi, ac agor pob drws a ffenest led y pen. Edrychodd o gwmpas y gegin yn fwy manwl. Roedd pob dim arall fel yr oedd i fod, heblaw am ddau blât budur a dau wydryn ac olion gwin coch arnyn nhw yn y sinc, a mynydd bach o stympiau sigaréts ar y silff o dan y ffenest. Roedd Tim wedi amau o'r dechrau y byddai Bruno'n defnyddio'r Maison fel rhywle i ddŵad â *mademoiselle* go dinboeth am sesiwn garu grandiach nag roedd ei fwthyn bach o'n ei ganiatáu. Doedd Esyllt rioed wedi coelio, wrth gwrs. Fel 'na oedd Esyllt, yn gweld y gorau ym mhawb. A doedd Bruno ddim mor esgeulus â hyn fel arfer, chwaith. Doedd 'na byth arwyddion cweit mor amlwg. Be ddudai Esyllt rŵan o weld y dystiolaeth yn glir o'i blaen – marciau lipstic ar y stympiau sigaréts fel cusan? A be ddudai hi ei fod o, Tim, yn poeni am y peth – fod 'na ryw fath o gyllell o rywbeth tebyg i genfigen wedi saethu ar draws ei fol wrth weld olion caru dau ddiarth?

Ond pam oedd Bruno wedi bod mor flêr, ac yntau'n gwybod y bydden nhw'n dŵad yno yn un haid fel arfer?

Aeth o stafell i stafell, gan wthio'i ben rownd pob drws yn frysiog. Gwelodd yn fuan iawn fod ei amheuon yn wir. Doedd Bruno'n amlwg ddim wedi gneud unrhyw fath o ymgais i neud y llofftydd yn barod. Roedd y matresi wedi'u dinoethi'n union fel roedd Esyllt ac yntau wedi'u gadael. Heblaw am un gwely. Stafell Esyllt ac yntau.

Oedodd am hir y tu allan i'r drws cilagored. Roedd y tamed carped brau i'w weld, y papur wal diawledig roedd Esyllt ac yntau wedi bwriadu'i newid bob tro roeddan nhw wedi dŵad i aros. Pwy fasa'n meddwl fod y papur wal wedi para'n hirach na hi? Gwthiodd y drws ar agor a rhoi'i ben rownd y drws. Roedd y gynfas wely gnotiog yn dystiolaeth mai yn fanno roedd Bruno wedi bod yn caru. Sôn am ddiffyg parch!

Dadebrodd o glywed rhywun yn stwyrian yn y gegin i lawr y grisiau. Sŵn traed yn symud yn gyflym, agor ffenestri, symud cadeiriau. Fferrodd yn ei unfan, yn gwrando, yn gneud yn siŵr nad dychmygu oedd o. Yna dechreuodd symud.

Rhedodd i lawr y grisiau carreg, gan neidio dair ar y tro, a'i galon yn ei wddw. Rhuthrodd i mewn i'r gegin a stopio eto. Dyna lle roedd Bruno'n ymestyn am y grât efo un llaw a'r llall yn dal hances boced goch dros ei geg. Rhoddodd hanner tro wrth glywed sŵn troed Tim, a throi wedyn at ei orchwyl fel petai gweld Tim yn sefyll yno yn ddim byd o bwys.

'Les corbeaux – ils sont partout!' meddai, gan lwyddo i afael yn y bwndel drewllyd a'i gario led braich tuag at y drws cefn. Diflannodd am eiliad a chlywodd Tim sŵn y bin yn agor a chau. Aeth at stepan yr aelwyd ac edrych ar Bruno'n ysgwyd ei gorff fel petai'n amau fod ambell gnonyn wedi neidio o'r deryn ar ei grys. Doedd Tim rioed wedi'i weld o'n edrych mor gomic. Gallai weld ei gyhyrau'n amlwg o dan ei grys, a'i wallt tywyll yn syrthio'n flêr o gwmpas ei goler. Gallai weld pam y byddai merchaid y criw'n arfer pryfocio'i gilydd amdano. Esyllt yn cellwair yn ysgafn, a'i llygaid mawr yn edrych ar y ddwy arall. Gwrido fyddai Cadi ran amla; doedd hi ddim yn un i ymroi i ryw hen fân siarad fel y lleill. Non fyddai'n arwain y sioe, a sioe fydda hi hefyd; yn esgus ffanio'i hun efo'i llaw pan oedd Bruno wedi mynd allan o'r stafell, neu'n pwnio'i brest yn ddramatig i esgus fod ei chalon yn curo fel trên.

Doedd Tim ddim yn genfigennus o'r boi . . . nag oedd? A rŵan doedd o ddim yn teimlo unrhyw fath o bleser o weld y Bruno cŵl wedi'i styrbio ar gownt rhyw fymryn o dderyn wedi marw.

Cerddodd Bruno tuag ato gan godi'i sgwyddau, fel tasa fo'n deud 'Dyna ni! Ma'r petha 'ma'n digwydd!' Ond doedd Tim ddim mewn hwyliau i gymryd difaterwch Bruno mor ysgafn.

'Pam 'nest ti'm gneud y lle'n barod?' gofynnodd yn Ffrangeg. 'Ma'r lle fel tip, Bruno!' Codi'i sgwyddau'n ddifater wnaeth hwnnw eto. Gallai Tim deimlo'i fynedd yn diflannu.

'Ti'n gwbod bo' ni'n dŵad yma! Mi sgwennis i ddeud! Yr un pythefnos ag arfar, yr un criw . . . bron iawn . . . '

'*Iseult* . . . ' meddai Bruno. Edrychodd i fyny ar y ffenestri, fel 'tai o'n chwilio am Esyllt. '*Sans Iseult* . . . '

'Bruno, 'dan ni'n . . . dwi'n talu i ti edrach ar ôl y lle 'ma. I'w ga'l o'n barod i ni erbyn i ni ddŵad yma!'

'*Quelqu'un a telephoné*!'

'Be?'

Ysgydwodd Bruno'i ben a brathu'i wefus isa wrth ddechrau egluro. Roedd o'n edrych yn euog ar y diawl, meddyliodd Tim. Yn paldaruo am ryw alwad ffôn oedd yn deud eu bod nhw'n canslo am 'leni. Trio ffendio esgus pam fod y lle mewn ffasiwn stad.

'Pwy ffoniodd?'

'*Je ne sais pas.*'

'Dynas 'ta dyn?'

'*Maman est un peu . . .*' Gwnaeth Bruno arwydd o gwmpas ei ben i awgrymu fod yr hen wreigan yn mwydro. Difrifolodd wedyn a deud fod yr holl beth wedi gneud synnwyr iddo fo. Y bydden nhw'n canslo am 'leni oherwydd beth oedd wedi digwydd.

Cyn i Tim fedru ymateb, fe glywodd sŵn car ar y graean tu allan. Roedd rhywun wedi cyrraedd! Ac yntau wedi bod isio i bob dim fod yn iawn.

'Maen nhw yma! Y criw! Ti'n gweld? Maen nhw 'di cyrradd!'

Amneidiodd ar Bruno i styrio a mynd i fyny'r grisiau i neud y gwelyau. Edrychodd hwnnw arno am eiliad a'i lygaid yn gulion. Yn ara bach, ac yn ei amser ei hun, gadawodd y gegin a dechrau dringo'r grisiau. Ochneidiodd Tim wrth edrych o'i gwmpas.

Pennod 6

Cadi

'Ni 'di'r cynta i gyrradd!' meddai Ben, o weld y lle parcio'n wag. Roedd y balchder yn ei lais yn amlwg.

Doedd Cadi rioed wedi bod mor falch o gyrraedd diwedd siwrne. Roedd yn beth rhyfedd mai nhw oedd y cynta i gyrraedd y tŷ, a hwythau wedi gorfod stopio dair gwaith efo Guto ar y ffordd. Y tro cynta, roedd o wedi colli'i ddwmi ac yn gweiddi mwrdwr nes i Ben orfod tynnu i mewn i'r *aire* nesa a chwilio amdano o dan sêt y car.

Guto'n taflu fyny oedd yr ail achos, ac wedyn roedd Ben eisiau awyr iach am ei fod o'n teimlo'n swrth. Gwrthododd yn bendant â gadael i Cadi yrru am beth o'r ffordd, gan nad oedd hi wedi arfer gyrru ar y dde. Roedd Cadi'n amau fod 'na reswm arall hefyd. Trafod y siwrne fyddai pawb arall ar ôl cyrraedd, a fyddai Ben byth am adael i neb wybod ei fod o wedi gorfod rhannu'r gyrru.

Anadlodd Cadi i mewn yn ddwfn ac anadlu allan yn ara wedyn. Roeddan nhw yma, wedi cyrraedd y Maison eto. Roedd popeth yr un fath, mor uffernol o normal. Fel 'tai'r wythnosau dwetha rioed 'di digwydd. Fel 'tai'r ddamwain rioed wedi bod. Unrhyw funud rŵan, byddai Esyllt yn tywallt i lawr y grisiau ac yn rhedeg tuag atyn nhw, ei breichiau ar led yn barod i gofleidio'r byd, yn chwerthin a gweiddi:

'Be cadwodd chi, diawlad!' I grafu dan groen Ben fyddai hi'n deud hynna, roedd hi'n amlwg. A fyddai Ben byth yn gallu gwrthsefyll y demtasiwn o roi ateb swta 'nôl iddi. Ond o fewn eiliadau fe fyddai Cadi'n llawn o Esyllt, ac Esyllt yn llawn o Cadi, pen un ar goll yng ngwallt y llall. Ynghanol hyn i gyd, fe fyddai Cadi'n taro golwg ar Ben yn sefyll yn chwithig, yn symud o un droed i'r llall fel 'tai o'n sefyll ar goncrid poeth heb sgidiau.

'Cadi!'

'Sori . . . y . . . be?' Dadebrodd Cadi wrth glywed llais Ben, ac o droi i edrych arno, gwelodd ei fod yn syllu'n syth o'i flaen. Amneidiodd.

'Sbia.'

Dilynodd ei edrychiad at yr ardd. O sbio'n fwy manwl, gwelodd Cadi nad oedd pethau'r un fath o bell ffordd. Roedd yr ardd wedi mynd â'i phen iddi'n llwyr, a'r llwybr bach caregog at y drws ffrynt wedi dechrau troi'n wyrdd efo chwyn. Esyllt fyddai'n ffonio Bruno a'i roi ar waith i dwtio'r ardd cyn i bobol ddŵad i aros.

Roedd Cadi wedi teimlo o'r dechrau fod Bruno yn erbyn y syniad fod 'na giang o bethau diarth fel nhw'n landio yn y Maison bob haf ac yn meddiannu'r lle. A digon teg hynny. Roedd o'n ddigon call i beidio lleisio ei wrthwynebiad, wrth gwrs. Ond weithia, pan fyddai'n llnau'r pwll nofio neu'n trwsio rhywbeth oedd wedi mynd o'i le ar y tŷ (gyda'r gwaith plymio, fel arfer), byddai Cadi'n ei ddal o'n bytheirio dan ei wynt, ac yn edrych yn hyll ar un o'r criw drwy'i ffrinj tywyll. Hogyn o'r pentre oedd Bruno, ac wedi byw lawr y lôn o'r Maison ar hyd ei oes. Ond roedd Esyllt wedi medru'i swyno fo, wrth gwrs. Fel roedd Esyllt wedi medru swyno pawb, erioed.

Doedd dim golwg o Bruno na neb rŵan. Edrychodd Cadi i fyny. Roedd cloriau'r ffenestri ar gau. Tasa gan y tŷ freichiau, meddyliodd, fe fydden nhw ynghlwm, yn ddigroeso a bron yn fygythiol. Fel 'tai'r tŷ wedi pechu efo nhw am fod Esyllt yn absennol, am adael iddi farw.

'Rwtsh!' meddai Cadi wrthi'i hun a gafael yn y bag llaw wrth ei thraed.

Rhyfedd na fyddai Tim yma 'fyd. Os nad oedd y tŷ ar agor fe fyddai'n rhaid iddi newid clwt Ben ar sêt gefn y car, neu yn yr ardd. Roedd hi wedi llwyddo i dynnu'i ddillad taflu fyny o i gyd fwy neu lai, ond roedd o angen bàth hefyd, a deud y gwir, gan fod yr hen ogla melys cawslyd 'na'n dal i hofran o'i gwmpas o a'r car.

''Dwi am ga'l help, 'ta be?' Roedd Ben bellach yn sefyll wrth ymyl y bŵt. Trodd Cadi'n ei hôl ac edrych ar Guto yn ei sêt babi yng nghefn y car. Roedd o'n dal i gysgu, diolch byth. Roedd ei fochau bach o'n goch goch, a dafn o boer yn glynu wrth gornel ei geg, fel perl.

'Iawn! Dŵad allan ydw i!' Aeth yn syth at Ben, oedd wrthi'n tynnu'r cesys oedd wedi'u pacio fel sowldiwrs. Er ei bod yn ddiwedd pnawn, gallai deimlo'r haul yn boeth ar ei gwar. Roedd y chwiws bach yn goron o gwmpas ei phen yn barod.

Roedd hwyl ddrwg ar Ben o hyd, er bod siwrne'r car wedi darfod. Fel arfer, byddai'n dŵad ato'i hun ar ôl cyrraedd rhywle. Bron y gallai Cadi weld ei gorff yn llacio drwyddo. Ond ddim tro 'ma.

'Dwn i'm pam oedd isio pacio cymaint o betha i Guto!' meddai'n flin. 'Fydd 'na ddigon o betha i'w gadw fo'n hapus rownd y lle 'ma beth bynnag.'

'A hannar rheiny'n beryg bywyd!' meddai Cadi'n fwy blin nag oedd hi wedi'i fwriadu.

''Dio'm am ga'l crwydro'i hun rownd y lle 'ma, nacdi! Ti'n ffysian gormod efo'r hogyn 'ma weithia!'

Penderfynodd Cadi beidio ateb. Doedd dim modd cynnal

sgwrs gall efo Ben pan oedd o'n teimlo fel hyn, ac roedd hi wedi dysgu mai calla dawo.

Wrth ddechrau llusgo un cês i fyny'r llwybr at y drws, teimlodd Cadi ryw 'sictod trwm yng ngwaelod ei bol. Falla mai Ben oedd yn iawn. Falla mai camgymeriad mawr oedd derbyn gwahoddiad Tim i ddŵad yn ôl i'r Maison du Soleil eleni.

Cyn iddi ddechrau meddwl gormod, clywodd sŵn car arall yn crensian i fyny'r dreif at y giât. Car Tim. Llamodd tuag at y car yn reddfol, ac yna stopiodd yn stond. Roedd Ffrancwr mewn ofarôl mecanic wedi dŵad allan o'r car ac yn sychu'r chwys oddi ar ei dalcen gyda hances boced annisgwyl o wen.

'Be ddiawl . . . ' dechreuodd Ben.

'*Il est ici?*' meddai'r Ffrancwr gan nodio'i ben i gyfeiriad y tŷ. Cyn i Cadi fedru mentro i'w ateb, daeth llais Tim o'r tu ôl iddi. Trodd ar unwaith a'i weld yn loncian tuag atyn nhw heb grys ac yn ei siorts.

'Chlywis i monach chi'n landio!' meddai, ac yna, wrth y Ffrancwr, '*C'est moi. Je suis Tim Mathews. Un moment, monsieur. Un moment . . .* ' Cododd y Ffrancwr ei law, gystal â deud fod ganddo *moment* a dim mwy!

Cerddodd Tim yn nes at Cadi a thaflu'i freichiau amdani. Roedd croen ei ysgwydd yn llyfn a chwilboeth wrth i wefusau Cadi'i gyffwrdd am eiliad ar ddamwain. Tynnodd oddi wrtho ar unwaith.

'Sut dach chi, bois? Siwrna iawn?' Gwasgodd Tim fraich Ben mewn cyfarchiad, a phwnio Cadi'n chwareus.

'Ers faint ti yma?' holodd Ben, gan fethu cuddio'r tinc piwis yn ei lais. 'Ti rioed 'di cerddad yr holl ffordd!' Methodd Cadi â chuddio'i gwên ei hun.

'O, pryd ddes i, d'wad? Ryw deirawr yn ôl, ma' siŵr. Gredwch chi fod y blydi car 'di nogio 'rôl i mi gychwyn, a 'di concio allan yn llwyr yn ochra Nantes. Dwi 'di gorfod talu ffortiwn i ga'l benthyg car i ddŵad yma, ac i ga'l fy nghar i'n hun 'di ddelifro'n ôl. Neu ma'r siwrans yn mynd i orfod talu ffortiwn, 'de! 'Rhoswch funud i mi setlo 'fo hwn iddo fo ga'l mynd.' Aeth Tim yn ei flaen at y mecanic, oedd yn dechrau aflonyddu yn y gwres. Edrychodd Ben a Cadi arno am eiliad, heb symud.

'Dechra da, 'de!' meddai Ben dan ei wynt. Aeth Cadi ymlaen i ddad-bacio'r car heb ddeud gair.

Pennod 7

Non

Roedd hi'n dywyll. Nid y tywyllwch llinyn trôns yna roedd Non yn ei gofio yn y dinasoedd y bu hi'n byw ynddyn nhw pan oedd hi'n 'fengach, y tywyllwch oedd yn oren egwan yn lle'r lliw pỳg arferol golau dydd. Na, roedd hwn yn dywyllwch go iawn, tywyllwch du cefn gwlad – tywyllwch oedd yn eich llenwi chi, yn eich bwyta chi'n fyw.

Roedd y tywyllwch yma wedi llyncu lleisiau'r ddau ohonyn nhw, mae'n rhaid, meddyliodd Non, achos doedd yr un ohonyn nhw wedi deud gair ers tua awr. Ia, mae'n rhaid ei bod hi'n awr ers i Gareth ddeud eto wrth Non am eistedd i lawr yn llonydd a pheidio bod yn hysterig, ac wedyn i Non sgrechian ar Gareth ei fod o'n *boring, boring, boring* a'i bod hi'n difaru ei bod hi wedi'i briodi o o gwbwl.

Doedd ffraeo ddim yn beth anghyffredin rhwng y ddau. A deud y gwir, byddai pobol weithia'n deud y gallai Non gynnal dadl efo hi ei hun tasa raid. Trio bod yn glyfar oedd pobol wrth ddeud hynna ond doedd Non rioed wedi dallt yn iawn pam oedd o'n jôc. Roedd hi'n amal yn ffendio fod ganddi ddau safbwynt ar yr un peth, ei bod yn medru rhannu ei hun yn ddau hanner, fel hollti melon yn ddau. Ac wedyn byddai'n gallu'i rhoi ei hun yn ôl fel un. Dim ond wrth sbio'n fanwl y byddai rhywun yn gweld y craciau.

Roedd y cymodi tanbaid wedyn fel arfer yn werth y ffraeo i gyd. Ond roedd y ffrae yma'n wahanol rywsut. Roedd Gareth yn wahanol. Roedd hi'n wahanol.

Bob hyn a hyn, roedd Non wedi taflu cipolwg slei ar Gareth yn dreifio, i neud yn saff nad oedd o 'di syrthio i gysgu yn y tawelwch, a bod y car bach yn ffendio'i ffordd ei hun i'r Maison. Syllu o'i flaen yr oedd o bob tro y ciledrychai hi arno, nes yn y diwedd roedd Non yn teimlo fel tagu, neu unrhyw beth i dynnu'i sylw am eiliad.

Yn rhyfedd iawn, a'r ddau ohonyn nhw'n syllu o'u blaenau fel'na heb ddeud gair, daeth giât fawr haearn y Maison fel sioc iddyn nhw. Trodd Gareth injan y car i ffwrdd a phwyso'i ben ar y llyw. Steddodd y ddau ohonyn nhw fel'na am eiliad, a meddyliai Non ei bod yn gallu gweld 'slumod yn gwibio'n gylch o gwmpas y tŷ, eu ffurfiau bach ysgafn yn gwibio fel nodau ar gopi o fiwsig yn erbyn y lamp uwchben y drws ffrynt.

'A' i allan, 'ta!' meddai, ond dim ond nodio wnaeth Gareth a chodi'i ben yn ara bach, fel tasa fo'n drwm, drwm.

Roedd hi'n dal yn gynnes pan gamodd Non allan o'r car a mynd at y bocs bach ar y wal. Wrth gerdded i fyny'r dreif funudau wedyn, gallai weld fod y ddau gar arall eisoes wedi parcio yn y pen pella wrth ymyl y garej fach bren. Roedd yna olau mewn dwy o'r llofftydd ac yn y gegin a'r stafell fyw.

Yn sydyn teimlodd ryw ysfa ryfedd i gripian ar flaenau'i thraed at y ffenest, a syllu i mewn drwy'r gwydr ar y miri oedd tu mewn, fel roedd hi wedi gweld plant bach tlawd yn 'i neud drwy ffenest plasty mewn rhyw ffilm gawslyd neu'i gilydd. Sbio a sbecian, a nodi a chymryd stoc, cyn i un o'r bobol fawr weld yr wyneb bach yng nghornel y ffenest a galw ar y bwtler i'w hel oddi yno. Ond na, meddyliodd wedyn. Doedd hi ddim wedi dŵad yno i sbecian a chael ei hel i ffwrdd fel 'sgymun, nag oedd? Tu mewn, ynghanol y stafell oedd ei lle hi.

Edrychodd i lawr arni'i hun. Roedd ei bronnau'n chwyddo'n braf o'i blaen, y ffrog biws wedi'i chlymu'n dynn efo belt mawr du oedd yn gneud yn fawr o'i chorff siapus. Teimlodd y trydan yn gwibio drwyddi wrth iddi feddwl am lygaid pobol yn sbio arni. Edrychodd yn ôl ar Gareth. Roedd o wedi symud ei ben o grud ei ddwylo erbyn hyn ac yn syllu'n syth yn ei flaen. Basdad gwirion. Doedd hi ddim yn mynd i grefu arno fo i ddŵad i mewn. Geith o aros yn fan'na'n rhynnu drwy'r nos, meddyliodd, gan droi eto i wynebu'r drws.

Ond pam oedd hi'n teimlo mor nerfus? Roedd 'na ryw gryndod rhyfedd yng ngwaelod ei bol. Yr un fath yn union ag roedd hi'n ei gael wrth aros yng nghefn llwyfan, a'i gwisg berfformio ddramatig yn ddim cysur iddi yn yr eiliadau yna o banig gwyn cyn camu ar y llwyfan a syllu i mewn i'r llifoleuadau.

Bu bron iddi sathru ar lyffant bach oedd yn ei gwman ar stepan y drws. Gafaelodd ynddo a theimlo'i ysgafnder llyfn ar gledr ei llaw, cyn ei roi'n ôl yn saff ar bridd y gwely blodau. Cydiodd yn handlen y drws a'i throi.

Roedd bwrdd y gegin yn gwegian efo pob math o lestri a bwyd ar ganol ei baratoi, a'r lamp fach haearn uwchben y bwrdd fel lleuad. Roedd 'na ogla neis yn dŵad o'r popty, ond roedd 'na ryw ogla arall hefyd nad oedd hi'n gallu'i nabod. Nid ogla cig yn union, ac eto . . .

'Gyrhaeddoch chi, 'lly!' Roedd Tim yn sefyll yn sgwâr yn ffrâm drws y stafell fwyta, ei wyneb yn y cysgod am funud. Teimlodd Non ei hanadl yn cyflymu.

'Tim! O, ti'm isio gwbod! Ti'm isio gwbod pa strach . . . O, ty'd yma!' Camodd ato fo a'i wasgu'n dynn. Gallai deimlo cadernid ei sgwyddau drwy 'i grys-T, y tamprwydd chwys ysgafn dan y defnydd. Dechreuodd curiad ei chalon sefydlogi eto.

'Glasiad mawr o win w't ti isio, hogan!' meddai Tim. 'Coch yn iawn?'

'Ffantastig! Coch, gwyn, pinc, 'mots gin i! 'Mond bo 'na ddigon ohona fo. 'Nes i feddwl dŵad â peth drosodd o'r fferi, ond wedyn . . . '

'Fatha cario tywod i Landdwyn!' meddai Tim dan wenu. 'Fel 'sa . . . rhai'n ddeud . . . '

Sylwodd Non pa mor fuan y diflannodd y wên wrth i Tim edrych ar y llawr am eiliad cyn mynd mlaen a deud: 'Iawn, y gwin! Mi a' i i chwilio am y gwydryn mwya sgin i i chdi, 'li!'

Cyn i Non fedru'i ateb, daeth Ben i mewn o'r stafell arall ar wib, a dod o fewn milimetrau i daro i mewn iddyn nhw. Roedd potel ddiod plentyn bach yn ei ddwylo, a hylif pinc, gwan yn donnau stormus y tu mewn iddi hi.

'Non! Ti 'di landio! Gwell hwyr na hwyrach, am wn i,' meddai, gan ysgwyd ei ben mewn ffordd joli oedd yn troi ar Non.

'Ia, wel. Dwi yma rŵan, 'dydw?' meddai Non a gollwng sgwyddau Tim er mwyn rhoi coflaid fach ysgafn ddi-ddim i Ben, gan neud yn siŵr 'doedd dim dropyn o'r ddiod binc yn colli ar ei dillad. Roedd yn ddigon drwg fod Ben a Cadi'n mynnu dŵad â'r plentyn efo nhw, heb i hwnnw adael ei farc arni.

Roedd y gwahaniaeth rhwng cyrff Tim a Ben yn drawiadol. Corff pry llyfr oedd gan Ben, corff rhywun oedd yn meddwl fod mynd â'r bin i'r lôn yn ddigon o 'marfer corff am un wsnos, diolch yn fawr. Ac roedd y pry llyfr yn prysur fynd yn bry bach tew wrth i ganol oed ddynesu, meddyliodd Non. Tra oedd Tim, ar y llaw arall, yn dal ac yn denau ond yn athletaidd. Roedd yn atgoffa Non o chwaraewr tennis. Tynnodd ei hun oddi wrtho a sylwi fod llygaid Ben wedi'u serio ar ei bronnau. Sglyfath.

'A Gareth?' holodd Tim.

'Ti rioed 'di 'i ada'l o adra!' meddai Ben. Roedd yn demtasiwn i dynnu ar Ben ac esgus ei bod wedi gadael

Gareth ar ôl yng Nghymru, ond babïaidd fasa hynny, debyg. A doedd ganddi mo'r awydd i gael Ben yn atgyfodi'r hanes dro ar ôl tro am bythefnos.

'Yn pwdu yn y car! Fel mae o 'di gneud ers inni gychwyn o'r tŷ bora ddoe,' meddai yn y diwedd, ac wrth ddeud, difaru'n sydyn na fasa hi 'di dŵad heb Gareth wedi'r cwbwl.

'Mi lwyddist ti i'w berswadio fo, 'lly.'

'Ca'l a cha'l! Roedd o'n styfnig tan y funud ola, a finna'n gwrthod dy ffonio di i ddeud na doedd o'm yn dŵad tan oedd hi'n ben set. Wrth lwc, doedd dim rhaid i mi.'

'Well 'mi weld ydi o'n iawn?' Doedd y tôn o gonsýrn ffug yn llais Ben ddim yn argyhoeddi Non. Roedd hi'n gwybod mai isio mynd yno oedd o i gael 'bitsh' bach efo Gareth am ba mor hurt a rhyfedd oedd y ffaith eu bod nhw i gyd wedi dod yma hebddi hi. Heb Esyllt.

'Gwna di fel leci di, ond gada'l lonydd iddo fo 'swn i. Sgynno fo ddim lot o awydd gweld neb, 'swn i'n deud.' *Yn enwedig chdi'r lolyn*, meddai llais bach yn ei phen.

'Sensitif,' meddai Ben, a thaflu gwên fach oeraidd at Non, gystal â deud na fasa hi'm yn dallt y fath gyflwr. Prat. Penderfynodd Non beidio cymryd yr abwyd.

'Lle ma' Cadi? A'r babi?'

'Ffor'ma, ty'd! A 'dio'm yn fabi, Non. Ma' Guto'n ddeunaw mis erbyn hyn.'

'Ac yn darllan yn barod, mwn!' meddai Non dan ei gwynt ond yn ddigon uchel i Ben ei chlywed. Edrychodd ar Tim i rannu gwên efo fo, ond roedd Tim yn rhy brysur yn paratoi'r swper i gymryd sylw ohonyn nhw. 'Dallt dim! Ti'n nabod fi, Ben!' meddai wedyn, i drio lliniaru mymryn ar bigyn ei sylw. Gwenodd yn ddel arno a mynd mlaen i'r stafell fyw. Gallai synhwyro fod Ben yn ysgwyd ei ben y tu ôl iddi cyn mynd ymlaen i'r gegin i ddelio efo'r botel babi.

Roedd Cadi'n eistedd ar lawr y stafell fyw gydag un goes

oddi tani a'r llall yn ymestyn fel penrhyn denim o'i blaen. Roedd yna drugareddau plant o'i chwmpas fel sbwriel. Cododd ei phen a gwenu ar Non, a chodi ar ei thraed. Roedd hi'n gwisgo crys bach twt a rhyw dri botwm wedi'u hagor gan ddangos triongl o groen oedd wedi'i euro gan yr haul. Roedd ei gwallt melyn wedi'i glymu'n gynffon y tu ôl i'w phen. Doedd hi ddim wedi ennill pwysau fel roedd llawer o'r mamau cynta yma'n ei neud, meddyliodd Non. Ac eto doedd hynny ddim yn ei synnu efo Cadi.

Daeth at Non a'i chofleidio, gan sefyll 'nôl ac edrych i fyw ei llygaid yn y ffordd yna oedd yn gneud i chi fod isio cyffesu pob dim wrthi.

'Dwi'n falch bo' chdi 'di cyrradd,' meddai Cadi'n ddiffuant, 'o'n i 'di dechra mynd i boeni!'

'Poeni am be, d'wad! Un ddamwain yn hen ddigon am un flwyddyn, 'dydi!'

Dechreuodd Non ddifaru'r munud y daeth y geiriau allan, yn enwedig o weld y boen ar wyneb Cadi. Weithia roeddan nhw'n llithro o'i cheg cyn iddi gael cyfle i feddwl. Cydiodd ym mraich Cadi a'i gwasgu.

'Sori! Cadi, sori!'

'Duwcs, paid poeni siŵr. Ti 'di blino! 'Di Tim 'di sortio mynd i nôl dy fagia di, neu . . . '

'Mi ddaw Gareth â nhw i mewn yn y munud, unwaith fydd o 'di dŵad ato'i hun.'

Distawrwydd.

'Mi ddoth 'lly.'

'Ar hyd 'i din. Fyny at bora ddoe oedd o'n benderfynol o aros adra.'

'Chwara teg iddo fo.'

Craffodd Non ar Cadi, ond methodd weld unrhyw arlliw o eironi ar ei hwyneb.

'Ti'n meddwl?' Doedd Non ddim am fod mor garedig efo'i

gŵr. 'Gawn ni ddeud hynna os 'di o'n manijo i gachu'r mul 'na mae o 'di 'i lyncu a dechra joio'i hun, wir Dduw! Aw!' Teimlodd Non boen yn saethu i fyny'i ffêr at ei phen-glin. Sbiodd i lawr a gweld wyneb bach yn edrych i fyny arni, a gwallt melyn yn ffrâm iddo. Roedd clwb golff melyn plastig yn ei ddwylo, ac roedd o'n gneud ystum fel petai am roi tro arall ar ei ffêr efo'r blydi peth.

'Guto! Dydi hynna'm yn neis, nacdi!' meddai Cadi. 'Ty'd 'ŵan, awn ni i weld oes 'na rawnwin i bwdin i chdi, ia? Ti'n licio grawnwin, 'dwyt?'

'Ti'n y wlad iawn 'lly, boi!' meddai Non drwy'i dannedd, gan rwbio'i ffêr yn ffyrnig.

Arweiniodd Cadi'r bychan tuag at y drws, a'r clwb golff yn chwifio fel baton côr-feistr. Trodd yn ôl at Non a gneud siâp y gair 'Sori' efo'i cheg. Gwenodd Non yn wan, cyn gwgu unwaith roeddan nhw allan o'r stafell. Pam nad oedd hi'n cofio bod y bychan yn gymaint o boen llynedd? Y cwbwl a gofiai hi oedd rhywbeth llonydd mewn cot teithio oedd yn amal yn swnllyd, ond oedd fwy neu lai fel ornament bach fel arall. Ornament oedd yn hawlio sylw Cadi a Ben i gyd, wrth reswm. Pam oedd pobol, merchaid yn enwedig, yn newid yn llwyr unwaith roedd babi'n dŵad yn rhan o'u bywydau? Doeddan nhw byth cweit yr un fath efo rhywun fatha hi wedyn, rhywun nad oedd wedi cael babi ac felly nad oedd yn rhan o'r clwb. A phan oeddach chi'n siarad efo nhw, siarad efo tamed ohonyn nhw oeddach chi, tra oedd y siâr mwya o'u sylw wedi'i glymu i fyny yn y ffigwr bach 'na yn y gornel yn chwarae efo'i deganau.

Falla y byddai pythefnos yng nghwmni un ohonyn 'nhw' yn ddigon i droi meddwl Gareth am ddechrau cael teulu ei hun, meddyliodd Non, cyn gneud ei ffordd at droed y grisiau.

Pennod 8

Tim

Roedd y gyllell yn gwibio fel adenydd gwenyn wrth i Tim fynd ati i baratoi'r llysiau ar gyfer swper. Doedd yna ddim dewis difyr o bethau chwaith: dim ond nionod, garlleg, pupur coch a melyn, chydig o fyshrwms a chig. Byddai'n rhaid iddo neud y tro. Cael a chael oedd hi ei fod wedi cael cyfle o gwbwl i fynd i'r pentre i brynu rhywbeth ar gyfer y swper mawreddog cynta yn y Maison. Roedd ei reddf o'n deud wrtho fo am gadw llygad barcud ar Bruno, rhag ofn i hwnnw gymryd y myll a phwdu efo'r hen *Gallois* blin. Yn y diwedd, roedd Tim wedi penderfynu nad oedd ganddo ddewis ond ymddiried yn Bruno i orffen sortio'r stafelloedd, a mynd. O leia ar ôl i Cadi a Ben gyrraedd, roedd 'na rywun i gadw llygad arno.

Roedd y siopau bach wedi cau erbyn iddo gyrraedd. Roedd o wedi bod isio i bob dim fod yn iawn, wedi cynllunio be'n union fydda fo'n ddeud wrth Vincent, y cigydd porc bach boliog yn y pentre, yr un efo'r brat oedd wastad yn amhosib o wyn. Hwn oedd y *charcuterie* gorau yn y Charente, yn wir yn Ffrainc i gyd. Dyna oedd barn Vincent, beth bynnag, a doedd o ddim yn swil o ddeud hynny ugeiniau o weithiau mewn diwrnod wrth ugeiniau o gwsmeriaid, hen a newydd. Doedd yna ddim llawer o gwsmeriaid newydd, wedi meddwl am y peth. Roedd Courçon yn bentre bach digon cysglyd oedd yn cynnig dim byd gwahanol i unrhyw bentre bach carreg felen arall yn yr

50

ardal. Roedd cloriau glas y ffenestri wastad ar gau, o be allai Tim ei ddirnad, er nad oedd hynny'n wir go iawn, mae'n siŵr. Doedd ei gyffredinedd ddim yn gneud y lle yn anatyniadol, wrth gwrs, ddim i bobol fel fo, pobol o ffwrdd, ond o leia doedd y lle ddim dan ei sang gydag ymwelwyr cegog megis rhywle fel La Rochelle, neu rywle oedd wedi'i gynnwys mewn llyfr twristiaid ac o'r herwydd wedi gneud cytundeb efo'r diafol.

Câi Tim ddigon o gyfle i fynd i weld Vincent eto, siawns. Am y tro, roedd o wedi gorfod bodloni ar fynd i'r *supermarché* fechan a chael rhyw gyw iâr mewn paced a dipyn o lysiau digon di-ddim yr olwg. Ta waeth, roedd pawb wedi bod yn falch o beidio gorfod poeni am goginio ar ôl y siwrne hir. Dyna oedd y drefn 'di bod ers iddyn nhw ddechrau dŵad yma: Esyllt a Tim yn coginio'r noson gynta, a rota wedyn.

Roedd pawb yn eu stafelloedd rŵan, pawb wedi setlo. Neu falla fod hynna'n mynd braidd yn bell. Roedd Tim wedi'i baratoi ei hun ar gyfer y ffaith y byddai'r tro yma'n wahanol. Wrth gwrs y bydda fo. Ond roedd yr anesmwythyd o natur wahanol i'r hyn roedd o wedi'i ddisgwyl. Ar yr wyneb, roedd pawb yr un fath yn union: Non yn fflyrtio fel diawl dan ei llygaid *kohl* duon ac yn fflashio'i brestiau; Ben fel rhyw hen weinidog o'r oes o'r blaen, yn ffysian ac yn dal ei safonau uchel fatha tarian rhyngddo fo a phawb arall; Cadi annwyl yn glên, yn ffyddlon ac yn meddwl y gorau o bawb.

Roedd 'na dynnu coes, pwnio chwareus, gofyn am fwy o win, pigo tameidiau allan o'r powlenni oedd yn disgwyl cael eu coginio, pob dim y byddai ffrindiau agos yn ei neud yng nghwmni'i gilydd. Yn union fel tasa Esyllt wedi picio allan i'r ardd neu mewn stafell arall. Roedd pawb 'di bod 'run fath. Heblaw am Gareth.

Roedd sŵn y gyllell yn taro ar y blocyn coed.

Roedd Tim wedi mynd allan ato yn y diwedd ar ôl disgwyl

rhyw chwarter awr 'derbyniol' iddo fo ddŵad ato'i hun ac esgus gwagio bŵt y car ac ati. Ond doedd dim golwg fod y car wedi'i wagio, a gallai Tim weld ffurf Gareth yn plygu mlaen dros y llyw, a'i wallt yn cuddio'i wyneb. Er bod sŵn traed Tim wedi crensian yn fyddarol, chododd Gareth mo'i ben o gwbwl.

Roedd yn rhaid i Tim guro'n ysgafn ar y ffenest i'w ddadebru. Neidiodd Gareth o'i groen ac edrych ar Tim fel tasa fo'n ysbryd, yna gwasgu'i lygaid ynghau unwaith eto.

'Ti am ddŵad i mewn? Ma' hi'n dechra oeri allan yn fan'ma gyda'r nos, cofia.' Roedd Gareth wedi nodio'i ben, agor ei lygaid yn ara deg ac agor drws y car.

Taflodd Tim chydig o nionod i mewn i'r badell ffrio, a dechrau eu troi'n wyllt. Roedd y cynhwysion eraill mewn powlenni yn barod i gael eu hychwanegu. Gwasgodd y gewin garlleg gyda handlen bren y gyllell fawr a'i daflu i mewn at y nionod yr un mor ddiseremoni.

Doedd Gareth ddim wedi cynnig esboniad o gwbwl pam roedd o wedi aros yn y car. Dim gair. Roedd o wedi ysgwyd llaw Tim pan oedd hwnnw wedi'i hestyn iddo a mwmian rhywbeth am y traffig, ac yna roedd o wedi dechrau tynnu'r ddau gês allan o'r cefn heb ddeud gair pellach, gan ysgwyd ei ben yn ffyrnig pan gynigiodd Tim ei helpu.

Roedd sôn am Esyllt yn mynd i fod yn anoddach nag oedd Tim wedi'i feddwl. A heno fyddai o'n gneud hynny. Heno fyddai o'n sôn am y llythyr oedd ar ei ffordd atyn nhw erbyn diwedd y gwyliau, y llythyr oedd i fod i egluro pob dim. Os na fyddai'n ddigon dewr i neud hyn heno, peryg y byddai'r gwyliau'n llithro o'u gafael cyn iddo gael y cyfle.

'Ydi'r Cogydd isio mwy o win, 'ta?'

Torrodd llais Ben ar draws ei fyfyrdodau. Swniai ei lais yn

dew, fel tasa'r gwin wedi mynd yn syth i'w ben o ar ôl blinder y siwrne.

'Well 'mi beidio. 'Sa'm yn talu 'mi feddwi'n racs a gneud potsh iawn o'r swpar, na 'sa?'

'Wyt ti'n meindio os ydw i . . . ?' gofynnodd Ben ond roedd o eisoes wedi gafael yn y botel o win coch oedd ar y bwrdd, ac wrthi'n tywallt y gwin i mewn i'w wydryn ei hun. Edrychodd Tim arno drwy gil ei lygaid wrth daflu pupur coch a myshrwms i'r badell. Roedd Ben yn bell o fod yn llwyrymwrthodwr ar y gwyliau yn y Maison, ond tybed oedd o'n yfed mwy nag arfer heno?

'Lle ma' Cadi?'

'Wrthi'n setlo'r bych i mewn i'r gwely. Ma'n mynd i fod yn dipyn o strygl ddudwn i, am ei fod o mewn lle diarth.'

'Ond mi ddaw, debyg.'

'Daw, mewn rhyw noson neu ddwy. Ma'n rhyfadd i bawb, 'dydi? Mewn lle diarth.'

''Di'r Maison ddim yn ddiarth i chdi, Ben!'

'Nacdi, nacdi. Ond eto, wsti, 'leni . . . '

Roedd y gwin yn dechrau llacio mymryn ar dafod Ben. Roedd o wedi bod ar fin crybwyll enw Esyllt yn fan'na, neu o leia sôn amdani. A chwyno fod Tim 'di bod mor ddifeddwl â threfnu'r gwyliau yn fan'ma eto mor fuan ar ôl ei cholli. Na, hwyrach mai wedyn y dôi hynny, meddyliodd Tim wrtho'i hun. Roedd hi'n rhy fuan yn y noson eto i bawb ddechrau agor eu calonnau.

'Non yn edrach yn dda, 'dydi? 'Di hi 'di colli pwysa, d'wad?'

'Dwn i'm,' meddai Tim. 'Pasia'r felin bupur 'na i mi, nei di?'

''Di'm 'di colli dim oddi ar ei hasets chwaith naddo, os ti'n dallt be sgin i . . . '

'Deud ti, Ben,' meddai Tim gyda gwên wrth glywed ymgais anaeddfed Ben at dipyn o brafado gwrywaidd.

'Sut ma' gwaith? Ysgol y crachach yn dal i blesio?'

Roedd holi athro am yr ysgol adeg gwyliau'r haf yn torri un o'r deg gorchymyn, roedd Tim yn gwybod hynny. Gwelwodd Ben am eiliad, a chymryd jochiad arall o win cyn ateb.

'Iawn, 'de. Gormod i' neud.'

'Digon o dâl a digon o wylia – mwy nag athrawon normal hyd yn oed! Gorffan dri . . . Mm! Anodd!' Gwenodd Tim iddo'i hun wrth gorddi'r dyfroedd yn ogystal â'r cynhwysion amryliw yn y badell.

'O, paid ti â dechra! 'Di pobol ddim yn dal i goelio'r lol yna, gobeithio! Pam na neith pobol dderbyn bo' ni'n aros ar ôl am oria ar ôl i'r plant fynd adra, a bo' ni'n gweithio hannar y gwylia 'fyd?'

'Ti rioed 'di dŵad â dy ffeils i fan'ma, Ben!' Roedd Tim wedi colli'r sbort o dynnu ar Ben. Roedd o'n mynd i neud yn fawr o'i gyfle rŵan!

'Wel, naddo, ddim i fan'ma, naddo. Duwcs, ma' rhaid i bawb ga'l seibiant.'

'Ti 'di'i neud o'n barod, ma' siŵr, 'do? Y gwaith 'ma oedd gin ti'i neud!'

'Wel, naddo, ddim eto ond . . . Blydi hel, Tim!' Roedd Tim wedi methu â chadw wynab syth, a Ben wedi dallt o'r diwedd. 'Dach chi, gyn-athrawon, yn union fatha cyn-smygwyr. 'Sna neb gwaeth na chi am lambastio'r proffesiwn.'

'Gwybodaeth o du mewn i'r ffens, boi. Dwi'm yn prynu'r PR ma' dy broffesiwn di'n ei wthio lawr corn gwddw pobol, 'li. 'Na'r cwbwl.' Cyn i Ben gael cyfle i ymateb, daeth Non i mewn a gofyn fedrai hi helpu. Awgrymodd Tim y gallai hi a Ben osod y bwrdd, gan fod Ben yn cicio'i sodlau o gwmpas y lle am ei fod o'n anghyfarwydd efo'r stad o fod yn segur, a hwnnw'n athro a phob dim.

Trodd Tim yn ôl at y stof. Roedd lliwiau'r llysiau'n dechrau toddi i mewn i'w gilydd rŵan, y brown o'r nionod yn lledaenu dros bob dim, y pupur coch a melyn yn trio dal eu lliwiau'n ddewr ond yn crebachu ac yn meddalu'n un sglwtsh. Tynnodd Tim y badell oddi ar y tân a diffodd y gwres. Gwnaeth yr un fath efo'r popty a thynnu'r caserol cyw iâr allan a'i adael ar ben y popty, yn ymyl y badell ffrio. Estynnodd am y *baguettes* oedd bellach wedi caledu gan eu bod nhw wedi bod yn eistedd ar y silff yn yr archfarchnad fach ers y bora cynta. Cyn dechrau darnio'r bara, teimlodd law ar ei gefn, a gwelodd fod Non wedi gosod ei phen yn ysgafn am eiliad ar ei ysgwydd.

'Iawn?' meddai wrthi. Ochneidiodd Non.

'Ben! Am bythefnos! Sut dwi'n mynd i ddiodda'r boi?' Chwarddodd Tim yn ysgafn, cyn symud ei ysgwydd ac estyn am y platiau o'r cwpwrdd.

Pennod 9

Cadi

'Cysga di, fy mhlentyn tlws,
Cysga di, fy mhlentyn tlws,
Cysga di, fy mhlentyn tlws,
Cei gysgu tan y bore,
Cei gysgu tan y bore . . . '

Doedd gan Cadi mo'r llais gorau yn y byd a fydda hi ddim yn
ddigon hy i ganu o flaen neb, ddim hyd yn oed Ben. Ond fe
fyddai'n hoffi canu i Guto cyn iddo fynd i gysgu, ac roedd o'n
licio'r hwiangerdd yna'n well na'r un; roedd symlrwydd yr
alaw a'r geiriau fel 'taen nhw'n gysur iddo. A doedd o ddim
eto wedi magu sgiliau beirniadol ei dad, diolch byth.

Edrychodd ar y bychan wrth ganu, a gweld ei ddwrn bach
meddal yn llacio'n raddol, ei fysedd bach tewion o'n agor yn
ara deg fesul un, dau, tri . . . a sŵn ei anadlu'n arafu, yn
mynd yn fwy rhythmig, yn drymach. Gallai Cadi eistedd
yno'n edrych arno am oriau. Doedd hi ddim am fentro
cyffwrdd sidan melyn ei wallt a theimlo cynhesrwydd ei
gorun eto. Doedd o ddim yn cysgu'n ddigon trwm i hynny, a
doedd hi ddim isio aflonyddu arno fo heno, o bob noson.
Roedd hi wedi cael mwy o waith nag arfer i'w gael o i setlo,
ond roedd o wedi gneud hynny ynghynt nag roedd Ben
wedi'i dybio. Fe wyddai Cadi fod plentyn bach yn setlo yn
unrhyw le os ydi'i fam efo fo, ac mai dyna oedd y peth
pwysig, nid y ffaith fod y stafell a'r ogleuon a'r synau'n

ddiarth. Ond, am y tro, fe fyddai'r awyrgylch ddiarth yn ddigon o esgus iddi swatio yma. Roedd hi'n fodlon gadael i Ben feddwl fod yr hen Guto bach yn aflonyddu ac yn stwyrian am ryw sbelan fach eto, iddi hi gael osgoi mynd 'nôl i lawr y grisiau i ymuno efo'r lleill. Falla mai wrth gadw'r hanner awr fach yma o lonyddwch y byddai hi'n medru diodda bod yma efo'r lleill am bythefnos.

Edrychodd o gwmpas y stafell, ar y waliau gwynion, ar y celfi tywyll, y wardrob a'r cwpwrdd dillad, oedd yn edrych yn dywyllach ac yn fwy bygythiol rywsut yng ngolau'r lamp fach. Roedd hi wedi cael tipyn o hwyl yn agor a chau cloriau'r ffenestri efo Guto, ac yntau isio chwara pi-po y tu ôl iddyn nhw dro ar ôl tro ar ôl tro. Doedd hi ddim eto wedi arfer efo gallu plant bach i neud yr un peth drosodd a throsodd heb 'laru.

'Ma'n ddel, 'ngwash i . . . ' oedd Esyllt wedi'i ddeud, ac roedd Cadi wedi sylwi ar dynerwch y geiriau a'r ffordd roedd Esyllt wedi gafael am Guto ac yntau'n fabi bach ar y pryd. Roedd hi wedi sylwi hefyd fod Guto'n edrych arni efo'i lygaid pŵl, yn edrych o un llygad i'r llall ac yn gwasgu'i ddwrn bach am ei bys, fel tasa fo byth isio'i ollwng. Roedd Esyllt yn hael efo'i chariad at Guto bob amser. Hen gena oedd Ffawd, yn gneud rhywun mor famol ag Esyllt yn anffrwythlon.

Esyllt . . . Esyllt . . . Daeth y gwallt cringoch, tonnog i'w meddwl: y chwerthin, y cyfrinachau bach oedd yn cael eu sibrwd pan fyddai Esyllt a Cadi'n diflannu am dro.

'Ty'd, Cadi. Cadi, ty'd o 'ma, wir! Ma'r rhein yn ddigon i fynd ar nerfau rhywun! Ma' Non yn mynd mlaen a mlaen fatha tiwn gron am y boi 'na o'r West End oedd 'di 'i gweld hi'n perfformio; ma' Ben yn mwydro 'mhen i am y rota ar gyfer y llnau a'r cwcio, a ma' Gareth . . . ' Mae llygaid Esyllt yn dawnsio wrth ddeud ei enw, ac eto'n ei sibrwd fel tasa hi ofn yngan y gair, ofn ei brofi ar yr awyr rhag ofn i rywun o'r tu allan sylwi ei bod

hi'n deud ei enw fo'n wahanol. Ac mae Cadi'n teimlo
cynhesrwydd tu mewn wrth i Esyllt ei thynnu'n nes . . .

Esyllt . . . Roedd hi bron wedi gallu anghofio amdani
rhwng Ben a Guto a phob dim, wedi gallu'i rhoi mewn bocs
bach ar silff rywle yn ei phen. Nid fod ganddi ofn wynebu be
ddigwyddodd na dim byd felly, nid hynny oedd o. Ac eto,
wrth eistedd yn fan'ma rŵan ar ei phen ei hun, yn gwrando
ar anadlu Guto ac yn edrych ar ei phethau hi o'i
hamgylch . . . Cododd i syllu eto ar lun bach dyfrliw mewn
ffrâm syml. Y Marais Poitevin, gyda'i wyrddni a'i gamlesi'n
llifo'n ddioglyd ddigynnwrf i mewn ac allan drwy'i gilydd.

'Cadi?' Agorodd y drws yn dawel a safai Ben yno'n edrych
arni ac yn gneud ati i sibrwd.

'Swpar! Ty'd! 'Dio 'di mynd lawr?'

Sylwodd Cadi'n syth fod tafod Ben yn dew, a bod ei
symudiadau wedi'u gorliwio, fel tasa fo'n trio'i orau i actio'n
sobor. Yfed ar stumog wag, roedd hynna wastad yn beryg
bywyd i rywun efo cyfansoddiad mor ddelicét â Ben.
Nodiodd Cadi'i phen yn frysiog.

'Ca'l a cha'l. Methu'n glir â setlo . . . ' Ac aeth at y drws yn
syth cyn iddo fo gael cyfle i fynd i mewn yn rhy bell i'r stafell
a deffro Guto bach. Caeodd y drws bron yn llwyr gan adael
rhimyn bach rhwng y stafell a'r cyntedd tu allan. Byddai
Guto'n clywed eu mân siarad wedyn, petai'n deffro, a byddai
hynny'n ei gysuro 'nôl i gysgu.

'Ddudis i, 'do?' meddai Ben yn bwysig, a rhoi'i ddwylo am
sgwyddau Cadi wrth gerdded i lawr y cyntedd at y grisiau.

'Chdi oedd yn iawn. Falla gymrith hi'r gwylia i gyd iddo fo
setlo, sti,' cytunodd Cadi. Sylwodd Ben ddim ar y wên oedd
yn chwarae yng nghornel ei cheg.

Roedd y bwrdd wedi'i drawsnewid o osod cyllyll a ffyrc a
serviettes a chanhwyllau arno. Ond doedd o'm cweit 'run
fath, chwaith. Ceisiodd Cadi beidio meddwl sut fyddai

dylanwad Esyllt wedi rhoi rhin artistig arbennig i'r bwrdd. Triodd wthio'r syniad o'i phen, ond methodd yn llwyr. Fe fyddai'r *serviettes* wedi'u troi'n siâp aderyn neu rywbeth, a 'chydig o flodau gwyllt o'r ardd wedi'u trefnu'n gywrain. Fel arfer, byddai 'na set o wydrau gwin yr un fath â'i gilydd yn y Maison; rhai digon syml ond efo siâp diddorol – set roedd Esyllt wedi'i phrynu ym Mhont Aven yn Llydaw ryw dro ac roedd hi'n meddwl y byd ohonyn nhw. Ond tro 'ma, gwydrau mwngrel pob siâp oedd ar y bwrdd, ac ambell un jest fel gwydryn diod cyffredin.

'Cadi! Ty'd mewn, cyw!' meddai Tim, oedd yn symud 'nôl a mlaen drwy'r gegin fel gwybedyn, a lliain dros ei ysgwydd. 'Helpa dy hun i'r gwin cyn i'r rafins yma yfad y blydi lot!'

'Hei! Watsia pwy ti'n alw'n rafin, washi!' meddai Non, oedd wedi eistedd wrth y bwrdd yn barod. Plygodd ymlaen a gafael yn y botel win oedd agosa ati. Estynnodd hi draw at Cadi.

'Ty'd, Cad. Gei di ddechra enjoio dy hun 'ŵan bo babs o'r ffor'!'

''Dio'm yn fabi . . . ' meddai Ben mewn llais oedd yn awgrymu'i fod wedi deud hyn ganwaith eisoes.

''Di ca'l gwydra newydd, Tim?' gofynnodd Cadi.

'Ia! Lle ma'r rhei neis 'na oedd ganddoch chi o'r blaen?' gofynnodd Non.

'Bruno, 'de! Ma isio watsiad y boi 'na, dwi 'di deud rioed . . . Steddwch, steddwch!'

Gwnaeth Tim ystum difynedd Ffrengig tuag at y bwrdd ac aeth Cadi a Ben ati i ufuddhau. Doedd Cadi ddim wedi sylwi fod Gareth yn eistedd yn un swp ar y gadair esmwyth ym mhen draw'r gegin. Roedd y gadair wedi gwisgo i siâp penôl rhywun dros y blynyddoedd, ac roedd Gareth wedi ymlacio i mewn iddi i'r fath raddau fel ei fod yn ymddangos yn rhan ohoni.

Aeth Cadi ato heb feddwl ddwywaith a gafael amdano. Cododd i'w chyfarfod. Roedd o'n stiff i ddechrau, yn galed ac anhydrin, fel 'tai o'n teimlo fo'd llygaid pawb yn edrych arno fo, ond gallai'i deimlo fo'n meddalu yn ara bach. Tynnodd Cadi 'nôl ac edrych i fyw ei lygaid. Llygaid gwyrdd oedd ganddo, llygaid trawiadol. Ond doedd hi rioed wedi'u gweld yn edrych mor dywyll o'r blaen, yn wyrdd dyfn fel dŵr pwll.

'Falch bo' chdi 'di dŵad, Gareth!' meddai, a gwingodd ei lygaid am eiliad; cannwyll y llygad yn chwyddo ac yna'n tynnu'n ôl i fod yn atalnod llawn. Atebodd o mohoni, dim ond taro'i law'n drwsgwl ar ei chefn er mwyn awgrymu fod y goflaid ar ben. Roedd Gareth wastad yn atgoffa Cadi o hogyn pymtheg oed nad oedd wedi tyfu i fod yn fo'i hun eto.

Aeth hi i eistedd at Ben ac aeth Gareth i eistedd gyferbyn â hi. Edrychodd yn swil arni ar ôl eistedd, a hannar gwenu. Roedd Ben eisoes yn estyn am y botel win i ddechrau llenwi gwydrau pawb.

'Meddwl bo' petha 'di mynd rhwng y cŵn a'r brain oedd o, ma' siŵr!' meddai Ben.

'Pwy?'

'Bruno, 'de. Gweld 'i gyfla.'

'Oedd golwg y diawl ar y lle 'ma pan gyrhaeddis i. A mi oedd Bruno'n mynnu bo' ni 'di deud bo' ni'm yn dŵad.'

'Ddudodd o hynna?'

'Mynnu bo' rhywun 'di ffonio'r tŷ a gada'l negas efo'i fam o.'

''Di honno'n dal yn fyw?' gofynnodd Non yn gellweirus.

'Digon byw i gymryd galwad ffôn, ma' raid!' meddai Ben yn glyfar i gyd.

'Neu i ddeud celwydd!'

'Non!' Roedd Cadi'n synhwyro ei bod yn swnio'n biwritanaidd a henffasiwn.

'Cadi!' meddai Non, yn ei gwatwar, gan rolio'i llygaid ar

Tim, oedd wedi gosod caserol yn frenhinol ar ganol y bwrdd. 'Oes rhaid i chdi fod yn gymaint o blincin *bleeding heart,* d'wad?' meddai Non wedyn. 'Ma' mam Bruno'n cymryd arni ei bod yn hŷn nag ydi hi, os ti'n gofyn i mi! Roedd hi'n honni ei bod tua cant a chwech pan ddaethon ni yma gynta!'

Dechreuodd Ben chwerthin, yn rhy harti o lawer gan Cadi. 'Cant a chwech!'

'Wel, ma'n wir, 'dydi? Do'n i rioed yn coelio Esyllt pan oedd hi'n deud mor ddel oedd hi pan oedd Esyllt yn dŵad yma'n hogan fach!'

Tawodd am eiliad, gydag enw Esyllt yn llenwi'r stafell, yn disabedain rhyngddan nhw. Gallai Cadi glywed y gwyfynod yn taro'n feddw i mewn i'r golau uwchben y bwrdd, ac yn dŵad yn ôl ac yn ôl am fwy o losg, fel tasan nhw'n methu stopio'u hunain.

"Stynnwch at y bwyd!' meddai Tim, a'i lais yn swnio'n fwy cryg nag arfer, yn fwy awdurdodol. "Stynnwch!' meddai eto, yn fwy blin yr eildro, a dechreuodd pawb estyn platiau i'w gilydd, pasio'r halen a'r pupur a chymryd rhan yn y ddefod o gyd-fwyta. A dechreuodd y mân siarad hefyd yr un mor naturiol. Diolch byth, meddyliodd Cadi. Doedd dim rhaid iddi edrych ar y lleill o gwmpas y bwrdd i wybod fod pawb yn teimlo'r un fath.

Doeddan nhw ddim wedi cyfarfod fel criw cyfan ers yr angladd. A doedd neb ohonyn nhw wedi cael rhyw lawer o gyfle i siarad yr adeg honno chwaith, rhwng gweini sgons a brechdanau ham. Roedd adwaith Ben at y ddamwain wedi bod yn ôl y disgwyl; rhaffu ystrydebau nes bod y rhaff yn tynnu ar wddw Cadi erbyn y diwedd. 'Syrthio i lawr grisiau fel'na! Anodd dallt y drefn', 'ym mlodau'i dyddia', 'newydd ddechra setlo' ac yn y blaen ac yn y blincin blaen. Teimlai Cadi weithia fod Ben yn troi'n robot ar unrhyw arlliw o greisis emosiynol.

Roedd pawb newydd orffen eu pwdin pan darodd Tim ochor ei lwy ar y plât yn ddramatig. Un o'r *crème brûlées* bach yna mewn cwch o bapur ffoil oedd y pwdin, ac er bod Tim wedi ymddiheuro nad oedd o wedi cael amser i neud pwdin call, roedd pawb wedi'i gladdu'n iawn, a Cadi wedi deud tybed pam nad oedd archfarchnadoedd Prydeinig yn gwerthu rhywbeth mor flasus. Roedd hi'n gwybod ei bod yn gneud sylw i'r un perwyl bob tro, ond doedd neb yn cymryd arnynt, chwarae teg iddyn nhw. Popeth yn iawn. Popeth fel arfer.

'Gan 'yn bo' ni i gyd 'di gorffan bwyta,' meddai Tim, gan edrych ar bob un ohonyn nhw yn eu tro.

'A neis iawn oedd o 'fyd, *bravo*!' meddai Ben gan estyn am jochiad arall o win. Sylwodd Cadi ar y blodyn o staen mawr coch oedd yn chwyddo a phylu 'run pryd ar ei grys.

'Gan 'yn bo' ni . . . Ma' gin i rwbath dwi isio'i ddeud wrthach chi. Wel, negas, a deud y gwir . . . ' Roedd yna rywbeth yn nhôn llais Tim oedd yn ei gneud hi'n amlwg nad oedd hon yn adeg i gellweirio na siarad yn wirion. 'Mi ddaru Esyllt . . . ' Cliriodd ei wddw a deud ei henw eto: 'Esyllt . . . Mi ddaru hi fynd i weld twrna ryw flwyddyn cyn iddi farw. Wel, llai na hynna, tua diwedd ha' diwetha, a deud y gwir.'

Yn sydyn iawn, roedd yr awyrgylch wedi ffurfioli, a Tim yn gadeirydd mewn pwyllgor. Aeth y llwyau i lawr yn ara, yn gwrtais.

'O'n i'n . . . wel, yn gwbod dim am y peth. Oeddan ni wastad 'di deud bod na'm pwynt i ni neud 'wyllys na dim byd, achos bod ein sefyllfa ni'n reit syml. Roedd 'yn eiddo fi'n mynd i Esyllt tasa 'na rwbath yn digwydd, ac eiddo Esyllt wedyn, wel, yn dŵad i mi.'

Winciodd y golau uwchben y bwrdd am eiliad. Ddywedodd neb air. Aeth Tim yn ei flaen.

'Ond nid felly oedd . . . ym . . . Esyllt yn 'i gweld hi, yn amlwg. Ddim cweit.'

Dechreuodd Cadi deimlo'i bochau'n mynd yn boeth, fel tasan nhw'n mynd i danio unrhyw funud. Cododd ei llaw oer a'i phwyso yn erbyn ei hwyneb. Aeth Tim yn ei flaen:

'Dwi'm 'di cyfarfod Emyr, y twrna, eto i drafod y 'wyllys na dim byd ffurfiol. Roedd trefniadau'r angladd, o leia, yn reit syml. Ond dwi'n dallt fod 'na lythyr ar 'i ffordd atan ni i fan'ma.'

'Llythyr?' meddai Ben. 'Llythyr gin bwy?'

'Gin Esyllt.' Aeth Tim yn ei flaen fel tasa fo ofn rhoi'r gorau iddi. 'Negas at y criw tasa rwbath yn digwydd iddi. Roedd hi 'di'i sgwennu fo chydig fisoedd cyn iddi farw, medda Emyr.'

'Sbwci!' meddai Non ond chymerodd neb sylw ohoni. Roedd llygaid pawb ar Tim.

'Ar y ddealltwriaeth fod y llythyr ddim yn cael ei anfon tan i ni i gyd gyfarfod yn y Maison 'ma, fel arfar. Dyna pam anfonis i'r gwahoddiada mor fuan ar ôl . . . Siŵr bo' rhei ohonach chi 'di 'ngweld i'n rhyfadd!' Anghytunodd neb. A deud y gwir, ddywedodd neb air.

'Wel, dach chi am ddeud rwbath?' gofynnodd Tim yn nerfus.

'Dwi'n meddwl 'i fod o'n sic, 'yn hun!' meddai Non, ac estyn ymlaen am jochiad arall o win, cyn sodro'i hun yn ôl yn ei sêt.

'Non!' meddai Cadi. Doedd hi'm yn gwybod lle i sbio, ddim yn gwybod be i feddwl, ond roedd adwaith Non yn rhoi rhywbeth iddi neidio arno, o leia.

''Di'r llythyr gin ti rŵan?' gofynnodd Ben. Ysgydwodd Tim ei ben.

'Mae o 'di 'i gloi mewn sêff yn swyddfa'r twrna. Mi fydd hwnnw'n 'i yrru o ar ddiwrnod penodedig er mwyn iddo fo gyrraedd yma yn ystod y diwrnoda ola.'

'Felly ma' hi am neud i ni aros yn fan'ma tan hynna!' meddai Non. Roedd y gwin yn gneud iddi fod yn agored ddilornus. 'Be ddiawl sy mor bwysig fel bo' ni'n gorfod hongian o gwmpas am y llythyr 'ma, beth bynnag?'

'Roedd 'na betha oedd hi isio ddeud wrthan ni i gyd, o be dwi'n ddallt. Petha oedd hi am i ni wbod.'

'Crap!' meddai Gareth dan ei wynt, mewn tôn fwy ffyrnig nag roedd Cadi wedi'i chlywed ganddo fo erioed.

'A'r peth ola, a falla'r peth pwysica, fydd yn y llythyr fydd y Maison. Mae'n debyg 'i bod hi wedi deud i bwy'n union oedd hi'n dymuno'i ada'l o . . . a pham . . . '

Prin oedd Tim wedi gorffen ei eiriau pan lanwyd y stafell efo sŵn cadair Gareth yn cael ei sgathru ar hyd y llawr wrth iddo adael y stafell ar frys.

'Be haru fo?' meddai Ben, gan sbio o gwmpas y bwrdd ar y lleill am ateb.

'Pasio negas mlaen dwi 'di neud. 'Na'r cwbwl!' meddai Tim, gan godi'i sgwyddau i danlinellu'i ddiffyg gwybodaeth.

'Blydi boncyrs! Ma'r holl beth yn boncyrs!' meddai Non, gan godi a gadael y stafell ar ôl ei gŵr. Ddywedodd neb arall air. Roedd y cwestiynau yn rasio drwy feddwl Ben, roedd Cadi'n siŵr o hynny, er nad oedd o'n ddigon dewr i ddeud dim byd eto.

'Rhywun ffansi coffi?' gofynnodd Tim, ac allai Cadi ddim llai na theimlo'r rhyddhad yn ei lais.

Pennod 10

Non

Ymestynnodd Non ei chyhyrau i'w heitha am y degfed tro a chraffu eto ar y cloc larwm oedd yn taflu golau glas llachar rhyfedd dros y stafell i gyd. Pum munud wedi tri. Dyna oedd hi byth! Roedd hi wedi bod yn effro ers dwy awr gyfan a doedd ganddi ddim mymryn o awydd mynd i gysgu!

Mentrodd ei llaw ar hyd y gwely ac at gefn llydan Gareth. Roedd o'n chwilboeth, ond fel'na roedd Gareth, yn mynd yn chwilboeth yn ystod y nos, haf neu aeaf, glaw neu hindda. Roedd hi wedi meddwl sawl tro tybed pa freuddwydion oedd o'n eu cael oedd yn gneud i dymheredd ei gorff saethu i fyny fel'na. Liciai hi feddwl eu bod yn freuddwydion llawn ohoni hi'n ysu ac yn ochneidio efo fo mewn caru gwyllt, bendigedig. Ac eto, doedd fawr o bwys ganddi go iawn pwy oedd yn ei freuddwydion chwaith. Cyn belled â bod merchaid eraill ei freuddwydion yn gwybod eu lle ac yn cadw allan o'i fywyd go iawn. Byddai pob math o ddynion yn ymddangos yn ei breuddwydion hithau hefyd weithia, a phob un wan jac yn garwr ffantastig. Doedd dim byd o'i le mewn dipyn o ddychymyg, nag oedd? Roedd meddwl am y peth yn anfon neges drydanol drwy'i chorff, a dechreuodd ei llaw grwydro i lawr at ben-ôl tyn, llyfn Gareth. Mwythodd ei siâp ac ymestyn ei llaw yn is at flewiach top ei goes. Byddai Gareth yn hanner deffro'n o fuan, a gwefusau'r ddau'n canfod ei gilydd fel magned.

Ond yna tynnodd ei llaw yn ôl. Cofiodd am gyhoeddiad

Tim neithiwr. Damia blydi Esyllt. Damia hi am estyn y tu hwnt i ble bynnag oedd hi a mela o hyd efo sut oeddan nhw'n byw eu bywydau. Un peth oedd deud ei bod hi isio i bawb ddŵad yma. Doedd gin Non ddim problem yn y byd o ran cytuno i ddŵad i'r Maison am wyliau rhad. Ond pa hawl oedd gan Esyllt i osod rhyw lythyr uwch eu pennau nhw hefyd, fel barn? Roedd Gareth wedi bod yn dawedog drwy'r nos wedyn, a'r tro yma doedd hi'n gweld fawr o fai arno fo. Doedd o ddim yn licio pethau fel'na, hen gêmau gwirion, rhyw hen chwarae ar deimladau pobol.

Cofiodd Non y tro cynta y daeth wyneb yn wyneb ag Esyllt. Ym mar yr Undeb oedd hynny, yn ystod yr wythnosau cynta yn y coleg, a Non wedi gwisgo'i cholur yn ofalus ac wedi gneud yn siŵr fod y ffrog hir biws, ethnig roedd hi wedi'i phrynu o'r siop hipi lawr dre yn ffitio'n dynn am ei gwasg a'i bronnau. Roedd hi'n sefyll allan yn ei chriw o ffrindiau bach llygodenaidd, y rhan fwya ohonyn nhw'n gneud llyfrgellyddiaeth neu ryw bwnc sych fel hanes. Roedd Non yn gneud drama, ac wedi ymuno efo clwb dawns yn ystod Ffair y Glas. Doedd ganddi ddim awydd ffendio criw oedd yn rhy debyg iddi hi ei hun, tasa hi'n onest. Roedd hi'n llawer haws bod yn flodyn prin mewn gardd o chwyn cyffredin.

Roedd Esyllt wedi dŵad i mewn yn ddistaw hyderus, a chriw bach o ffrindiau yn ei hamgylchynu, yn chwerthin ac yn siarad yn gyfforddus, fel tasa dim ots am neb. Doedd dim byd arbennig yn y ffordd roedd hi wedi gwisgo, ond roedd rhywbeth yn ei hosgo a'i hagwedd oedd yn denu sylw, oedd yn mynnu sylw. I ddechrau, roedd hi'n ddel, yn naturiol ddel. Sawl gwaith oedd Non wedi edrych yn y drych a gafael yn ei chudynnau tywyll ei hun, gan flysio am wallt tonnog o liw copr, fel gwallt Esyllt. Roedd yn rhyfedd fel roedd pobol o bob rhyw yn cael eu denu fel pryfaid at rywbeth oedd yn ddel, fel bod modd i dlysni rhywbeth neu rywun adael ei ôl yn ffafriol arnyn nhw.

Roedd Esyllt yn hogan hawdd ei chasáu – tan i chi ddechrau dŵad i'w nabod. Tan iddi ddechrau taflu'i swyn drostach chi, nes i chi ffendio eich bod chithau hefyd wedi'ch dal yn y rhwyd.

Trodd Non ar ei hochor unwaith eto ac wynebu wal arall. Roedd yn gas ganddi'r celfi tywyll Ffrengig oedd yn rhy grand a gosgeiddig o lawer i'w chwaeth hi. Roedd y wal oedd yn ei hwynebu o'r un garreg felen â thu allan y tŷ, a ffenest fechan wedi'i fframio mewn gwyn ar ganol y wal. Roedd hynny'n dlws. Ond roedd gwynder waliau gweddill y stafell yn rhy blaen o lawer. Tasa hi'n berchen y tŷ, fe fyddai hi'n peintio'r waliau mewn lliwiau tywyll, cyfoethog ac yn newid pob un o'r dodrefn henffasiwn gor-grand yma am gelfi modern; celfi oedd ddim yn perthyn i hen bobol Ffrengig na wyddai hi ddim byd amdanyn nhw.

Edrychodd yn ôl ar Gareth i sicrhau ei fod yn cysgu'n drwm. Ddim fod 'na lawer o wahaniaeth rhwng y Gareth oedd yn cysgu a'r Gareth effro y dyddiau yma. Roedd o mor blincin pwdlyd! A hithau'n synhwyro fod 'na storm yn goleuo mellt a tharanau y tu ôl i'r llygaid gwyrdd tywyll 'na.

Cododd yn ddistaw a cherdded fel tasa hi mewn meim tuag at y pentwr bagiau oedd wedi cael eu gollwng yn ddiseremoni ar lawr neithiwr. Gan eu bod nhw mor hwyr yn cyrraedd, doedd hi ddim wedi licio treulio amser yn dadbacio. Ond lle oedd ei bag llaw hi? Mi fasa rŵan yn amser da i gymryd y dabledan rhag i Gareth sylwi. Roedd hi wedi bod yn poeni braidd am hynna yn y car. Efo pawb yn byw ym mhocedi'i gilydd, byddai'n rhaid iddi fod yn gyfrwys a cheisio prynu amser iddi gael llonydd.

Cofiodd ei bod wedi gollwng y bag llaw ar lawr y gegin ar y ffordd i fyny i'r stafell wely. Damia! Byddai'n rhaid iddi fynd i lawr y grisiau bach tywyll yna i'r gegin! Un ai hynny, neu fe fyddai'n gorfod chwilio am gyfle'n nes ymlaen ar ôl i bawb godi. Er bod y paced yn deud wrthi am gymryd y bilsen 'run amser bob diwrnod, doedd hynny ddim yn bosib bob tro. Penderfynodd fod y cyfle'n un rhy dda i'w golli. Cododd o'r gwely a symud at y drws.

O gornel ei llygad y gwelodd y symudiad. Rhywbeth yn symud, fel 'tai'n mynd o un pen o'r pasej i'r llall, gan basio drws cilagored eu stafell nhw ar y ffordd. Blewyn gwallt oedd o flaen ei llygaid, mae'n rhaid. Edrychodd yn ôl ar Gareth, ac yna edrychodd eto ar yr hollt rhwng y drws a'r wal. Petai Gareth a hithau ar delerau gwell, falla y bydda hi 'di troi ar ei sawdl a neidio'n ôl i'w gwely, gan lapio'i hun o gwmpas ei gefn cynnes. Ond mynd yn ei blaen wnaeth hi.

Agorodd y drws mor sydyn ac mor dawel ag y medrai, a chamu allan i'r pasej. Roedd pob man yn hollol wag. Edrychodd i fyny ac i lawr, gan geisio gwrando oedd yna sŵn yn un o'r stafelloedd eraill. Doedd dim smic yn dŵad o nunlle. Dechreuodd ymlacio, a chlymodd stribed o wallt y tu ôl i'w chlust rhag i hwnnw chwarae triciau efo hi eto.

Doedd hi ddim yn licio'r grisiau o gwbwl. Roedd y ffaith eu bod yn rhai carreg ac yn droellog ac ar ben draw'r coridor cul yn eu gneud yn fygythiol rywsut. Roedd hi wastad wedi bod yn sensitif i bethau fel'na. Gor-sensitif fydda'i Mam yn ei ddeud, a hynny mewn ffordd ddigon sgiamllyd ran amla, fel pan fyddai Non yn gofyn iddi pam nad oedd hi byth yn cael mynd ar wyliau efo nhw i lefydd crand fel Llundain a Pharis. Dim ond Dad a hi fyddai'n mynd i fan'no. A'r ddau'n dŵad adra o hyd yn gariadus a blinedig, a'r hen wên fach sopi 'na ar eu hwynebau nhw bob tro. Roedd hapusrwydd rhywun arall yn dal i neud i Non deimlo'n uffernol o unig.

Wrth osod ei throed ar y stepan gynta, cofiodd yn syth nad oedd hi wedi rhoi'i sandalau am ei thraed. Roedd oerni'r stepan yn frwnt ar wadnau'i thraed. Ond o leia roedd yr oerni'n gneud iddi symud yn reit gyflym i lawr y grisiau, gan afael yn y cerrig oedd wedi'u gosod fel eu bod yn sticio allan dipyn bach, fel rhyw fath o ganllaw.

Cyrhaeddodd y gegin ynghynt nag roedd hi wedi'i feddwl. Roedd 'na ewin tew o leuad heno, ond gan fod cloriau'r ffenestri ar gau, roedd hi'n dal yn dywyll fel bol buwch yno. Ceisiodd gofio lle'n union roedd hi wedi gadael y bag llaw. Aeth yn ei blaen drwy'r gegin yn ofalus, gan deimlo efo'i throed am y bag ar lawr, a gafael yn y celfi wrth fynd, fel hen wraig.

Roedd yr hen ogla 'na synhwyrodd hi neithiwr yn dal yn gryf. Roedd ogla caserol Tim wedi hen ddiflannu, felly nid hwnnw oedd o. Yng ngolau glas y meicrodon, gallai weld y bwndel o lestri budron yn dŵr Pisa cam yn y sinc. Tasai Cadi wedi codi'r nos a'u gweld, mi fyddai wedi mynd ati i olchi'r blydi lot, neu o leia lwytho'r peiriant, a gadael y gegin fel pìn mewn papur. A chyfadde'r bora wedyn, mewn ffordd ddi-hid, mai hi oedd yr angyles oedd wedi bod yn gyfrifol. Ond Non oedd hi – y slobran ddiog. Fyddai neb ddim callach ei bod wedi bod yn cerdded y tŷ ganol nos, meddyliodd, felly fyddai neb ddim callach ei bod wedi gwrthod y 'demtasiwn' i fod yn santes.

Wrth iddi basio heibio'r sinc ac at y drws cefn, daeth ar draws y bag. Ymbalfalodd ynddo tan iddi ffendio'r boced fach gudd yng nghefn y bag ac agor y sip. Caeodd ei bysedd yn ddiolchgar am y paced bach hirsgwar o ffoil, a dechreuodd wasgu un pen yn frysiog er mwyn rhyddhau'r bilsen a mynd yn ôl i fyny'r grisiau i'w gwely.

'Be ti'n neud ar dy draed?' Trawodd llais Tim fel llafn cyllell drwyddi. Doedd hi'm yn gwybod lle i droi, ddim yn gwybod be i' ddeud. Gollyngodd yr handbag yn un swp ar y llawr.

'Blydi hel, Tim!'

'Sori! Methu cysgu w't ti?'

'Na, meddwl mynd am jog! Wrth gwrs mai methu blydi cysgu dwi! Ti'n gall?' Roedd o'n gwisgo trowsus pyjamas a'i wallt yn blith draphlith, ond roedd o'n hollol effro. Faint oedd o 'di weld? Faint oedd o 'di sylwi? Plygodd Non a dechra stwffio cynhwysion y bag yn ôl i mewn iddo, gan afael yn y bilsen fach wen a'i rhoi ym mhoced ei choban.

'Cur pen sgin ti?'

'Be?'

'Sgin ti rwbath i' gymryd? Dwi'n siŵr bo' gin i asprin yn y tŷ ma'n rhwla, os na 'di Bruno 'di darfod nhw i gyd ar ôl ei seshys.' Llamodd Tim ar draws y gegin a dechrau agor cypyrddau'n wyllt, fel 'tai o'n chwilio am rywbeth llawer pwysicach na thabledi cur pen.

'Dwi'n iawn. Newydd gymryd rhei, 'li,' meddai Non yn ddidaro.

'Ga i rai'n bora o'r pentra,' mwmiodd Tim, bron wrtho'i hun. 'Ar ôl faint yfodd pawb neithiwr, dwi'm yn meddwl mai chdi fydd yr unig un fydd efo penmaen-mawr, w't ti?'

'Ella bo' chdi'n iawn.'

Eisteddodd Tim yn swp ar un o'r cadeiriau a dylyfu gên. Plygodd 'nôl a chau'i lygaid. Meddyliodd Non ei fod yn mynd i ddechrau chwyrnu unrhyw funud. Ond roedd o'n edrych yn uffernol o ddel, hyd yn oed ganol nos. Doedd ryfedd mai Esyllt oedd yr un fachodd o yn y coleg. Pwy arall fasa wedi'i haeddu? Eisteddodd Non gyferbyn ag o.

'Ers faint w't ti ar dy draed?' gofynnodd. Agorodd Tim un llygad a chraffu arni.

"Ŵan jest, pam?'

'Fuost ti'n cerddad heibio i'n stafall ni? I'r lle chwech?'

'Naddo. Pam?'

'Dim. Jest meddwl 'mod i 'di . . . gweld rhywun o'n i.'

70

'Pwy?'

'Wel dwi'm yn blydi gwbod nacdw, neu 'swn i'm yn gofyn i chdi!'

'Yr ysbryd, siŵr i ti!' meddai Tim gan wenu.

'Be!'

'Ti'm 'di clywad? Ma'r lle 'ma'n berwi ohonyn nhw!'

'Taw, Tim, ti'n rhoid crîps i mi!'

'Ddim fi sy wrthi, naci, ond "yr ysbryd" . . . ' Gwnaeth Tim lais crynedig. Roedd Non yn synnu'i fod o'n medru bod mor bryfoclyd am fyd yr ysbrydion a dim ond chydig wythnosau ers i Esyllt farw. Doedd y peth ddim yn iawn, ddim yn barchus. Ddim ei bod hi'n malio fel arfer be oedd yn barchus neu beidio. Mae'n rhaid ei fod wedi gweld fod golwg boenus arni. Plygodd ymlaen a gwasgu'i llaw. Roedd bysedd a chledr llaw Tim yn chwilboeth.

'Sori,' meddai wrthi.

'Ti 'di 'i gneud hi rŵan, 'do? Yr hwch 'di mynd drwy'r blydi siop go iawn efo'r busnas 'na neithiwr.' Doedd hi ddim wedi meddwl sôn. Ddim wedi meddwl deud 'run gair am be oedd Tim wedi'i ddeud am Esyllt a'r llythyr hurt 'na. Roedd ei geiriau'n swnio'n gras yn y gegin, heb neb ond Tim i'w clywed nhw. Gwelodd yn syth ei bod wedi'i frifo. Roedd o wedi tynnu'i law yn ôl ac eistedd yn fwy syth yn ei sêt.

'Adrodd yn ôl dwi. Adrodd be oedd hi 'di 'i roid lawr i'r twrna.'

Roedd ei lais o fel crac gwn ar dawelwch y tŷ. Roedd 'na olwg ryfedd yn ei lygaid o, cymysgedd o wylltineb a siom, rywsut. Eisteddodd Non wedi'i sodro yn ei sêt, heb ddeud mwy. Pan siaradodd Tim eto, roedd ei lais yn dawelach, ond roedd yr ias yn dal ynddo fo.

'Wedyn . . . Gad i betha fod, ia? Sgynnon ni'm hawl busnesu efo dymuniad rhywun, nag oes? Fel dudist ti yn y caffi. Wedyn, gad i betha weithio'u hunain allan, ia? Plis?'

71

Cododd Tim yn bwyllog a cherdded allan o'r gegin. Gallai Non ei glywed yn oedi am eiliad cyn i'w draed ddechrau dringo'r grisiau cerrig. Eisteddodd yno am sbelan heb symud cyn codi at y sinc, ffendio gwydryn gweddol lân a rhoi dŵr o'r tap yn ei waelod. Llyncodd y bilsen atal cenhedlu'n ddidrafferth.

Pennod 11

Cadi

Deffrodd Cadi i sŵn beth feddyliai i ddechrau oedd clychau eglwys. Gorweddodd yno'n gwrando arnyn nhw am rai eiliadau, rhwng cwsg ag effro. Ond wrth i'w chlustiau a'r gweddill ohoni ddadebru'n iawn, sylweddolodd mai sŵn Ben yn agor drysau'r cypyrddau oedd o, ac mai clincian hangars yn erbyn ei gilydd wrth iddo hongian ei ddillad oedd y 'clychau'! Gallai ddeud heb agor ei llygaid fod hwyl ddrwg arno fo. Ac o gofio faint o win aeth i lawr ei gorn clac neithiwr, meddyliodd, doedd hi'm yn synnu fod ganddo fo goblyn o gur yn ei ben.

'Does 'na'm digon . . . Toes 'na byth blincin . . . ' bytheiriodd dan ei wynt ond yn ddigon uchel i Cadi glywed. Dechreuodd Guto igian crio yn y cot teithio.

'Sssh! Guto!' meddai Cadi'n gysglyd, ond roedd hi'n gwybod 'doedd ei geiriau'n dda i ddim. Craffodd ar y cloc larwm. Roedd hi'n naw! Roedd hi'n fisoedd ers iddi gael y ffasiwn lei-in! Deunaw mis, a bod yn fanwl!

Aeth Ben at Guto'n syth a'i godi. Teimlodd gefn ei fest fach wen.

'Ma'r hogyn 'ma'n chwys doman,' meddai, gan guro'n ysgafn ar ei gefn. ''Sna'm sens mewn rhoi rhyw byjamas mawr iddo fo'r tywydd yma!'

'Agoran ni ffenast fymryn heno, 'ta, a chadw'r *shutters* ar gau drwy'r dydd rhag bod y stafall yn gorboethi,' meddai Cadi'n hamddenol, gan droi ar ei hochr a phwyso'i phen ar gledr ei llaw. Ymestynnodd y bychan amdani efo'i freichiau a sodrodd Ben ei fab drws nesa i'w fam. O fewn eiliadau, roedd o'n goesau ac yn freichiau i gyd drosti, ac wedi tynnu'i hun i fyny i ben y gwely, a gwadnau meddal ei draed bach ar y gobennydd, yn ysgafn fel cath.

Cofiodd Cadi am gyhoeddiad mawr Tim. Pawb yn gegrwth ac Esyllt . . . Esyllt yn sleifio heibio iddyn nhw'n ysgafndroed, yn taenu llaw anweledig dros dalcen crychlyd pob un ohonyn nhw ac yn gwenu'n ddireidus.

Roedd Ben wedi bod yn ddibrisiol iawn o'r holl syniad; roedd o'n mynd i drio mwynhau'i hun yn ei ffordd ei hun ar ei wyliau, diolch yn fawr iawn, heb gael rhywun fel Esyllt yn ymyrryd o du hwnt i'r bedd.

Roeddan nhw wedi caru neithiwr, am y tro cynta ers mis go dda, a'r gymysgedd o gynddaredd a chwrw wedi troi Ben yn garwr mwy hunanol nag arfer hyd yn oed. Cymerodd sbelan i Cadi gysgu wedyn. Bu am oriau'n cnoi cil ar yr hyn roedd Tim wedi'i ddeud, ac yn gwrando ar ei gŵr yn chwythu'i anadl alcohol yn swnllyd ar draws y stafell wely.

*   *   *

'Wel, be 'dan ni angan i gyd, 'ta?' gofynnodd Non gan ddylyfu gên. Sylwodd Cadi fod y sglein wedi mynd o'i llygaid hi erbyn bora 'ma, a'r lliw du *kohl* yn drymach nag arfer o'u cwmpas. Roedd hithau wedi bod yn tancio ar y mwya neithiwr hefyd, meddyliodd, ac yn fflyrtio fwy nag arfer hefyd. Erbyn hyn, roedd Non wedi swatio yn y sêt fawr gyfforddus yn y gornel, a'i choesau oddi tani'n dwt.

Roedd Cadi wedi bod ofn dŵad i lawr grisiau bora 'ma, rhag cerdded i mewn i awyrgylch o densiwn, ond doedd neb i'w weld yn cymryd arnyn nhw fod Tim 'di deud dim byd. Doedd bosib eu bod nhw'n rhy feddw i gofio, meddyliodd yn sydyn.

'Llysia fwya, ffrwytha, cig a ballu,' meddai Tim. 'Pysgod, mwy o goffi. Dwi'm 'di ca'l lot o gyfla i nôl dim byd, naddo?'

'Coffi, ia plis! Lot, lot o goffi!' griddfanodd Non a thaflu'i phen yn ôl yn ddramatig ar gefn y gadair esmwyth.

'A thabledi cur pen, ella?' meddai Tim wrthi, a gwelodd Cadi'r ddau'n rhannu gwên.

Craffodd Cadi ar Tim. Roedd golwg llawer gwell arno fo erbyn heddiw, a'r gwallt gwlyb oedd yn cyrlio dros ei war yn dangos mai dim ond newydd ddŵad o'r gawod oedd o. Roedd o'n amlwg wedi dadflino ar ôl y siwrne a'r miri efo Bruno. Falla nad oedd o wedi yfed cymaint â'r lleill chwaith. Wedi'r cyfan, roedd ganddo fo orchwyl bwysig i'w chyflawni neithiwr, ac roedd yn rhaid iddo fo fod o gwmpas ei bethau.

'Pa ddiwrnod 'di?' holodd Cadi. 'Ddim dydd Sul ma'r farchnad ar y sgwâr?'

Griddfanodd Non.

'Cadwch fi allan o'ch plania chi, sori. Dwi'm yn mynd i nunlla heddiw 'ma os 'di o'n golygu 'mod i'n gorfod mynd yn bellach na'r pwll nofio!'

'Sa'm bwys gin i fynd . . . Dwi'n siŵr fydd Ben yn iawn i warchod Guto,' meddai Cadi.

Roedd hi'n licio'r daith fer i'r pentre, a'r caeau blodau haul yn garped melyn a brown o boptu'r lôn fach gul. Doedd dim byd yn gymhleth yn y daith; doedd dim rhaid gneud penderfyniad. Roedd y lôn yn unionsyth, yn eich cario chi'n saff at y pentre. Roedd hi'n licio'r strydoedd bach troellog oedd yn arwain allan o'r sgwâr fel coesau pry cop. Eisteddai'r hen ferchaid yn nrysau'r tai yn crosio, eu hwynebau brown yn dangos blynyddoedd lawer o haul y Charente. Os oeddan nhw'n gwrthwynebu fod yna haid o *étrangers* neu bobol ddŵad yn dod yma yn yr haf, doeddan nhw ddim yn dangos hynny. Doeddan nhw byth yn neidio i fyny a'i thywys i mewn i'r lle tywyll, sanctaidd y tu ôl i'r gadair ar riniog y drws chwaith, wrth gwrs. Ond roeddan nhw bron yn ddi-ffael yn symud eu pennau fymryn mewn cyfarchiad, ac roedd Cadi'n berffaith sicr fod ambell un fel petaen nhw'n ei chofio.

Cyn i neb arall gael cyfle i ateb Cadi, daeth Gareth i'r gegin gyda bag cefn wedi'i daflu dros un ysgwydd, ac wedi gwisgo'n barod i fynd allan. Cododd ei ben a dal llygad Cadi am eiliad cyn gostwng ei lygaid eto a gneud ei ffordd am y drws.

'Mynd am dro?' holodd Tim, gan gario mlaen i sychu'r llestri. 'Gawn ni frecwast yn munud, os w't ti isio.'

'Mae'n iawn, sa i ishe dim,' meddai, a gafael yn handlan y drws a'i throi. Roedd rhywbeth ynglŷn â'i osgo oedd yn poeni Cadi.

'Dwi'n mynd am dro i'r farchnad yn munud 'wan!' meddai ar garlam. ''Wrach fedran ni gerddad i mewn i'r pentra efo'n gilydd?' Trodd Gareth i edrych arni, gan gadw'i law ar handlen y drws. Roedd Cadi'n ymwybodol fod Non yn edrych ar y ddau ohonyn nhw o glydwch y gadair foethus. Nodiodd ei ben. Gafaelodd Cadi yn ei bag.

'Hwde, cymra dipyn o ewros efo chdi,' meddai Tim. 'Mi sortian ni'r citi nes mlaen, 'li, ond ma' 'na hannar can ewro yn fan'na i chdi am rŵan.' Trodd Cadi'n ôl a'u cymryd gyda diolch. Erbyn iddi droi 'nôl i wynebu'r drws, roedd Gareth eisoes yn disgwyl amdani'r tu allan.

Roedd yr haul wedi hen ddeffro'r ddaear wrth iddyn nhw ddechrau cerdded, a'r llawr yn galed a chynnes dan eu sandalau. Roedd 'na bellter un person arall rhyngddyn nhw, ac roedd breichiau'r ddau yn dynn wrth eu hochrau. Edrychodd Cadi ar Gareth. Roedd o'n edrych yn syth o'i flaen, wedi codi'i ben ac yn sbio'n bell, bell i ffwrdd.

'Diolch byth!' meddai Cadi.

'Diolch byth!' meddai yntau, ac edrych yn ôl arni, a hanner gwên yn cosi ar ei wefusau am eiliad cyn diflannu.

'Anodd bod 'nôl, dydi?' dechreuodd Cadi eto. Ond doedd dim yn tycio yn Gareth. 'Dwi'm 'di ca'l cyfla i . . . sut w't ti, Gareth?'

'Ffantastig!'

'Paid . . . ' Stopiodd Gareth gerdded am funud, a rhwbio'i wallt hir efo'i law nes ei fod o'n sticio i fyny'n bigau mawr llac dros bob man, fatha nyth crëyr glas.

''Nes i ffonio chdi . . . ar ôl yr angladd,' mentrodd Cadi eto.

Môr o liwiau'r enfys, fel roedd Esyllt 'di bod isio. Neb yn ei ddillad angladd, 'blaw Ben. Haul poeth yn frwnt ar war. Caneuon Celt yn denau ar aer yr amlosgfa. Sgons a chwpanau tsieina henffasiwn, gwasgu dwylo, nodio pen, geiriau, geiriau a mwy o eiriau . . .

Gwelodd Cadi Gareth yn gwingo am eiliad cyn cychwyn eto ar hyd y llwybr at y lôn. Prysurodd hithau yn ei blaen hefyd. Roedd cerddediad y ddau wedi cyflymu.

'Neb yn tŷ. Meddwl ella 'swn i'n trio eto . . . ond rywsut . . . '

'Sdim byd i' weud, o's e?' Roedd o'n ddidaro. Yn trio mor galed i fod yn ddidaro fel bod Cadi isio gafael amdano a'i wasgu, fel basa hi'n gneud efo Guto.

'Ma' drosto,' meddai Gareth eto. 'Ma' popeth drosto nawr.'

'Ond o'n i'n meddwl 'sa chdi isio siarad efo rhywun. Rhywun sy'n . . . gwbod – yn trio, dwn i'm, dallt . . . ' Teimlodd Cadi'i hun yn cochi, ac roedd yn dechrau difaru'i bod wedi neidio i mewn i'r sgwrs yma efo Gareth heb feddwl yn iawn be oedd hi isio'i ddeud. Bodlonodd ar wrando ar sŵn traed y ddau ohonyn nhw ar y pridd melyn. Roeddan nhw'n nesáu at y lôn. Penderfynodd drio eto. 'Oedd Esyllt yn . . . ' Torrodd llais Gareth yn oer ar ei thraws.

'Roedd Esyllt yn feddw gaib. Yn racs. Gwmpodd hi lawr stâr. 'Na fe. Pethe fel'na'n digw'dd, ond 'yn nhw?'

'Ddim i rywun fatha hi! Ddim i Esyllt!'

'Ie, i Esyllt! Ddigwyddodd e, on'do fe? 'Di digwydd a 'di bennu.' Roedd o ar fin deud rhywbeth am symud ymlaen, meddyliodd Cadi, ond doedd o ddim wedi gallu dod â'r geiriau i flaen ei dafod. Sylwodd pa mor ifanc oedd o'n edrych, a'i wallt fel'na a'i fag ar ei gefn, fel 'tai o'n mynd i fynd i hel ei bac rownd y byd.

Roeddan nhw bellach wedi cyrraedd pen lôn y Maison ac wedi cychwyn ar hyd y ffordd syth tuag at y pentre. Bob hyn a hyn roedd Renault neu Citroen yn pasio, ac ambell waith gar Prydeinig. Roedd fan neu lori fach rydlyd yn pasio weithia hefyd ar ei ffordd i'r farchnad, a'r trelar neu'r sêt gefn yn gwegian efo llysiau a lemonau a mefus.

Dwy waith y gwelodd Cadi nhw rioed efo'i gilydd. Er gwaetha'r holl gyfrinachau y byddai Esyllt yn eu pwyso i gledr ei llaw fel da-da pan oedd y ddwy efo'i gilydd, ac er gwaetha'r negeseuon y byddai Gareth yn gofyn iddi eu pasio mlaen pan nad oedd o'n mynd i gael cyfle i weld Esyllt ar ei phen ei hun; er gwaetha hyn i gyd, dim ond dwy waith y gwelodd hi nhw. Roedd Ben 'di mynd ar gwrs preswyl efo'r ysgol a hithau'n disgwyl Guto. Doedd 'na nunlle arall iddyn nhw gyfarfod am ryw reswm neu'i gilydd, ac roedd Esyllt wedi medru perswadio Cadi i roi ei thŷ iddyn nhw am bnawn.

Cofiai Cadi feddwl sut oedd y ddau'n newid yng nghwmni ei gilydd: Esyllt yn addfwyno, yn toddi, a Gareth yn tyfu allan o'r ymarweddiad glaslancaidd oedd yn nodwedd mor amlwg ohono fo fel arfer. Doedd dim byd roedd Esyllt wedi'i ddeud wrthi am y ddau ohonyn nhw wedi'i pharatoi ar gyfer hynna. Roedd y newid yma'n llithro o afael geiriau. Roedd yn gneud iddi deimlo'n anghyfforddus rŵan, wrth feddwl am y peth; yr un swildod ag roedd hi wedi'i deimlo wrth fagio allan o'i lolfa ei hun yn ei thŷ ei hun, gan wybod nad oeddan nhw 'i isio hi rŵan fod ganddyn nhw'i gilydd. Yr un teimlad anghyfforddus, unig oedd o.

'Synnu bo' chdi 'di dŵad,' meddai Cadi'n gloff. 'Doedd Ben ddim isio dŵad chwaith, ond am resyma gwahanol i chdi, 'wrach . . . ' parablodd.

'Fi'n difaru'n ened,' meddai Gareth, bron fel tasa fo'n siarad efo fo'i hun. 'Beth yffach ma'r boi 'na'n feddwl ma' fe'n neud, yn rhoi pawb drw' hyn i gyd lai na mish . . . ' Doedd Cadi rioed yn cofio clywed yr oslef yma yn ei lais o o'r blaen.

'Ond glywist ti be ddudodd o, Esyllt oedd 'di deud 'i bod hi isio pawb yma 'run fath ag arfar!'

'Fydde Esyllt byth 'di gneud 'na! Fydde hi byth yn . . . byth yn rhoi ni i gyd drw' hyn.'

Roedd o'n dal yn ddall, yn dal wedi mopio cymaint efo hi fel nad oedd o'n medru gweld yn bellach na'r ddau ohonyn nhw'n gwlwm tyn o groen ar wely.

Aeth y ddau yn eu blaenau am sbelan, heb siarad. Cododd ambell ddreifar ei law a chwibanodd un arnyn nhw mewn cyfarchiad. Be oeddan nhw'n feddwl ohonyn nhw, tybed, meddyliodd Cadi. Roeddan nhw'n gneud cwpwl od braidd.

'Doeddwn i ddim yn disgwyl hynna neithiwr gin Tim chwaith. Annisgwyl, 'doedd?' mentrodd Cadi.

'Annisgw'l! Ma'r boi off 'i ben!'

'Ia, ond dim ond pasio'r negas ymlaen oedd o,' mynnodd Cadi. Roedd Gareth wedi stopio eto, ac yn symud pwysau'r bag o un ysgwydd i'r llall, fel tasa fo'n drwm.

'Cadi, Cadi, ti'n newid dim, nag'yt ti! Roedd Esyllt wastad yn gweud y byddet ti'n gweld da yn y diafol!' Brifwyd Cadi am eiliad, wrth feddwl fod Esyllt wedi bod yn deud ei barn amdani wrth Gareth. Ond doedd o ddim fel 'tai o'n rhywbeth nad oedd Esyllt rioed wedi'i ddeud wrthi hi.

'Be ti'n feddwl?'

'Tim yw hyn, smo ti'n gweld? Yn whare sili bygers ac yn

hala ni i gyd i ddawnsio rownd rhyw gylch iddo fe ga'l gneud sbort am 'yn penne ni!'

'Gareth!'

'Wy'n gweud 'tho ti!'

'Ond be os 'di o'n deud y gwir? Ma' dyma oedd dymuniad ola Esyllt? Fasa fo'n rêl Esyllt, basa? Yn dal 'i gafa'l ynddan ni tan y diwadd un. I brofi faint oedd hi'n olygu i ni, os leci di.'

'O'dd dim rhaid i fi brofi dim iddi,' meddai Gareth yn dawel.

Bellach, roeddan nhw wedi cyrraedd y sgwâr lle roedd y stondinau eisoes wedi bod yn gwerthu pob math o bethau ers ben bora. Roedd y Mairie, neuadd y pentre, yn sefyll yn dalog ac yn smart; adeilad cul tri llawr oedd o, a fflyd o risiau yn arwain i fyny at ddrws derw mawr, crand, oedd yn amlwg i fod i bwysleisio urddas y lle. Roedd Cadi wastad wedi licio'r syniad fod pob pentre, beth bynnag ei faint, yn brolio Neuadd y Dref fawreddog fel hon.

Roedd pob un o'r stondinwyr wedi gwerthu eu stwff gorau'n barod, ac roeddan nhw a'u cynnyrch yn dechrau gwywo fymryn yn y gwres.

Roedd hi'n reit falch o gyrraedd, tasa hi'n onest. Doedd hi ddim wedi meddwl o gwbwl fod Tim yn deud celwydd er mwyn cael ymateb. Fasa fo byth mor greulon â chwarae gêmau efo teimladau pawb fel'na.

'Reit, be ti ffansi?' gofynnodd Cadi, gan daro'r wad o ewros ym mhoced ei jîns. 'Siawns na fedran ni ffendio rwbath i ginio ac i swpar 'ma.' Roedd ei llygaid wedi'u denu at stondin y cawsiau, efo'r Madame bryd tywyll yn ei ffedog goch a gwyn. Trodd Gareth a'i hwynebu. Roedd o'n ysgwyd ei ben, a meddyliodd Cadi am eiliad ei fod yn deud nad oedd arno awydd fawr o ddim byd i'w fwyta.

'Fi'n mynd,' meddai'n syml, ac mor dawel fel y bu'n rhaid

i Cadi ofyn iddo fo ailadrodd ei eiriau. 'Sa i'n dod 'nôl i'r Maison, Cad. Alla i ddim.' Ddywedodd Cadi ddim gair yn ôl, dim ond edrych arno. 'O'n i'n gwbod taw mistêc oedd dod o gwbwl. Dries i osgoi neud, a lan at y bore cyn gad'el, o'n i'n benderfynol o gadw draw. Dylen i byth fod 'di g'rando ar Non.'

Sylwodd Cadi ar y chwydd yn y bag cefn, a sylweddolodd fod Gareth o ddifri.

'A Non? Dyna pam oedd hi'n . . . '

'Pwdu'n y gadair? Na, o'dd 'da 'na ddim byd i' neud 'da fi. Decsta i 'ddi . . . pan fydda i 'di mynd yn ddigon pell.'

'Tecstio! Blydi hel, Gareth!' Gwenodd Gareth arni wrth ei chlywed yn rhegi, ond buan y diflannodd y wên.

'Sori, ond fel'na ma' ddi!'

Gwelodd Cadi'r criw yn disgwyl amdani, amdanyn nhw. A'r craffu arni, yr holi am Gareth. Doedd hi ddim yn gallu gweld wyneb Non chwaith. Nid ei lle hi oedd gweld wyneb Non.

'Be dwi i fod i' ddeud wrth bawb?'

Roedd Cadi'n dechrau gwylltio rŵan, yn teimlo'r annhegwch o orfod mynd i gyflwyno newyddion fel hyn. Roedd yn amlwg ar wyneb Gareth ei fod o'n dechrau meddalu, yn teimlo drosti.

'Cad, alla i byth fynd 'nôl 'na, ddim 'da'r lle'n llawn o Esyllt. Ddim 'da hi 'na ond eto ddim 'na . . . '

Roedd o eisoes yn dechrau cerdded am yn ôl oddi wrthi. Yr eiliad honno roedd Cadi'n dyheu am fod y fath o ddynes oedd yn medru perswadio dyn i neud rhywbeth dim ond wrth sbio arno fo – am fod yn rhywun nad oedd hi rioed wedi bod. Gan hanner godi'i sgwyddau fel ymddiheuriad, trodd Gareth a gwau'i ffordd rhwng y stondinau i gyfeiriad y lôn fawr. Gwyliodd Cadi'r bag cefn yn mynd yn llai ac yn llai, cyn iddi hithau droi'n ôl am y farchnad.

Sylwodd yn syth ar Bruno. Roedd o'n sefyll ar gyrion un o'r stondinau i'r chwith o'r Mairie, yn edrych arni. O'i osgo, roedd Cadi'n siŵr ei fod o wedi bod yn dyst i'r cwbwl, wedi gweld Gareth yn gadael a'i bac ar ei gefn. Wrth iddi edrych arno, trodd Bruno'i gefn arni'n bwyllog a diflannu'n ara i lawr un o'r strydoedd cefn.

Pennod 12

Tim

Roedd Tim wedi gorfod chwilota o gwmpas yr ardd ym mhobman am y cadeiriau haul. O'r diwedd dyma ddod o hyd iddyn nhw y tu ôl i'r sied, wedi'u bwndelu'n flêr ar bennau'i gilydd, fel petai rhywun wedi bod isio'u cael o'r ffordd ar frys. Roedd 'na faw fel caglau ar din dafad yn hongian wrth ambell fraich, a dŵr gwyrdd tywyll wedi cronni ar unrhyw damed o sêt oedd yn ddigon gwastad. Rhamantus iawn, meddai Tim wrtho'i hun, gan ddechrau datgymalu'r twmpath plastig.

Doedd Esyllt rioed wedi licio'r cadeiriau. Y tro cynta iddyn nhw ddŵad yma ar ôl i Arthur farw, roedd Esyllt wedi anfon Tim i La Rochelle i brynu cadeiriau wicer yr oedd hi wedi'u gweld mewn siop fechan yn un o'r strydoedd cefn a arweiniai i fyny o'r harbwr. Er nad oedd mam Esyllt wedi dangos rhithyn o ddïddordeb yn y Maison cyn nac ar ôl marwolaeth Arthur, roedd hi wedi cymryd at y seti gardd ac wedi trefnu fod Esyllt a Tim yn mynd â nhw'n ôl i Gymru iddi. Felly mynnodd Esyllt fod yn rhaid i Tim fynd i chwilio am rai wicer yn union fel y lleill.

Gwnaeth Tim ryw fudr ymdrech i gael hyd i'r siop ond roedd hi'n digwydd bod yn ddiwrnod chwilboeth ynghanol mis Awst, a'r ymwelwyr yn tywallt fel ton amryliw i chwilio am gysgod yn y strydoedd cefn. Roedd Tim wedi colli mynedd yn sydyn iawn ac wedi penderfynu mynd heibio i un o'r marchnadoedd Carrefour oedd ar ei siwrne adra. Doedd dewis y cadeiriau plastig gwyn yn ddim problem yn yr awyrgylch llugoer braf yn fan'no.

Doedd Esyllt ddim wedi deud llawer ar ôl iddo fo'u cario allan o gefn y car a'u cyflwyno'n obeithiol iddi'r tu allan i'r drws cefn. Ond roedd y siom ar ei hwyneb yn waeth o lawer na phetai hi wedi mynd i dop caets.

Roedd Non eisoes yn eistedd ar erchwyn y pwll nofio erbyn i Tim orffen cario'r cwbwl lot ar ei gefn i'r fan honno. Sylwodd Tim fel roedd hi'n symud ei thraed yn ôl a blaen yn y dŵr, gan syllu arnyn nhw'n freuddwydiol fel plentyn bach. Cododd ei phen am funud i edrych arno, cyn troi'n ôl at ei thraed drachefn.

'Tydw i byth, byth, byth isio gweld potal win eto . . . ' meddai. 'Dwi'n mynd i ista ar 'y nhin drw'r dydd heddiw a throi'n frown fel cneuan.'

'Rhaid 'mi ga'l cadach at y rhein. Paid ag eistedd arnyn nhw eto, na nei?' meddai Tim yn awdurdodol.

'Iawn, Dad!' meddai Non gan wenu'n gellweirus a phwyso'n ôl fel ei bod yn gorwedd ar wastad ei chefn ar y teils glas o gwmpas y pwll. 'O, Tim!' meddai gan anadlu allan. 'Tydi hi'n blincin ffantastig bod yma eto, d'wad!'

'Lle braf 'di o 'de . . . ' Cododd Tim ei ben am funud i edrych ar y gwastadedd melynwyrdd oedd yn ymestyn yn ddi-ben-draw o'i gwmpas, gydag ambell felin wynt i dorri ar y tirlun. Roedd y Maison yn ddigon agos at bob dim, ond roedd yn hawdd iawn medru cogio'ch bod chi'n bell iawn o bob dim hefyd rywsut. Os mai dyna oedd y nod. Doedd ryfedd nad oeddan nhw rioed wedi gorfod dwyn gormod o berswâd ar neb i dreulio pythefnos yma bob haf.

'Hwyl dda ar Gareth eto'r bora 'ma!' mentrodd Tim, gan orffen llnau'r cadeiriau a'u trefnu. Dal i orwedd wnaeth Non heb ddeud yr un gair. Doedd Tim ddim yn siŵr ai dewis ei anwybyddu wnaeth hi, 'ta oedd hi'n ystyried be oedd o wedi'i ddeud. Roedd mor amlwg â het ar hoel fod 'na gymylau uwch perthynas Non a Gareth ar y funud. A doedd Non ddim yn un o'r rheiny oedd isio rhoi rhyw sglein artiffisial ar berthynas fel arfer. Er ei bod hi'n gorchuddio'i hwyneb yn blastar o golur o hyd, roedd hi'n rhyfeddol o agored a di-lol ynglŷn ag ambell beth. Roedd Esyllt wastad yn ddilornus o'r nodwedd honno ynddi. Doedd rhywun ddim i fod mor hawdd i'w darllen, yn ôl Esyllt; roedd rhinwedd mewn rhyw fymryn o *mystique*. Ond roedd 'na fwy i'r natur agored yma wrth grafu'n ddyfnach. Roedd Non yn enwog yn y coleg am fod yn hogan efo 'problemau', ac o'r herwydd roedd pawb yn cadw'n glir o unrhyw berthynas amgenach na ffling un noson efo hi.

Clywodd Tim y drws cefn yn clepian a sŵn traed yn prysuro tuag atyn nhw ar draws y cerrig mân. Hyd yn oed petai'r tŷ yn llawn o bobol, fe fyddai wedi nabod cerddediad bach prysur Ben.

'O, God!' griddfanodd Non, gan ddal i orwedd ar y teils. Cododd ei braich a'i gosod ar draws ei llygaid fel tasan nhw'n dechrau brifo yn yr haul.

'Dyma fo'r lyshiwr mawr, 'li!' meddai Tim yn gellweirus, a gafael yn y rhwyd bysgota anferth oedd yn gorwedd ar ymyl y dŵr. Dechreuodd ei sgubo'n ara ar wyneb y dŵr, a'r dail yn casglu'n bysgod brown marwaidd ynddi. "Sna neb gwaeth na'r hen athrawon 'ma am fynd dros ben llestri pan ma' 'na lathan o ryddid i' ga'l!'

'Taw, Tim! Dwi'm yn meddwl fedra i ddiodda dy wreiddioldab di'r bora 'ma,' meddai Ben yn ddigon piwis, a daliodd Tim Non yn dechrau piffian chwerthin yn ysgafn y tu ôl i'w braich. "Swn i 'di bod yn iawn 'sa chdi'm 'di ystyn am y botal Cognac yna o'r drôr!' meddai wedyn, a gafael yn ei ben yn ddramatig wrth gofio. 'Dwi'n siŵr bod y Bruno hannar call 'na 'di bod yn doctora hwnnw efo rwbath cryfach tra 'dan ni 'di bod o'ma.'

''Swn i'm yn meddwl rywsut!' meddai Tim. ''Sna'm byd i' ga'l gin Bruno am ddim! Dio'm hyd yn oed yn gneud be dwi'n dalu iddo fo neud rownd lle 'ma! Sbia golwg ar yr *algae* 'ma'n y pwll!'

'Ych!' Cododd Non ar ei heistedd. 'Be ti i fod i' neud i' ga'l o'n iawn?'

'Cemegolion. Mi fydd fel newydd erbyn fory,' meddai Ben yn bwysig i gyd, a dyna pryd sylwodd Tim ei fod o'n cario darn o bapur yn ei law.

'Rota!' meddai Ben yn fuddugoliaethus, fel 'tai fo'i hun oedd wedi dyfeisio'r gair. Ben fyddai wastad yn llunio'r rota ac yn diodda gwrthwynebiad pawb arall gyda gwên y merthyr. Roedd pawb wedi cytuno i'r syniad o rota gydag amrywiaeth o frwdfrydedd ar ôl y flwyddyn ddi-drefn gynta, pan oedd ambell un yn gneud mwy na'i siâr, ac ambell un arall yn gneud dim strôc. Roedd Ben wedi mynnu fod yn rhaid cael trefn.

'BEN!' meddai Non yn flin. 'Fedri di ddim gada'l llonydd i bawb am ddiwrnod, wir?'

'A be 'dan ni am ga'l i swpar heno?' meddai Ben. 'Neu i ginio heddiw 'sa hi'n dŵad i hynna? A chdi fydd y cynta i gwyno os ydi'r lle chwech yn dechra mynd yn . . . '

'Iawn!'

Roedd Non yn fwy croendenau nag arfer bore 'ma, meddyliodd Tim. Peryg fod y methu cysgu ganol nos yma ddim yn gweddu iddi. O rywle daeth fflach sydyn o'r ddau ohonyn nhw'n wynebu'i gilydd yn y gegin hanner tywyll, a'r goban fer, fer . . .

'Ond ma' gynnon ni broblam 'leni,' meddai Ben. 'Yn . . . yn . . . y . . . cyd-bwysedd,' meddai wedyn, gan obeithio fod hynny'n ddigon o abwyd i rywun arall fachu.

Edrychodd Tim arno a sylwi bod ei fochau'n gwingo'n nerfus.

'Be ti'n falu?' gofynnodd Non yn ddifynedd. 'Balans be? Ma' pob joban ar y rota 'run faint o waith â'i gilydd, 'dydyn? 'Dan ni 'di sortio hynna oesoedd 'nôl. A phrun bynnag, wrth bo' pawb yn gneud pob joban yn eu trefn . . . ' Dechreuodd Ben wrido, ac edrych yn ymbilgar ar Tim. Roedd Tim yn dallt, wrth gwrs. Chwech. Rhif handi. Rhif cyfleus. Chwe wy mewn basged, dau a dau a dau yn gneud . . . chwech. Chwe phâr. Twt. Perffaith. Chwech tynnu un yn gneud . . . coblyn o broblem i foi bach fatha Ben a'i blydi rota.

Teimlodd Tim yn garedig at y lolyn mwya sydyn, o'i weld o'n straffaglu i bwyso a mesur y ddilema fathemategol roedd colli Esyllt wedi'i golygu iddo fo.

'Sortian ni rwbath nes mlaen, ia?' meddai Tim. 'Neu rŵan os leci di, i ga'l darfod?' Roedd y rhyddhad ar wyneb Ben o gael partner i rannu'r baich bron yn gomical.

'Ond ma' gin i Guto . . . tan ddaw Cadi . . . ' meddai'n sydyn, a'i wyneb wedi cymylu gyda'i broblem ddiweddara.

'Duwcs, rho Guto i chwara'n braf yn ei got trafeilio yn parlwr, 'de?' meddai Tim. 'Fyddan ni o fewn clyw os 'dan ni'n y gegin, 'yn byddan?'

'Ti'n iawn!' Roedd Ben yn gwenu rŵan, a'r rhyddhad yn amlwg ar ei wyneb.

'A fydd Gareth a Cadi ddim yn hir iawn cyn dod 'nôl, na fyddan?' meddai wedyn, a'i chychwyn hi am y tŷ yn jiarff.

Trodd Tim yn ôl at Non, yn barod i rannu gwên efo hi, ond roedd Non wedi hen golli diddordeb yn y sgwrs erbyn hynny, ac wrthi'n brysur yn taenu'r olew sgleiniog ar hyd ei breichiau a'i choesau. Cerddodd Tim yn ôl am y tŷ a'i gadael i ffrio.

Pennod 13

Cadi

Bu Cadi'n syllu'n hir ar ôl Bruno, fel petai hi wedi cael ei serio i'r fan a'r lle, yn methu symud llaw na throed. Sŵn y farchnad yn mwmian lliwgar o'i chwmpas hi, yn troi a throi a hithau yn y canol, wedi'i gwreiddio, yn bŵer reit yn y canol oedd yn tynnu pob dim ati.

Dadebrodd o'r diwedd, a chael y teimlad o fod yn ôl ar y cyrion, fel roedd pethau i fod. Temlai'n rhyfedd, nid yn benysgafn yn union, ond fel tasa hi 'di cael rhyw dro digri, a bod pob dim arall yn od wedyn am sbelan. Dechreuodd symud fel ysbryd rhwng y stondinau a chael y teimlad, ymhen tipyn, fod rhywun yn edrych arni. Neu fod pawb yn edrych arni, yn syllu, syllu a'u llygaid yn naddu twll y tu mewn iddi. Cododd ei phen unwaith neu ddwy wrth lithro o stondin i stondin yn byseddu a theimlo'r ffrwythau a'r dilladau. Cododd ei phen a gadael i'w llygaid grwydro at wynebau'r stondinwyr a'r trigolion eraill oedd yn prynu. Doedd dim i'w weld yn anghyffredin yn neb; prin oeddan nhw'n edrych arni hi o gwbwl wrth iddyn nhw siarad efo'i gilydd, ac estyn eu dwylo allan gyda'r ewros yn gyfnewid am gwdyn papur brown.

Doedd pentre Courçon ddim yn ddigon o faint i bobol lled-ddiarth fynd a dŵad heb i neb sylwi arnyn nhw. Wrth bod Esyllt a'r criw wedi bod yn dŵad yma bob haf, roeddan nhw mewn sefyllfa ryfedd. Ar un llaw, doeddan nhw ddim yn ddigon diarth i gael eu hanwybyddu'n llwyr wrth basio heibio'r set yn nrama bywyd beunyddiol y pentrefwyr. Ac eto, doeddan nhw ddim yn ddigon cyfarwydd na rhugl eu Ffrangeg i fedru mentro ddim mymryn yn nes at y prif actorion, nac i chwarae unrhyw ran yn eu stori. Esyllt oedd yr unig un oedd wedi gadael argraff, mae'n siŵr, meddyliodd Cadi. Efallai fod hynny am fod Esyllt, a'i thad o'i blaen, yn berchen ar y Maison ers blynyddoedd lawer a bod Ffrangeg Esyllt yn arbennig o dda. Neu hwyrach mai Esyllt ei hun oedd yn eu swyno nhw fel roedd hi'n swyno pawb arall.

Dim ond efo Bruno roeddan nhw'n agos at ddŵad i gael 'perthynas'. Ac roedd disgrifio'r nodio pen achlysurol a'r cyfathrebu dwylo fel 'perthynas' yn uchelgeisiol, a deud y lleia.

Roedd teulu Bruno yn hen deulu o'r pentre. Roedd ganddo ddau frawd hŷn na fo oedd wedi mynd i fyw i ffwrdd, a chlywodd Cadi rioed am dad o gwmpas y lle. Roedd Bruno a'i fam yn byw mewn hen fwthyn bach ar gyrion y pentre, ac wedi gofalu am y Maison i Arthur a'i deulu ers y dechrau.

Chwiliodd Cadi i weld a oedd unrhyw olwg o Bruno tra llenwai'i basged. Gwyddai ei fod wedi gweld Gareth yn mynd. Sut oedd o wedi dehongli'r peth? Fod Gareth yn mynd ar heic ac yn ffarwelio dros dro? Neu a oedd modd darllen y gwewyr ar wyneb Gareth o bell? Roedd ambell un o'r pentrefwyr mwya bysneslyd yn saff o fod wedi sylwi ar Cadi'n ffarwelio efo fo, a hwnnw a'i bac ar ei gefn.

Byddai hi wrth ei bodd yn mynd i'r farchnad yn Courçon fel arfer, a hi fyddai'n cael y joban o fynd yno ar ran y criw, gan fod ganddi syniad go lew be i chwilio amdano. Byddai'n troedio'n bwrpasol rhwng y bocseidiau o lysiau a ffrwythau oedd yn tywallt allan ar y pafin. Roedd yna wastad stondin gaws a stondin yn gwerthu bwyd môr, a slabyn o lechen wrth droed y stondin a'r pris wedi'i sgwennu mewn sialc arno.

Roedd y tomatos boldew oedd yn eistedd fel brogaod

mawr coch yn elfen hanfodol o unrhyw bryd yn y Maison. Roedd blas cryfach ar y garlleg yma nag yn yr archfarchnad adra, a'r *artichokes* a'r *haricots verts* yn gynhwysion y gellid eu defnyddio mewn pob math o brydau. Byddai Cadi'n licio mynd at y stondin berlysiau, oedd fel arfer ym mhen draw'r farchnad, a gwasgu'r dail rhwng ei bysedd yn ysgafn er mwyn gneud iddyn nhw ildio'u hogla – teim, basil, rhosmari. Byddai'n hoffi arogli'i bysedd ar y daith adra wedyn, i'w hatgoffa'i hun o'r profiad oedd yn brofiad beunyddiol disylw i'r selogion, mae'n siŵr.

Doedd 'na ddim pleser yn y weithred o siopa heddiw. Roedd yr holl beth yn fwy o orchwyl nag o hwyl. O'r herwydd, fe'i cafodd ei hun yn dechrau cerdded yn ôl at y Maison yn gynharach o lawer na'r disgwyl.

Roedd y tŷ'n ddistaw wrth iddi wthio drws y gegin ar agor a gollwng y bagiau'n ddiolchgar ar y llawr. Roedd hi wedi llwyddo i brynu digon o fwyd, beth bynnag. Aeth ati i gadw pob dim yn ei briod le, gan wrando am unrhyw symudiad o du mewn i'r tŷ. Fel arfer, byddai wedi gweiddi ei bod yn ôl, neu wedi mynd ar sgawt o gwmpas y tŷ a'r ardd i weld a oedd yna arwydd o bobol. Ond roedd hi'n falch o'r llonydd heddiw, er mwyn iddi fedru rhoi trefn ar be oedd hi am ei ddeud am Gareth.

Ar ôl cadw pob dim, clywodd sŵn siffrwd ysgafn yn dŵad o gyfeiriad y parlwr. Aeth yno a gweld fod Ben wedi dŵad â'r cot teithio i lawr o'r llofft ac wedi rhoi Guto yno am ysbaid. Aeth ar flaenau'i thraed rhag ofn iddo fo ddeffro, ond wrth nesáu gwelodd nad oedd yn cysgu; roedd ar ei eistedd yn chwarae efo rhyw dŷ bach ffelt oedd wedi bod ganddo ers tro byd, a phob ffenest, o'i hagor, yn dangos cymeriad bach gwahanol. Er ei fod wrth ei fodd yn dysgu a phrofi pethau newydd, doedd dim yn well ganddo weithia na'r hen deganau cyfarwydd.

Fe roddai Cadi'r byd am aros yno efo Guto rŵan, fel y gwnaeth hi neithiwr pan oedd o'n cysgu, a chael anghofio am bob dim ond sŵn ei anadl melys ar yr awyr, a siffrwd ysgafn y llenni tenau ar y ffenest.

"Dach chi'n ôl?'

Am faint oedd Non wedi bod yn sefyll yna, a'i chlun yn pwyso yn erbyn ffrâm y drws, yn sbio arnyn nhw? Allai o ddim bod mwy nag ychydig funudau, ond roedd ei hosgo'n awgrymu fel arall rywsut. Fel tasa hi 'di bod yna erioed yn disgwyl cael siarad. Roedd hi'n edrych fymryn gwell rŵan nag oedd hi'r bora 'ma. Oedd hi'n ddigon o gwmpas ei phethau i synhwyro rhyw newid yn wyneb Cadi? Gallai deimlo bod yr euogrwydd yn goch dros ei hwyneb fel paent, yr euogrwydd o fod wedi gadael i Gareth . . . be? I ddianc? Be oedd o, carcharor?

'Lle ma' Gareth?' gofynnodd Non yn ddidaro, fel basa rhywun. Fel tasa hi, hwyrach, isio rhoi help iddo fo ddadlwytho'r neges, neu fynd ato fo i gael sgwrs os oedd o'n tsiecio'r dŵr yn injan y car ar ôl y siwrne, neu jest i neud y pethau bach dibwys mae cyplau'n eu gneud. Braf fyddai cael deud yr un mor ddidaro'n ôl 'i fod o yn yr ardd neu'r lle chwech neu . . . rywle. Yn lle'i bod hi'n gorfod deud be oedd hi'n mynd i orfod 'i ddeud, fod Gareth 'di mynd, 'di rhedeg i ffwrdd am 'i fod o'n methu diodda'r artaith o fod yno heb Esyllt.

Ond cyn i Cadi orfod deud dim, roedd pob dim ben i waered eto. Daeth Tim a Ben i mewn i'r stafell efo'i gilydd, a Ben wrthi'n pregethu am ryw fap neu'i gilydd oedd wedi mynd ar goll ers iddyn nhw fod yno'r tro diwetha. Roedd Tim â llond ei freichiau, yn cario hen hampar wellt henffasiwn ac yn cerdded wysg ei ochor fel cranc am fod siâp digon anhydrin arno. Rhoddodd winc fach sydyn ar Cadi cyn chwythu'r llwch oedd ar ben yr hampar i bob cyfeiriad.

Neidiodd Non allan o'r ffordd a chwifio'i llaw yn ddramatig i gael gwared â'r cwmwl llwch. Dechreuodd Guto anesmwytho a gneud sŵn ei fod isio cael ei godi a chydiodd Cadi ynddo ar unwaith, yn falch o gael rhywun i afael ynddo.

"Dan ni'm isio map i'r Marais Poitevin!' meddai Tim, a'i lais yn awgrymu'i fod yn mynd dros yr un pwynt am y degfed tro. "Swn i'n medru mynd yno yn 'y nghwsg, 'li.'

'Fedri di byth fod yn rhy saff!' protestiodd Ben yn benderfynol. 'Dwi'n gwbod bo' chdi'n gwbod y ffordd, ond dydi map yn cymryd dim lle!'

"Dio'm ots, nacdi?' meddai Cadi. Be uffar 'di'r ots am ddim byd, meddai llais bach yn ei phen. Edrychodd Ben yn hurt arni, fel tasa fo'n methu coelio'i bod hi mor ddifater ac yn gwrthod ochri efo fo.

'Lle ma' Gareth? Dwi'm isio i hwnnw fynd i gysgu ar ei wely na dim byd felly a ninna ar binna i gychwyn!' meddai Ben wedyn, a diflannu drwodd at droed y grisiau gan weiddi enw Gareth. Eto ac eto ac eto.

'Neith hi bicnic bach ar ôl ni gyrra'dd, 'de?' meddai Tim, a gosod yr horwth hampar ar y llawr a'i hagor. 'Baguette bob un a thafall o gaws neu ham yn 'i llygad hi, ia? Ffrwytha, a ballu. 'Sa hynna'n gneud y tro, 'yn basa? Ond 'sa well 'ni olchi'r llestri a'r cyllyll a ffyrc 'ma'n iawn cyn cychwyn, ia? Be dach chi'n ddeud?'

'Ych, ia!' meddai Non, ond roedd hi'n edrych yn fanwl ar Cadi, a'i llygaid yn treiddio.

'Gest ti a Gareth bob dim oeddach chi isio?' gofynnodd Tim i Cadi. Doedd ganddi ddim dewis ond deud.

'Ma' Gareth 'di . . . gorfod mynd,' meddai mewn llais clir, a dechreuodd ei llaw anwesu dwrn bach melfedaidd Guto, oedd yn gafael yn dynn yn ei chrys-T.

'Mynd?' meddai Non, ond doedd ei hwyneb na'i llais yn bradychu dim ar ei theimladau.

''Di gorfod mynd i le? Pam, be sy 'di digwydd?' gofynnodd Tim.

'Tecst!' meddai Cadi, yn bachu ar y gair fel angor, o nunlle. Gair ymarferol. Technegol. Diemosiwn. Gair oedd yn perthyn i'w fyd bach ei hun, efo'i reolau bach ei hun.

'Tecst?' meddai Non.

'Mi gafodd o decst . . . tra oeddan ni'n y farchnad. Pan oeddan ni'n . . . sefyll wrth y stondin bwyd môr . . . ' Roedd y drws yn agor yn lletach, a Cadi'n llithro drwyddo fesul gair, fesul cymal . . . 'Rhyw broblam. Rhywun yn gwaith . . . Mae o 'di gorfod dal yr awyren nesa . . . o Poitiers 'nôl i Fanceinion.'

'Blydi hel!' gan Tim. 'Pa fath o broblam? Pam nath o'm jest deud wrthyn nhw 'i fod o ar 'i wylia . . . ? 'Dio'm fatha ma' fo 'di'r MD!'

'Pa fath o broblam?' gofynnodd Non, ond mewn llais distaw, bregus. Doedd Cadi ddim yn medru edrych yn iawn arni. Edrychodd yn sgwâr ar Tim.

'Ddudodd o ddim. Chawson ni'm cyfla i drafod y peth. Mi a'th ar 'i union. Roedd 'na fws yn gada'l mewn pum munud. Mi a'th heb . . . ddeud yn iawn be oedd. Ddudodd o . . . '

'Be?' gofynnodd Non, yn methu cuddio'r dicter yn ei llais rhagor. 'Be ddudodd o?'

''Fod o am gysylltu. A'i fod o'n sori. Ond 'bydd o'n egluro pob dim i chdi . . . ' Roedd llygaid Non yn lledu.

'Ia? Dyna ddudodd o? Bod o'n mynd i egluro?' Roedd deud celwydd yn dŵad mor hawdd i Cadi bellach nes ei fod o'n llifo allan ohoni fel afon. Saethodd arlliw o wên ar draws gwefusau Non am eiliad, a nodiodd ei phen. 'Geith o blydi egluro!' meddai, cyn sythu'i hun a gadael y stafell, heb edrych yn ôl. Mygodd Cadi'i rhyddhad dan yr esgus o gario Guto drwodd at droed y grisiau.

'Mi sortia i 'i fag newid o ar gyfar y trip!' mwmiodd, gan osgoi llygaid Tim wrth iddi basio.

Pennod 14

Non

Bu Non yn gorwedd ar ei gwely am ddeng munud neu fwy heb symud gewyn, a'i chorff yn gneud siâp seren. Byddai'n arfer gneud hynna pan oedd hi'n hogan fach, ymestyn ei chymalau i'r eitha, cyn gollwng eto, gadael i'r cyhyrau ymlacio'n ôl a dal y siâp seren o hyd, ond yn llipa. Roedd o wastad wedi gneud iddi deimlo'n well.

Roedd Gareth 'di mynd heb ddeud wrthi. Tasa 'na rywbeth 'di digwydd efo'i fam a'i dad, neu'i frodyr, hwyrach y basa hi 'di medru dallt. Neu fod un o'r grŵp wedi cael damwain moto-beic neu rywbeth. Ond gwaith! Gwaith ddudodd Cadi oedd wedi'i alw fo'n ôl. A fynta 'di mynd! Heb ddeud gair wrthi! Heb ddeud dim byd! Tasa fo 'di picio'n ôl o'r farchnad i'r Maison, wedi rhedeg yr holl ffordd, mi fasa 'di bod yma mewn chwarter awr, a fasa hi neu Tim neu Ben 'di medru mynd â fo wedyn i'r maes awyr yn y car. Doedd gadael yn syth o'r farchnad a neidio ar fws yn gneud dim sens o gwbwl. Ac mae'n rhaid bod ei basport yn digwydd bod gynno fo. Ond pam oedd o wedi mynd â'i basport efo fo i'r farchnad?

Ar ôl bod yn gorwedd yn seren ar y gwely am sbelan, daeth y gnoc ar y drws. Roedd hi wedi bod yn ei disgwyl, wrth gwrs, ac roedd hi wedi bod yn hirach na'r disgwyl, gan beri i gysgod o syniad ei tharo, eu bod i gyd wedi mynd i ffwrdd hebddi ar y picnic, heb drio'i darbwyllo.

Ben oedd yn cnocio. Cnoc fach fywiog oedd hi, yn deud fod bywyd yn mynd yn ei flaen ac y gallai fod yn waeth – a pham na ddôi hi draw efo nhw am sbri ac anghofio'r cwbwl am y pnawn? Ond doedd wyneb Ben ddim yn deud yr un stori â'i gnoc. Gwyddai Non yn syth o edrych arno fod gweddill y criw wedi bod yn siarad amdani ac yn teimlo bechod drosti. Rhyfedd 'fyd. Cadi oedd y diplomat oedd yn cael ei hanfon i ganol pob cythrwfl emosiynol fel arfer, ond roedd Cadi wedi anfon ei diprwy'r tro yma, a doedd y creadur yn amlwg ddim yn cymryd at y gorchwyl yn hawdd.

"Dan ni'n . . . gada'l yn munud. Yr hampar 'di 'i bacio . . . ' meddai, gan wibio'i lygaid yn sydyn dros ymarweddiad rhyfedd Non ar y gwely. Cwffiodd hithau'r demtasiwn i hel ei hun at ei gilydd a bod yn fwy parchus.

'Dwi'm yn dŵad!' meddai a throi'i hwyneb yn ôl i edrych ar y to.

'Ond mi neith les i ti, pawb yn deud . . . '

'Dwi'm yn dŵad, Ben! Sgin i'm awydd . . . '

Roedd o wedi mentro rhyw gam neu ddau yn nes ati.

'Yli, Non . . . Dwi'n gwbod bo' chdi 'di dychryn, 'di ca'l siom fod Gareth 'di mynd i ffwr' fel'na heb ddeud . . . Anghofia fo. Damia fo! Yli, tydi o'm yn mynd i ga'l difetha dy hwyl di efo dy fêts, nacdi? Pam ddylia fo sbwylio pob dim?'

Doedd dim isio gofyn pa drywydd oedd y sgwrs yn ei chefn wedi'i gymryd, felly. Roedd yn amlwg fod pawb o'r farn fod yna rywbeth bach mwy i ddiflaniad sydyn Gareth na rhyw helynt yn y gwaith. Doedd y criw rioed 'di cymryd at Gareth, am ei fod ryw bum mlynadd yn iau na nhw, debyg, ac yn methu rhannu profiadau a chydnabod colegol fel roeddan nhw.

'Lle ma' Cadi?'

'Cadi?' Rhyw dinc euog oedd hwnna yn ei lais?

'Ia. Lle ma' hi?'

'Wrthi'n sortio Guto yn y gadair yn car. Fel dudis i, 'dan ni'n barod i fynd . . . Sandals am dy draed 'ŵan a ty'd efo ni!'

Teimlodd Non ryw saeth o gynhesrwydd at Ben mwya sydyn. Roedd 'na rywbeth yn annwyl iawn yn y ffordd roedd o'n trio'i orau i'w thywys i ddŵad efo nhw. Mewn munud rŵan, meddyliodd, fe fyddai'n gafael yn y sandalau oddi ar y llawr ac yn eu llithro dros ei thraed. Ond ysgwyd ei phen wnaeth hi, a throi i ffwrdd. Gwyddai ei bod yn byhafio'n fabïaidd ond doedd dim ots ganddi. Roedd yn dda wrth yr hogan yn ei harddegau oedd byth yn bell iawn o'r wyneb, meddyliodd. Roedd yn hanner disgwyl teimlo Ben yn ysgwyd ei hysgwydd, yn siarad sens efo hi nes ei bod isio sgrechian.

Ond wnaeth o mo hynny. Gwrandawodd ar ei gamau diplomataidd tuag yn ôl, a'r drws yn clician yn ysgafn wrth gau.

Ymhen hir a hwyr, clywodd sŵn traed pawb arall ar y cerrig mân ar y dreif oddi tani. Sŵn agor a chau drysau car, mân siarad na allai 'i ddeall, sŵn yr injan yn refio, y car yn bagio ac yna'n sgathru ar y cerrig cyn ymbellhau.

Gwrandawodd yn hir, yn hanner disgwyl clywed yr injan yn cryfhau drachefn ar ôl iddyn nhw benderfynu troi'n ôl a'i pherswadio i fynd efo nhw, am na allen nhw fwynhau eu hunain hebddi. Roedd y distawrwydd yn ei hamgylchynu fel planced.

Roedd Gareth wedi'i gadael hi. Wedi mynd i ateb galwad 'gwaith' a'i gadael hi ar ôl efo'r . . . giang yma: gŵr gweddw oedd yn dal 'di mopio efo'i wraig; athro ysgol oedd yn methu peidio trin pawb fel plentyn, a Cadi, y wraig fach ufudd oedd wastad yn gneud i Non deimlo'n annifyr. Po fwya roedd hi'n meddwl am y peth, roedd 'na rwbath oedd ddim yn dal dŵr efo Cadi a diflaniad Gareth. Roedd Cadi wedi cadw'i phellter, er mai hi oedd y person amlwg i ddŵad draw i gael gair efo hi. Hi oedd wedi gweld Gareth ddiwetha, efo hi oedd Gareth pan ddaeth yr alwad ffôn. Cadi, yn fwy na neb, ddylai fod yn dŵad ati i'w sicrhau fod Gareth wedi bod yn torri'i fol isio anwybyddu'r alwad, ond ei fod o wedi gorfod mynd. Dyna oedd hi angen ei glywed. Bron nad oedd Cadi'n trio'i gorau i'w hosgoi. Ond roedd hi'n fam, 'doedd? A doedd mamau byth yn medru bod yn ffrindiau agos, agos efo neb. Roedd y plentyn wastad yn sefyll yn y ffordd rywsut, fel cysgod.

Aeth ias sydyn i lawr ei chefn. Trodd ei phen a hoelio'i sylw ar y wardrob. Roedd hi'n siŵr ei bod hi 'di clywed siffrwd, dim llais na dim byd felly, dim ond rhyw . . . siffrwd. Fatha llygod. Ia, llygod. Dim syndod mewn hen dŷ fel hwn oedd rhyw ddwy ganrif oed. Llygoden, neu wybedyn 'di colli'i ffordd oedd o, dim byd arall.

Roedd yr ias yn dal yna. Sylwodd fod y ffenest roedd hi wedi'i chilagor ychydig ynghynt rŵan ar agor led y pen, diolch i awel go gref o wynt. Rhyfedd na fasa hi 'di sylwi ar y cyrtans yn fflapian fel hwyliau llong. Cododd a mynd i gau'r ffenest, gan drio'i gorau i beidio edrych eto ar y wardrob.

Be wnaeth iddi benderfynu dechrau chwilota ym mag Gareth, fatha lleidr? Er bod y ddau'n bartneriaid ers blynyddoedd, roedd Gareth bron yn obsesiynol am breifatrwydd ei stwff personol. Rhywbeth am fod yn un o bedwar brawd, meddai o wrthi unwaith ar ddechrau eu perthynas, pan oedd Non wedi cymryd y myll am nad oedd o'n gallu bod mor agored â hi. Roedd sŵn y sip fel brad. Ond wedi iddi ei agor, roedd hi'n rheibio drwyddo fel dynes o'i cho'. Sanau, tronsiau, crysau-T . . .

Pentyrrodd y cwbwl yn un mynydd o liwiau ar y llawr, a theimlo rywbeth tebyg i siom wrth gyrraedd gwaelod y bag. Be'n union oedd hi wedi disgwyl dod o hyd iddo? Rhywbeth fyddai'n cyfiawnhau'r ffaith fod 'Gwaith' â chymaint o afael arno? Nodyn gan ryw *mademoiselle* fronnog oedd yn gneud dêt efo'r Cymro mewn rhyw dref fach ramantus yn ddigon pell o fan'ma?

Sylwodd hi ddim ar y tamed pren yn syth bìn. Gan ei fod yn wynebu tuag i lawr ar waelod y bag, a'r rhisgl brown tywyll tuag i fyny, hawdd iawn fyddai peidio sylwi arno. Gafaelodd ynddo a'i wasgu nes ei bod yn teimlo'r rhisgl yn rhwbio'n giaidd i mewn i groen meddal ei bysedd. O'i droi, fe welodd fod rhywun wedi naddu rhywbeth i mewn i'r coedyn. Roedd o'n edrych fel C i ddechrau. C am . . . Cadi? Roedd ei llygaid yn gwibio dros y llythyren, ei bysedd yn dal i rwbio, rhwbio . . . Ond, o edrych arno eto, roedd hi'n gweld mai G oedd y llythyren. G am . . . Gareth – pwy arall? Neu Guto? Doedd Gareth rioed wedi naddu tamed o bren yn anrheg i Guto, a chymryd y risg o roi hartan i Ben â'i obsesiwn am iechyd a diogelwch?!

Teimlodd Non yn flin efo Gareth am fod mor fabïaidd, yn mynd i'r drafferth o gerfio'i enw ar goedyn a thrafferthu wedyn i ddŵad â fo yr holl ffordd i Ffrainc; ei stwffio fo i waelod y bag heb ddeud dim wrthi hi, fel tasa cael y tamed pren yna'n rhyw gyfrinach fawr nad oedd o ddim am ei rhannu efo hi! Pathetig! Blydi pathetig!

Ond gwyddai mai'r hyn oedd yn ei gwylltio go iawn oedd y ffaith fod Gareth 'di sgwennu llythyren gynta'i enw ei hun yn hytrach na N am Non. Mi fasa hynna 'di bod yn rhamantus. 'Di golygu lot iddi. Mwy nag oedd o'n sylweddoli, yn amlwg, meddyliodd yn chwyrn.

Penderfynodd gael bàth. Byddai'r cyfle i gael bàth heb orfod trafferthu cloi'r drws yn braf. Roedd hi bob amser yn cerdded o gwmpas y tŷ heb gerpyn amdani adra, ac roedd hi wastad yn teimlo fod gorfod bod yn geidwadol yn y Maison yn un o'r pethau anodda.

Ymhen munudau, roedd hi'n socian yn y dŵr cynnes, a'r bybls fel cymylau bach persawrus o'i chwmpas i gyd. Gallai deimlo'r pwysau'n gollwng allan ohoni yn ara, ara. Fe fyddai'r daith bicnic wedi bod yn hunlle. Roedd hi'n iawn i beidio mynd, meddyliodd, wrth suddo'n is i mewn i'r swigod a theimlo'r gwlybaniaeth yn llyfu a slapio'n ysgafn yn erbyn ei chorff. Teimlodd yr hen gynnwrf cyfarwydd yn cosi . . .

Sut oedd hi'n mynd i ddiodda gorfod cysgu yn yr anialwch gwyn o wely dwbwl 'na heno, heb gorff poeth Gareth wedi'i lapio amdani? Hyd yn oed pan oedd 'na hwyl ddrwg arno fo, ac yntau wedi troi'i gefn arni, roedd hi'n disgwyl tan iddo syrthio i gysgu ac wedyn yn symud ei chorff yn nes ato fo, nes bod y ddau ohonyn nhw'n ffitio'n berffaith i'w gilydd.

Doedd Non ddim yn licio cysgu ar ei phen ei hun. A deud y gwir, ers pan oedd hi tua deunaw oed prin oedd hi wedi gorfod mynd i gysgu a deffro ar ei phen ei hun o gwbwl, heblaw pan oedd hi wedi cael tonsilitis yn y coleg yn y flwyddyn gynta, ac wedi swatio am bron i wythnos gyfan, gan adael i'w ffrindiau gario diod a phwdin reis iddi bob hyn a hyn, rhwng darlithoedd a seshys.

Yn hogan fach, roedd hi byth a beunydd yn troedio ar hyd carped y landin yn y tywyllwch er mwyn cael bod yn agos at wely ei mam a'i thad. Doedd 'na byth groeso iddi yn y gwely rhwng y ddau, hyd yn oed os oedd hi'n sleifio i mewn ac yn gafael fel gelen ar erchwyn y gwely. Roedd un ohonyn nhw'n siŵr o sylwi wrth droi drosodd a rhoi hergwd heb drio iddi, gan ei gadael yn glewt ar lawr. Sawl gwaith oedd ei thad wedi gafael yn ei sgrepan fel cath yn gafael yn ei chath fach, a'i sodro'n ôl yn oerni ei gwely bach cul ei hun?

Bu'n rhaid i'r Non fechan fodloni ar gropian i mewn yn ddistaw, ddistaw, a gneud ei hun yn belen fach ddisylw ar y llawr ar waelod y gwely, a syrthio i gysgu'n gwrando ar felodi'i mam a'i thad yn cysgu. Roedd aros yn y dirgel yn anos, wrth gwrs, os oedd 'na wthio a bustachu a griddfan, fel oedd yn digwydd ambell waith. Roedd Non wedi dysgu fod y cwffio yma'n para am ryw bum munud ar y mwya, a bod ei thad i weld yn ddigon hapus i syrthio i gysgu bron yn syth, fel nad oedd yna beryg iddo weld Non fach ar lawr wrth droed y gwely.

Dechreuodd dŵr y bàth oeri, ond doedd hi'm yn licio tynnu mwy o ddŵr rhag ofn i'r tanc dŵr poeth fod yn wag i'r lleill wedyn. Roedd hi wedi dysgu fod angen trin tanc dŵr poeth y Maison efo dipyn go lew o barch a thendans, rhag iddo bwdu a gorfodi pawb i ddygymod â dŵr oer i molchi a golchi llestri.

Cododd o'r dŵr, a heb gofio'i bod ar ei phen ei hun lapiodd y tywel amdani ac anelu am y stafell wely. Gwisgodd yn sydyn, gan deimlo braidd yn anghyfforddus o fod yn noeth er bod y tŷ'n wag.

Roedd hi newydd orffen sychu ac wrthi'n gosod y tywel ar gefn y gadair pan glywodd glicied drws y stafell. Rhewodd. Meddyliodd am eiliad ei bod wedi camglywed eto, wedi camddehongli griddfan tŷ hynafol am rywbeth arall. Ond pharodd y syniad ddim yn hir. Roedd hi'n gwybod, yn synhwyro, fod rhywbeth neu rywun yn y stafell efo hi. Trodd i wynebu'r drws, a'i chalon yn rasio.

Gwên Bruno sylwodd hi arni gynta. Gwên lydan, hyderus, oedd yn gwbwl, gwbwl gyfforddus efo'r hyn roedd o'n neud, yn gwbwl hyderus o gael be oedd o isio'i gael.

'Tout le monde est disparu?' gofynnodd.

Nodiodd Non fod pawb 'di mynd, a difaru'n syth wedyn iddi fod mor ddiniwed â chyfadde hynny. Eto, methai beidio â theimlo ias o gynnwrf. Cyffyrddodd Non â'i gwallt gwlyb yn hunanymwybodol. Roedd ogla da'r swigod bàth yn dal ar ei chroen, a'r croen hwnnw'n anarferol o binc a newydd a phur. Gwyddai ei bod yn edrych yn ifanc iawn heb y mwgwd o golur llygad du a'r colur golau ar ei hwyneb. Roedd llygaid Bruno'n crwydro'n ara, ara, ara, i fyny ac i lawr . . . Ac roedd y wên dawel yn ei lle o hyd.

Roedd ei ddwylo wedi'u cau'n ddyrnau ac yn pwyso'n

ysgafn ar ei wasg, mewn osgo fyddai wedi edrych yn ferchetaidd i ddyn llai. Er ei gwaetha, roedd ei llygaid hithau'n cael eu tynnu ato, at lewys ei grys oedd wedi'u rholio i fyny at y penelin, a'r breichiau cryfion, lliw mêl.

Camodd Non yn ôl a gafael yn y gadair fel ei bod rhyngddi hi a Bruno.

'Be w't ti isio yma?' meddai hi yn Gymraeg. Doedd uffar o ots ganddi oedd o'n ei dallt ai peidio. Doedd hi ddim am roi'r llaw ucha iddo fo drwy drio rhyw Ffrangeg carbwl arno fo. "Di Tim ddim yma! Pawb wedi mynd am bicnic!'

'Pique-nique?' medda fo'n ôl, a dechrau chwerthin.

Teimlodd Non yn wirion, yn hurt ei bod wedi sôn am rywbeth mor wamal efo creadur mor wyllt.

'Pam w't ti yma?' gofynnodd Non wedyn, a chuddio'i hembaras mewn tôn llais swta. Rhoddodd Bruno'r gorau i chwerthin ac edrych arni heb ddeud 'run gair. Yna, aeth i'w boced din ac estyn sbanar. Chwifiodd y sbanar yn chwareus, cyn ei ddychwelyd i glydwch ei boced. Roedd o'n dal i edrych arni, a'i lygaid yn pefrio'n ddrygionus. I feddwl y byddai wedi sylwi ei bod hi wedi'i amau o ddŵad yma am rywbeth amgenach na gneud gwaith cynnal a chadw.

Nodiodd ei phen a nodiodd Bruno'i ben yntau. Heb fath o frys, trodd ar ei sawdl a'i gadael yn y stafell ar ei phen ei hun.

Suddodd Non i'r gwely, ac edrych eto ar y chwydfa allan o fag Gareth. Daeth y dagrau'n sydyn.

Pennod 15

Tim

Mynd am drip i ffwrdd o'r Maison oedd y peth iawn i' neud, meddyliodd Tim am y degfed tro. Doedd o ddim eto wedi medru dŵad i delerau efo'r ffaith fod Gareth wedi mynd, wedi gadael fel tasa ganddo fo ddim dyletswydd o gwbwl i 'run ohonyn nhw, ddim hyd yn oed Non. Doedd Tim ddim yn medru meddwl yn strêt yn y tŷ, heb sôn am feddwl be i' neud nesa. Doedd dim raid iddo feddwl gormod wrth fynd am drip efo'r lleill.

Roeddan nhw wedi bod yn gyrru am sbel cyn ffendio lle oedd yn plesio pawb i gael cinio. Neu hwyrach fod plesio yn air rhy gry. Roedd o'n lle digon da.

Roeddan nhw i gyd yn gyfarwydd iawn efo'r ffordd draddodiadol o fynd ar y Marais Poitevin, neu'r Fenis Werdd – y strwythur camlesi oedd yn nadreddu drwy ardal y Vendée. Mynd i dre fach brydferth Coulon oeddan nhw'n arfer ei neud, a llogi cwch trwynhir, nid annhebyg i'r gondolas ar gamlesi'r Eidal. Roedd y profiad yn un digon dymunol, ac yn rhywbeth roedd Esyllt yn mynnu eu bod yn ei neud bob tro, fel defod. Yn amlach na pheidio, fodd bynnag, fe fyddai'r gwe o gamlesi'n debycach i'r M6 nag i unrhyw beth arall, a'r holl brofiad yn drewi o fod yn ymarferiad oedd wedi'i ddyfeisio er mwyn gwagio pocedi'r twristiaid.

Twristiaid oeddan nhwytha, roedd Tim yn ddigon call i sylweddoli hynna. Ond gan fod Esyllt yn berchen ar y

Maison, a'u bod yn dŵad mor amal i'r ardal, roedd o wastad yn teimlo fymryn yn well na'r . . . fisitors rheiny oedd yn dŵad draw i aros mewn gwestai neu *villa* ar barc gwyliau. Doedd y ddau beth ddim yr un fath o gwbwl.

Y tro cynta oedd y tro gorau. Doedd dim dwywaith am hynny. Esyllt ac yntau yn y Deux Chevaux bach rhydlyd roedd Arthur yn ei gadw yn y garej. Allwedd Esyllt a Tim i ryddid, i gael dianc o'r Maison am chydig oriau, o gwmni gormesol Arthur ac Olwen. Doedd y ddau ddim wedi bod yn canlyn yn hir iawn, ac roedd penderfyniad Esyllt i wahodd Tim i dŷ gwyliau'r teulu yn Ffrainc yn gam pwysig yn eu perthynas. Allai ffrindiau Tim ddim cuddio'u hedmygedd. Mi fasa mynd i unrhyw le efo Esyllt wedi bod yn ddigon ynddo'i hun.

Roedd hi'n uffernol o ddel y pnawn hwnnw, a ffrog halter-neck *goch a gwyrdd yn glynu'n berffaith i'w siâp. Wrth i Tim yrru, roedd hi wedi gadael i'w ffrog lithro'n ara bach i fyny'i chluniau, a'r cip pryfoclyd hwnnw o gnawd gwyn yn fwy atyniadol na dim byd roedd o'n ei gofio. Doeddan nhw ddim wedi caru, ddim go iawn, er bod pawb o'u ffrindiau coleg yn cymryd yn ganiataol eu bod nhw, gan fod Tim yn aros yn ei stafell hi'n aml. Ond roedd Esyllt wastad yn tynnu'n ôl, yn camu'n ôl o'r dibyn ryw fymryn. O ganlyniad, roedd y syniad o garu efo Esyllt wedi meddiannu Tim, gorff ac enaid.*

Cofiai fel roedd o wedi synnu a rhyfeddu at y Marais Poitevin a'i wyrddni lledrithiol. Roedd rhwyfo'r gondola pren a chael Esyllt yn gorwedd yn ôl fel tywysoges yn nhu blaen y cwch ac yn taenu'i bysedd drwy'r dŵr yn ddarlun oedd yn dal i'w bryfocio hyd heddiw.

Wrth garu am y tro cynta yn y car bach ar y ffordd yn ôl, gwyrddni'r Marais oedd yn sgubo heibio i ben Tim: y llithro a'r symud breuddwydiol yn cynyddu'n ara ond yn llyfn . . . trwyn pren y cwch yn gwthio ac yn mentro, a'r dŵr yn ildio'n feddal, yn agor o'i flaen o. Hyd yn oed ar ei anterth roedd 'na ryw

heddwch yn eu tynnu mlaen, rhyw syniad fod hyn i gyd yn
anochel rywsut, mai fel hyn roedd pethau i fod. Trysorai'r llun
o wallt Esyllt yn lledu'n ddioglyd dros ymyl sêt gefn y car, fel
planhigyn yn taenu hyd wyneb y dŵr.

Y tro yma, roedd o'n benderfynol o neud rhywbeth yn
wahanol. Oherwydd sut y gallai hi fod yr un stori efo'r prif
gymeriad ar goll? Wrth yrru tua'r dwyrain, i mewn i'r wlad,
gwelodd arwydd wedi'i beintio'n ddigon di-raen ar damed o
bren, efo'r geiriau Marais Poitevin. Heb ddeud gair wrth Ben,
oedd yn y sêt wrth ei ymyl, trodd Tim drwyn y car i lawr y
lôn lle pwyntiai'r arwydd. Gwrandawodd am adwaith Ben
gyda gwên, a chafodd o mo'i siomi.

'Be ti'n neud?' gofynnodd Ben, a thinc o banig yn ei oslef.

'Neud? Dreifio pawb at y gamlas, ia ddim?'

Fel pysgotwr yn rilio'i wialen bysgota i mewn, yn hyderus
o'r pysgodyn fyddai'n sglefrio ar ei blaen.

'Ond ddim ffor 'ma ma' Coulon!' meddai Ben, yn fwy piwis
nag awdurdodol erbyn hyn.

'Sdim rhaid 'ni ddal cwch yn Coulon.'

'Ond fan'no 'di'r lle saffa . . . '

'Saffa?' Aeth Ben yn ddistaw, yn amlwg yn synhwyro'r
coegni yn llais Tim.

Llwybreiddiodd y car i lawr y lôn gul. Sylwodd Tim fod
Cadi'n anarferol o dawedog ac o gymryd cip arni yn y drych,
gwelodd ei bod yn syllu drwy'r ffenest, gan frathu'i gwefus
isa wrth neud hynny. Roedd o wastad wedi meddwl ei bod
yn ddiddorol sut oedd pobol, a merchaid yn arbennig, yn
defnyddio distawrwydd i bwrpasau gwahanol. At ei gilydd,
meddyliodd, roedd distawrwydd mewn dynion yn rhywbeth
llawer symlach. Arwydd o bwdu efo'r byd oedd distawrwydd
Esyllt, rhyw 'saf-draw' oedd yn rhyfeddol o atyniadol ac yn
uffernol o annifyr ar yr un pryd. Roedd distawrwydd Gareth,
wedyn, yn fathodyn o'i ddiffyg ymrwymiad i bawb ohonyn

nhw, fel tasa fo'n wastio'i amser yn siarad efo nhw. Person go dawedog oedd Cadi hefyd yn ei hanfod, yn arbennig felly os oedd 'na rywun arall mwy siaradus yn yr un cwmni, ond roedd rhyw dawelwch cyfforddus, naturiol yn rhan ohoni, yn hytrach na'i fod o'n rhyw fath o adlewyrchiad o'i hagwedd at bawb arall.

Ond gwyddai ei bod hi'n cadw rhywbeth oddi wrthyn nhw'r tro yma. Doedd hi ddim wedi bod 'run fath ers cyrraedd yn ôl o'r farchnad. Fe fyddai'n rhaid i Tim gael cyfle i'w chornelu a'i holi be'n union ddigwyddodd efo Gareth. Roedd Ben yn ymddangos yn ddigon didaro; roedd ganddo'r ddawn ryfedda i fagu croen eliffant mewn amgylchiadau o greisis gwirioneddol, er ei fod o'n gallu fflit-fflatian fel rhyw hen iâr am y pethau lleia.

Doedd Tim ddim wedi disgwyl hynna gan Gareth. Wedi bod yn barod am y pwdu a'r dieithrio, wrth gwrs. Ond diflannu! Roedd hynna'n rhywbeth hollol annisgwyl.

Roedd o'n gwybod yn iawn y byddai'r busnes 'ma efo'r llythyr yn creu rhywfaint o gynnwrf, ond doedd o rioed 'di rhag-weld y byddai Gareth yn ymateb fel hyn, chwaith. Yn blydi dianc! Y basdad di-asgwrn-cefn iddo fo! Roedd yn rhaid i Tim edrych i lawr ar ei figyrnau cyn sylwi ei fod yn gafael yn dynnach nag oedd raid yn y llyw.

Cae hollol fflat o ryw ddwy acer oedd y lanfa. Ar un ochor i'r lôn roedd 'na gamlas reit braf a thwr o dai bychain yn swatio efo'i gilydd ar lan yr afon, fel criw o blant bach. Ar yr ochor arall, wedyn, roedd rhywun yn medru dal bad i sglefrio'n hamddenol i lawr afon Sèvres. Roedd llogi rhywun i rwyfo neu byntio ar eich rhan yn bosib hefyd, wrth gwrs, ond fod hynna'n costio tipyn mwy. Hen lysywen fawr lydan o afon oedd hon, yn torri'i ffordd fel craith drwy'r caeau, heb hud breuddwydiol y camlesi gwyrddion cul.

Gallai Tim weld fod yna griw reit fawr o bobol ifainc yn eu

harddegau cynnar yn llyffanta wrth ymyl hen gaban bach oedd wedi cael ei droi'n swyddfa docynnau. Roedd yna athrawes go sborti yr olwg yn trio cyfri pennau a chael sylw pawb.

Roedd y lle'n siomedig, doedd dim dwywaith am hynna. Wedi diffodd yr injan bu'r pedwar yn eistedd heb ddeud 'run gair am ennyd, i gyfeiliant sŵn anadlu trwm Guto, oedd wedi syrthio i gysgu yn ôl ei arfer. Rhyw dwll o le oedd hwn i'r rhai oedd isio osgoi llogi cwch yn Coulon am grocbris.

'Ella medran ni ga'l y picnic yma?' mentrodd Cadi o'r cefn, a gwenodd Tim arni yn y drych. Roedd 'na le digon del i eistedd o dan gasgliad o goed, roedd hynna'n ddigon gwir; ac roedd 'na deulu estynedig wedi rhoi eu harfau i lawr o dan y lle gorau, a rhyw blantos bach mân yn cropian oddi fewn i'r cylch.

Gadawodd Tim i Ben fynd allan o'r car a phenderfynu lle oeddan nhw am eistedd. Roedd yn iawn iddo fo gael y fuddugoliaeth fach yna, meddyliodd Tim, ac yntau wedi gorfod ildio ar y ffordd yma.

'Lle bach da!' meddai Tim pan gyrhaeddodd Ben yn ei ôl. Chymerodd o ddim arno'i fod wedi gweld llygaid Ben yn culhau.

Ac felly y bu. Ond roedd 'na flas brysiog 'gneud y tro' ar yr holl bicnic. Roedd pawb wedi paratoi'u hunain ar gyfer y ffaith na fyddai Esyllt yno efo nhw, ond roedd absenoldeb Gareth a Non yn gneud y peth yn fwy o ffars. Doedd dim angen i neb drio cogio'u bod nhw'n cael hwyl bellach.

Doedd hi ddim yn syndod i neb mai Guto bach wthiodd yr amserlen yn ei blaen yn y diwedd neu, dyn a ŵyr, bosib mai yn fan'no fasan nhw 'di bod am oriau, yn syllu ar gefn llwyd y slywen fawr wlyb o'u blaenau. Mi steddodd Guto o dan goeden fel roedd ei fam wedi deud wrtho fo am neud, ac ar ôl ysbaid go dawel o fwyta'n reit ddel, dechreuodd grio, a ddim rhyw hen gwyno crio chwaith, ond crio go iawn. Doedd hi'n fawr o dro cyn i Ben a Cadi sylweddoli mai wedi eistedd ar nyth morgrug oedd o, a bod y rheiny wedi mwynhau picnic go dda o'i goesau a'i ben-ôl o! O edrych ar adwaith Ben, gallai Tim daeru fod morgrug Ffrainc yn fawr fel llygod ac yn llawn gwenwyn. Ac, wrth gwrs, roedd crio Guto'n gwaethygu wrth weld ei dad mewn ffasiwn stad.

Doedd dim amdani ond troi am adra. Ceisiodd Tim beidio â theimlo'n euog am fod yn ddiolchgar i Guto a'r morgrug.

Erbyn iddyn nhw gyrraedd adra roedd hi'n nesu at saith o'r gloch, a'r haul yn gwaedu'n raddol i mewn i'r tir. Roedd y golau i gyd ymlaen yn y Maison, fel tasa'r lle'n llawn dop o bobol. Be ddiawl oedd yn mynd ymlaen?

Pennod 16

Cadi

'Fasa hi'm 'di medru'i neud o'n fwy amlwg. Roedd y tŷ fel goleudy, fel rhyw fath o goelcerth anferth ar ben bryn yn rhoi rhybudd i bawb fod 'na storm fawr yn mudferwi. Doedd Cadi rioed 'di bod yn fwy balch o gael dŵad adra'n ôl o drip. O'r funud y sgathrodd y car i lawr y dreif, roedd hi'n gwybod y basa'n rheitiach i un ohonyn nhw fod wedi aros efo Non. A hi, Cadi, fyddai 'di bod yr un amlwg i neud hynny; basa wedi bod yn iawn i Guto a hithau aros ar ôl yn gwmni iddi, yn glust iddi.

Ond penderfyniad Cadi oedd gneud yn siŵr ei bod hi a'i phlentyn yn mynd oddi yno cyn gynted â phosib, ar ryw blincin trip ceiniog a dima. Ac roedd y penderfyniad hwnnw wedi bod yn ei chnoi drwy'r dydd. Dyna un o'i gwendidau ac roedd hi'n gwybod hynny'n iawn. Doedd hi byth yn gallu gneud rhywbeth hunanol heb gael ei fferru gydag euogrwydd wedyn, nes bod unrhyw lygedyn o bleser o neud rhywbeth hunanol yn cael ei ddiffodd gan y 'sictod yng ngwaelod ei bol ei bod wedi gadael rhywun i lawr.

'Lle ma'r plesar wedyn?' Mae Esyllt yn sefyll yno'n gellwair i gyd, a'r haul o'r ffenest yn creu tonnau yn ei gwallt. 'Paid â difaru wedyn, siŵr, neu be 'di'r pwynt? Yn enwedig os na 'sa rhywun 'di ffendio allan . . . '

'Cadi?'

'Mmm?' Roedd Tim a Ben wedi dod allan o'r car erbyn hyn, a Ben wedi agor y drws ar ei hochor hi. Roedd o'n dal ei ddwylo allan er mwyn iddi basio Guto iddo. Roedd hwnnw wedi syrthio i gysgu eto erbyn hyn, ond roedd nentydd bach hallt o ddagrau wedi gadael eu hôl yn igam-ogam ar ei fochau bach coch. Mi fasa Cadi wedi rhoi unrhyw beth i gael swatio yn y car efo fo. Rhoddodd gefn ei llaw ar ei dalcen. Roedd o'n reit boeth, ond hwyrach mai gwres Ffrainc yn hytrach na gwres crio oedd yn gyfrifol am hynny yn anad dim arall. Penderfynodd na fyddai llwyaid o'r ffisig pinc yn gneud dim drwg iddo fo gael setlo yn ei wely.

Gallai feddwl hyn i gyd fel robot, bron. Gosododd ddwy gledr llaw yn solat oddi tano a'i godi'n ysgafn a chadarn fel nad oedd hi'n ei ddeffro. Mi fasa'n haws ar un wedd tasa fo'n deffro, tasa fo'n creu digon o stŵr i olygu fod ei phresenoldeb hi'n hanfodol iddo, fel na allai feddwl rhoi amser i siarad am bethau dwys efo Non. Teimlai Cadi fod Non yn sgiamllyd o'r ffaith ei bod yn fam, a bod y plentyn wastad yn dod yn gynta, cyn neb arall. Roedd o'n llawer mwy cymhleth na chenfigen, roedd hi'n sicr o hynny. Gwyddai fod Non a Gareth yn trio am blant ers tro byd. Roedd o'n rhywbeth oedd wastad yn cynhyrfu Esyllt – a'r ffaith fod Gareth isio plentyn efo Non yn fwy o frad o lawer iddi na'r ffaith ei fod o'n cysgu yn ei gwely hi bob nos. Dyna'r un peth nad oedd Esyllt byth yn mynd i fedru'i gynnig iddo. Ond doedd 'na'm arwydd o ddim byd eto, beth bynnag, a beryg fod gweld Guto bach yn troi'r gyllell yn Non.

Wedi deud hynna, doedd Non ddim llawer gwell na phlentyn ei hun, yn mynnu sylw gan bawb, ac wastad yn gneud pethau i'w siwtio hi ei hun a neb arall.

Dyna pam oedd hi wedi dychryn efo Gareth yn mynd heddiw, mae'n siŵr. Yn mynd heb ddeud, heb ofyn. Roedd hi wedi cael sylcio drwy'r dydd, wedi cael mynd i'w chwman a llyfu'i chlwyfau. Roedd hi rŵan yn amser i'r perfformans

110

ddechrau, iddi gael stampio'i thraed a gweiddi a chael sterics i drio cael rhyw fath o reolaeth ar y sefyllfa.

Gwyliodd Cadi silwét Ben a Guto yn mynd ymhellach oddi wrthi wrth iddyn nhw gerdded at y tŷ. Brysiodd ar eu holau heb roi cyfle iddi'i hun oedi.

Roedd Tim wedi dechrau estyn sosbenni allan ar gyfer hwylio swper. Er mai tro Cadi oedd hi i neud hyn ar rota hollbwysig Ben, doedd ganddi ddim mynedd dechrau taeru efo Tim rŵan. Roedd hwnnw'n amlwg yn rhy falch o gael rhywbeth i'w neud rhag ofn iddo orfod delio efo tymer ddrwg Non.

Eistedd yn y sêt gyfforddus flêr yn y gegin yr oedd honno, ei breichiau a'i choesau ar led, yn bictiwr o rywun wedi ymlacio'n llwyr. Ond roedd y llygaid yn tanio ac wedi glanio ar Cadi o'r eiliad y cerddodd i mewn. Triodd Cadi'i gorau i beidio meddwl am aderyn 'sglyfaethus yn glanio ar lygoden ddiamddiffyn mewn cae ŷd.

'Meddwl bo' chdi'n ca'l parti, 'na'r cwbwl!' meddai Tim yn goeglyd. 'A'r gola mlaen i gyd gin ti. Dim fatha chdi i fod isio wastio egni, a chditha'n un o'r grîn brigêd . . . '

'Gin i ofn, 'doedd?'

'Ofn? Chdi? Ofn be?' Dim ond Tim fyddai wedi medru cael getawê efo siarad fel hyn efo hi.

'Wel . . . sti . . . dynas ar ei phen ei hun . . . tŷ diarth . . . '

'Tŷ diarth?' mentrodd Cadi, ond rhythodd Non arni gan neud iddi gau'i cheg yn glep.

'Tŷ diarth!' meddai Non wedyn, a'i llygaid yn siarsio neb i anghytuno.

Allai Cadi ddim bod yn siŵr oedd hi'n cellwair ai peidio. Ddudodd neb ddim byd wedyn, ond dal i syllu ar Cadi wnaeth Non. Ac ati hi'r anelwyd y cwestiwn hefyd.

'Gawsoch chi hwyl?' Allai hi ddim cuddio'r tinc bygythiol yng nghynffon y cwestiwn.

111

'Iawn. 'Do, Cadi?' meddai Tim ynghanol clindarddach sosbenni.

'Dim cystal lle â Coulon . . . ' Diolch byth, meddai Cadi wrthi'i hun. Diolch byth ei bod hi'n medru deud yn onest bo' nhw'm 'di cael math o hwyl, er nad oedd gan hynny ddim yn uniongyrchol i' neud â Non.

'Wnaethon ni'm boddran cymryd cwch na dim byd felly.'

'Dim lle i ni a'r cowboi oedd yng ngofal y sioe, 'li!' meddai Tim. Syrthiodd ei wamalrwydd fatha crempog ar y llawr teils.

'Mi awn ni i Coulon eto os leci di . . . i gyd efo'n gilydd.' Roedd Cadi'n trio'i gorau i neud i'w llais swnio'n ddidaro, ond roedd yr oslef ymddiheurol yn pwyso'n rhy drwm. Atebodd Non ddim, dim ond dal i syllu arni.

'Be fuest ti'n neud? Gysgist ti?' dechreuodd Cadi eto.

'Cysgu? Pam 'swn i isio cysgu?'

'Dwn i'm. Fel'na dwi pan dwi . . . ' Bu bron iawn i Cadi ddeud 'yn ypsét' ond doedd Non ddim angen neb i fwydo'r bwledi iddi.

'Pan ti'n be?'

'Wel, pan dwi'm yn teimlo'n rhy dda. 'Di blino . . . '

'Neu pan ma' dy ŵr di'n bygro i ffwr' heb ddeud dim byd, ia? Dyna ti'n feddwl?' Roedd o'n rhyddhad rywsut ei bod hi wedi sôn am y peth, yn lle dawnsio o'i gwmpas mewn cylch.

'Dim dyna nath o.'

'Naci? Be arall 'sa chdi'n ei alw fo, 'lly? Hel 'i bac a'i heglu hi o 'ma heb ddeud gair wrth 'i wraig?'

'Decstiodd o?' gofynnodd Tim, gan redeg ei fys i lawr tudalen felen o hen lyfr ryseitiau oedd wedi dŵad efo'r tŷ. Doedd dim raid i Non ddeud gair yn ateb. Roedd hi'n amlwg nad oedd hi wedi derbyn yr un gair gan Gareth.

'Mi gysylltith, sti,' meddai Cadi, ac yna'n syth, 'mi steddodd Guto ar nyth o forgrug . . . ' Gwyddai fod ei hymgais i guddio y tu ôl i'w mab yn hollol dryloyw ond roedd hi'n haws bwrw mlaen na gadael i'r chwithdod hofran fel pry mawr du rhyngddan nhw. "Ngwas i . . . methu dallt be oedd yn digwydd, nag oedd Tim?'

'Diwadd perffaith i ddiwrnod perffaith!' meddai Tim yn ôl, a'r wên yn lliniaru rhywfaint ar y dychan. Gwenodd Cadi'n ôl arno.

'Ond be sy'n rîli diddorol, 'de,' torrodd Non ar eu traws, 'be sy'n rîli blydi diddorol 'ŵan ydi sut w't ti 'di mynd yn rhyfadd i gyd.'

'Rhyfadd?' meddai Cadi.

'Paid â chwara gêm, Cadi. Ti'n uffar o un wael am ddeud clwydda, ti'n gwbod hynna? Da i ddim!'

Roedd Cadi isio chwerthin, isio chwerthin yn uchel. Un wael am ddeud celwyddau? 'Sa chdi ond yn gwbod, mechan i. 'Sa chdi ddim ond yn gwbod . . .

'Ti'n gwbod rwbath, 'twyt? Ma'n blydi amlwg, 'tydi?' meddai Non. Roedd ei llais yn ddistaw'r tro yma, mor ddistaw fel bod Cadi wedi amau falla'i bod wedi'i chamglywed. Doedd dim amheuaeth am yr ail gwestiwn. 'Ti'n gwbod pam a'th o, 'dw't? Atab fi!' Daeth Tim i'r adwy cyn i Cadi orfod ateb.

'Sdim isio i chdi godi dy lais ar Cadi, nag oes?'

'Ond ma' hi'n gwbod!' meddai Non eto, gyda'r hysteria'n dechrau codi yn ei goslef. 'Ma hi'n blydi gwbod a 'di cau deud! Rhedag o 'ma pnawn 'ma fatha 'sa gynni hi ofn bod 'i hun efo fi rhag . . . '

'Paid â rwdlan!' meddai Tim, fel 'tai o'n siarad efo hogan wyth oed. Edrychodd Cadi arno, a gweld rhyw anesmwythder o'i gwmpas yntau. Fel 'tai o wir ddim isio mynd ar ôl y trywydd yma.

'Rwdlan!' Roedd Non wedi sefyll erbyn hyn ac yn wynebu'r ddau ohonyn nhw. Roedd yn amlwg o'i hwyneb fod dagrau wedi gwlychu, sychu, gwlychu a sychu drachefn ar ei gruddiau. 'Ond pam ti'm yn siarad efo fi? Pam ti'm yn deud rwbath? Deud be ddudodd o! Deud pam mae o 'di mynd!' Roedd ei dyrnau wedi'u cau'n beli tyn pigog, a'r rheiny'n codi'n raddol bach. 'Pam sgin ti mo'r gyts? Pam, Cadi? Pam?'

Ac yna roedd Tim yn sefyll rhwng y ddwy a'i wyneb at Non, ei ffurf yn gysgod rhyngddi hi a'r golau.

'Digon!' meddai. 'Digon rŵan!' Roedd o'n gafael yn ei braich yn ysgafn ac eto'n gadarn. Dan amgylchiadau eraill byddai'r cadernid yn ildio i dynerwch, a'r tynerwch hwnnw drachefn yn ildio i ffyrnigrwydd caru . . . Roedd Cadi wedi'i weld o o'r blaen, wedi cerdded i'r union gegin yma'n hwyr ryw noson, a gweld Esyllt a Tim yn dyner ac yn gadarn ac yn hollol ddall i'r ffaith ei bod hi'n sefyll yno, heb fedru symud.

Doedd hi ddim wedi sylwi'n syth fod Non wedi rhedeg allan o'r stafell, dim ond clywed ei sŵn ar ei hôl, fel tasa rhywun wedi rhoi slap i graig a dim ond wedyn roedd sŵn y glec yn chwyddo ac atseinio.

'Be fedra i ddeud wrthi?' meddai Cadi. Trodd Tim oddi wrthi heb ddeud yr un gair, yn ôl at ei sosbenni.

Pennod 17

Non

Llithrodd Non drwy'r drws ac allan i'r nos, a'r siwmper wedi'i gwasgu'n dynn i mewn i'r bag cotwm. Gwnaeth yn siŵr ei bod yn troi'r handlen yn iawn fel bod y drws yn agor a chau heb smic. Pwy ddudodd fod bod yn hogan ddrwg a dengid i bartis liw nos yn ei harddegau yn mynd i fod yn sgiliau fyddai o ddim iws iddi, meddyliodd, ac edrych yn ôl at y tŷ. Roedd pawb ynddo fo'n ei gneud hi'n swp sâl; roeddan nhw'n ddiflas, yn llwyd, yn gyfrinachau i gyd. Beth bynnag ddudai rhywun am Esyllt, o leia roedd 'na gynnwrf pan oedd hi o gwmpas, rhyw deimlad ei bod hi'n agos at y canol, at gnewyllyn pethau. Doedd y rhein oedd ar ôl yn ddim byd ond cysgodion, a'r rheiny'n gysgodion hunangyfiawn hefyd. Rŵan fod Gareth 'di mynd, roedd yn rhaid iddi hi gael mynd oddi yno, tasa hynny ddim ond am ryw awran neu ddwy.

Roedd hi wedi sylwi ar y siwmper yn un swp ar lawr y stafell molchi ar ôl i Bruno adael. Doedd hi ddim wedi gafael ynddi'n syth. Roedd 'na rywbeth andros o bersonol mewn darn o ddilledyn oedd wedi bod yn gorwedd ar groen a blewiach diarth funudau ynghynt . . . Neu oriau ynghynt, gan nad oedd o'n ei wisgo pan welodd o hi yn y stafell molchi, a doedd hi ddim wedi mentro allan o'i stafell ar ôl iddo fo fynd.

Roedd hithau wedi bod yn un swp hefyd am sbelan. Rhyfedd, felly, iddi hi ddisgwyl teimlo gwres ei gorff wrth iddi ei chodi at ei hwyneb. Roedd y siwmper yn gynnes, oedd, ond nid oherwydd corff Bruno. Cosodd y gwlân ei chroen. Claddodd ei phen yn y plygiadau, ac anadlu'n ddwfn. Oedd, roedd ogla corff arni hi, ogla corff dyn cryf, ifanc, iach. Ogla oedd yn gymysgedd rhyfedd o chwys a phersawr mysgi a . . . rhyw. Ogla dyn.

Doedd hi ddim wedi bwriadu mynd â'r siwmper yn ôl i Bruno dan yr amgylchiadau yma. Doedd hi ddim wedi bwriadu'i chadw'n gyfrinach rhag y lleill chwaith, er y byddai wedi bod yn siomedig, waeth bod yn onest, tasa Tim neu rywun wedi rhoi'r siwmper yn ôl i Bruno cyn iddi hi gael y cyfle i neud hynny. Ond, rywsut, wrth ddisgwyl ar ei phen ei hun yn y tŷ am oriau i'r lleill ddŵad adra, a phawb fel petaen nhw'n ei beio hi, roedd llithro allan a dychwelyd y siwmper 'nôl i Bruno'n bersonol yn gneud rhyw fath o synnwyr iddi. Yn rhywbeth roedd yn rhaid iddi'i neud.

Wedi i'w llygaid ymgynefino â'r tywyllwch, sylweddolodd nad oedd hi mor dywyll â hynny. Roedd 'na dafod o olau yn strempan o'i blaen a phob man arall yn las-ddu o'i gwmpas. A doedd 'na'm ffasiwn beth â distawrwydd gyda'r nos, dim ond synau newydd oedd yn dod i reoli dros synau'r dydd. Gobeithiodd nad oedd Bruno a'i fam wedi mynd i ryw barti teuluol neu rywbeth yn y pentre, neu wedi clwydo'n rhyfedd o gynnar. Dim ond naw o'r gloch oedd hi wedi'r cwbwl, ond roedd arferion byw pobol eraill wastad yn ddirgelwch.

Prysurodd ei chamau. Roedd hi'n cofio'n iawn lle roedd y tŷ gan iddi fod yno efo Esyllt unwaith pan oedd hi isio gair efo Bruno cyn iddyn nhw adael y lle am fisoedd eto. Prysur oedd camau Non yr adeg honno hefyd, ond am ei bod yn ceisio dal i fyny efo camau breision Esyllt oedd hynny. Gan ei bod dros bum troedfedd wyth modfedd, roedd Esyllt wastad wedi gneud i Non deimlo fel hen bwtan fach. Ac fel yr aeth y ddwy ohonyn nhw'n hŷn, roedd tueddiad Non i fagu pwysau ar ei thin a'i chluniau wedi gneud iddi warafun siâp del Esyllt yn fwy byth. Doedd Esyllt ddim hyd yn oed wedi gorfod talu'r pris arferol am wallt coch; roedd hynny o frychni haul oedd ganddi yn ysgafn ac yn ddeniadol. Ond gin Non oedd y bronnau, ac roedd hi'n gwybod mai dyn oedd yn licio bronnau oedd Gareth.

Wrth ei gweld ei hun yn dal i deimlo'r hen elyniaeth oherwydd ei siâp hi a siâp Esyllt, teimlodd braidd yn euog. Roedd yr hogan wedi marw! Os nad oedd hynna'n rhoi chydig bach o fantais iddi dros Esyllt, be ddiawl fasa! Ond roedd hi'n dal yna, wrth gwrs. Roedd hi'n dal yn y blydi tŷ 'na. Nid yn unig yn y ffaith fod pob llestr roedd hi wedi'i ddewis yn dal i sgleinio ar y bwrdd adeg swper; fod pob llun yn dal i wenu'n ôl oddi ar y waliau; fod ambell ddilledyn yn dal i grogi yn y wardrob . . . Nid hynny'n unig oedd o. Roedd hi'n dal yna yn ei . . . hysbryd. Yn dal i sefyll rhyngddyn nhw i gyd, yn dal i reoli'r blydi sioe!

Roedd hi bron yn rhedeg rŵan i lawr y lôn fawr agored at dŷ Bruno, tra oedd ffurfiau eiddil y blodau haul yn sefyll fel sowldiwrs blinedig yn y cae, yn plygu eu pennau rŵan bod yr haul wedi mynd. Cofiodd yn sydyn am yr hen flodyn haul 'na roedd hi wedi sylwi arno ryw dro, ei betalau wedi disgyn bron i gyd a chalon yr wyneb wedi troi o frown i lwyd, yn bathetig o lwyd a hen a hyll.

Trodd i lawr oddi ar y brif ffordd i ddilyn llwybr oedd fawr gwell na llwybr troed, ond fod y glaswellt fel mohican gwyrdd ar ganol y llwybr a phridd o boptu yn dynodi fod 'na geir yn pasio'n eitha amal. Doedd y tŷ ddim yn bell, ac roedd hi'n falch o weld golau uwchben y portsh ac yn y ffenestri bychain i lawr y grisiau. Roedd 'na rywun adra beth bynnag.

Bwthyn oedd o, er ei fod o'n edrych yn debycach i adeilad ffarm oedd yn cadw grawn neu ŷd dros y gaea. Dim ond y golau bach gwan yn wincian yn y ffenestri oedd yn dynodi'i fod yn gartre. Roedd 'na ryw siort o gae bychan oedd yn trio bod yn ardd i'r dde, ond roedd y peiriannau amaethyddol oedd yn pydru ynghanol y glaswellt hir yn awgrymu nad garddio oedd diléit y perchnogion.

Teimlodd Non yn anghyfforddus yn sydyn, a theimlo embaras ei bod hi wedi dŵad yr holl ffordd yn y tywyllwch ar ei phen ei hun bach, jest er mwyn dŵad â dilledyn yn ôl i Bruno, rhywbeth y byddai o wedi gallu gneud hebddo'n iawn tan iddo alw nesa yn y Maison. Roedd o'n beth rhyfedd i' neud. Arafodd ei cherddediad a sefyll yn stond. Doedd hi ddim yn rhy hwyr iddi droi ar ei sawdl a mynd am adra. Beryg na fasa neb o'r giang yn y Maison wedi gweld ei cholli beth bynnag, ond wedi cymryd yn ganiataol ei bod yn pwdu ar ei gwely. Petai hi'n troi ar ei sawdl rŵan fe fyddai'r daith fach hurt yma wedi cael ei sgubo i fol y nos, a fyddai neb ddim callach.

Roedd Non wastad wedi rhyfeddu at y ffordd roedd Esyllt yn gallu camu dros drothwy rhywun arall fel pe bai hi'n gwbwl gartrefol yno, fel tasa hi'n un o'r teulu. Doedd Non, ar y llaw arall, rioed wir wedi teimlo'n gartrefol ar ei haelwyd ei hun hyd yn oed, heb sôn am aelwyd neb arall. Teimlai'n amal wrth dyfu i fyny'n unig blentyn ei bod yn stelcian ar gyrion y tŷ rywsut, yn llyffanta wrth droed y waliau, yn toddi i mewn i'r dodrefn. Doedd ei Mam rioed wedi bod yn swil o neud i Non deimlo'i bod hi ar y ffordd, yn niwsans. Ond roedd Esyllt yn gneud pob man yn gartre iddi'n syth, yn cario'i syniad o gartre efo hi, yn rhan ohoni.

Y tro diwetha y buon nhw yma, doedd Esyllt prin wedi cnocio ar y drws hyd yn oed. Safai â'i thrwyn ar y ffenest a'i gwinedd yn tincial yn chwareus ar y gwydr, yn hyderus yn y croeso roedd hi'n mynd i'w gael. Roedd Non yn llawn edmygedd ac yn falch, tasa hi'n onest, o gael ei chynnwys yng ngwres cyfarchiad mam Bruno. Roedd unrhyw un oedd yn ffrind i Esyllt hefyd yn ffrind iddi hi.

'*Iseult, tu es arrivée! Viens, viens, ma colombe, viens ici à voir Bruno.*' Ac yna, '*Bruno! Bruno! Où est-ce tu te trouves?*' Roedd hi'n hawdd gweld fod mam Bruno wedi bod yn ddynes ddel erstalwm, gyda'i gwallt llwyd bellach wedi'i droi'n *chignon* chwaethus ar dop ei phen, ac esgyrn uchel ei bochau'n herio unrhyw ddisgyrchiant. Falla fod y bloneg wedi dechrau ymgasglu hwnt ac yma, ond roedd ei llygaid llydan o'r lliw fioled rhyfedda, a'r hyder tawel oedd yn lliwio pob symudiad yn gneud iawn am ryw fân frychau.

Gwridodd Non fymryn wrth gofio pa mor sgiamllyd roedd hi wedi bod am fam Bruno dros swper neithiwr.

Dŵad draw yn ddigon di-stŵr wnaeth Bruno'r tro hwnnw. Doedd o ddim yn foi i gael ei brysuro gan neb na dim, elfen oedd yn gyrru'r Tim trefnus yn wallgo. Roedd ei lewys wedi'u torchi, a'r ôl chwys ar ei dalcen yn awgrymu eu bod nhw wedi'i dynnu oddi wrth ryw orchwyl bwysig. Roedd Esyllt wedi gneud yn iawn am hynny, ac wedi lapio'i breichiau amdano'n dynn, a'r bwlb trydan gwan uwch ei phen yn dal tôn cringoch ei gwallt a gneud iddo sgleinio fel copr.

'*Que-est ce que tu veux?*'

Dychrynodd y llais Non, gan neud iddi ollwng y bag cotwm ar y llawr wrth iddi gael ei llusgo'n ôl i'r presennol. Cyn iddi gael cyfle i ymateb, roedd Bruno yno o'i blaen hi ac wedi codi'r bag iddi. Mae'n rhaid ei fod o wedi clywed sŵn traed o'r ardd ac wedi dŵad o gefn y tŷ. Daliodd y bag yn ei ddwylo a hanner gwenu arni. Doedd o ddim wedi edrych ar be oedd tu mewn, ond falla'i fod o wedi nabod teimlad y cynnwys yn ei ddwylo.

'*Tu . . . l'as oublié . . .*' meddai Non, a chofio'n sydyn pa mor wael oedd ei Ffrangeg dosbarth tri hi rŵan nad oedd Esyllt yr ieithydd yno efo hi. Un peth oedd dallt tua hanner be oedd yn mynd ymlaen, peth arall oedd bod yn gyfrifol am lywio sgwrs ar ei phen ei hun bach. Gwenu wnaeth Bruno ac estyn ei fraich tuag at y drws, er mwyn ei gwahodd i mewn. Roedd ei lygaid o'n crwydro i fyny ac i lawr ei chorff, yn ara hyderus, heb unrhyw ymgais i neud hynny chwaith, a'r hanner gwên yna ar ei wefusau o hyd.

Teimlodd Non saeth o drydan yn gwibio drwyddi heb iddi fedru gneud dim am y peth.

'*Bruno! Bruno? Qui est là?*'

Roedd mam Bruno'n sefyll yn y drws gan rythu allan i'r nos. Roedd hi'n gwisgo hen frat efo llun nionod arno fo, ac yn pwyso'i chlun yn erbyn ffrâm y drws. Plygodd ei breichiau pan welodd Non, a'u sodro o'i blaen. Roedd y gwres wedi mynd. Y croeso wedi darfod. Roedd hi'n un o'r *étrangers*, y bobol ddiarth oedd yn glanio fel gwenoliaid ar dŷ haf.

'*Ça va?*' gofynnodd Non yn glogyrnaidd. Amneidiodd mam Bruno'i phen heb dynnu'i llygaid oddi arni, llygaid oedd yn gofyn, 'Be ti'n da 'ma'r fisitor diawl?'

Ymbalfalodd Non yn y bag cotwm, yn falch o gael rhwygo'i llygaid oddi wrth lygaid y fam. Gafaelodd yn y siwmper, ond roedd unrhyw hud wedi diflannu ohoni wrth iddi'i hestyn a'i rhoi'n ôl i Bruno. Edrychodd ar fam Bruno eto, yn falch o allu esbonio'i hymddangosiad yno. Mwmiodd y fam rywbeth dan ei gwynt a throi'n ôl am y tŷ gan adael y drws yn gilagored, yn arwydd bychan o gwrteisi hwyr.

Ac yn sydyn roedd Non jest isio mynd. Isio mynd oddi yno ar frys a sgubo i lawr y lôn a throi i mewn drwy giatiau'r Maison a rhedeg i'w gwely. Roedd hi wedi troi a dechrau cerdded oddi yno pan deimlodd wres llaw Bruno ar ei braich. Ac yna roedd o wedi'i throi tuag ato, wedi plygu'i ben a phlannu cusan fach gynnes ar un foch ac wedyn y llall, gan ddal ei afael yn ei braich o hyd.

'*Tu es gentille . . .*' medda fo, gan feddwl ei bod yn glên, yn garedig yn dŵad â'r siwmper yn ôl yr holl ffordd. Oedodd

120

ychydig yn hwy nag oedd raid ar ei chroen, jest yn ddigon hir iddi gael argraff ac arogl ohono.

Gwenodd Non a datgymalu'i hun yn ara oddi wrtho. Petai ei fam o ddim yna'n rhythu rhwng y craciau yn y cyrtans, yna . . . Ond doedd dim diben meddwl am hynny. Roedd yn rhaid iddi beidio meddwl. Gan dorri unrhyw gysylltiad pellach yn ei flas, trodd ar ei sawdl a chychwyn am adra. Ond gyda'r teimlad hwnnw oedd yn canu yn ei chorff, ac yn dal i ganu yr holl ffordd yn ôl.

Pennod 18

Tim

Doedd Tim ddim wedi cymryd arno ei fod wedi gweld Non yn gadael y tŷ ac yn cerdded yn fân ac yn fuan ar hyd y llwybr ac at y lôn fawr. Wedi clywed sŵn oedd o ac wedi digwydd cerdded at y ffenest a nabod ei cherddediad, er ei bod yn dywyll. Roedd edrych allan o stafell olau gyda'r nos wastad yn gneud i'r tu allan edrych fel y fagddu, ond roedd 'na leuad heno, wrth lwc, yn taflu tafod o olau ar draws y wlad. Doedd o ddim wedi cael cyfle i benderfynu p'un a fasa fo'n codi'i law tasa hi'n sbio i fyny 'ta fasa fo'n camu'n ôl rhag ofn iddi'i weld. Chafodd o mo'r cyfle i benderfynu. Roedd Non wedi diflannu ymhen dim.

Un ryfedd oedd Non. Cymhleth. Yn beth poeth ond yn beth poeth cymhleth. Roedd ambell ddynes gymhleth yn iawn, os oedd 'na wahoddiad i ddatrys y cymhlethdod rywsut, os oedd 'na ddatrys arno fo! Roedd awgrym fod 'na wobr ar y diwedd hefyd yn help. Ond roedd 'na ambell i bysl o ddynes oedd y tu hwnt i unrhyw ddyn. Hogan felly oedd Non.

Roedd Tim wedi dod ar ei thraws, yn llythrennol, yn chwil gaib ar lawr lolfa'r neuadd breswyl un noson yn y flwyddyn gynta. Doedd o ddim wedi cyfarfod ag Esyllt bryd hynny. Roedd hyn yn y cyfnod yn yr wythosau cynta pan oedd o a chwpwl o'i fêts yn prowla ar hyd lloriau'r neuadd am genod meddw, hawddgar i rannu gwely efo nhw am noson. Doedd dim rhaid chwilio'n galed iawn, yn enwedig ar nos Fercher neu benwythnos. Roedd y peth yn hawdd, fel pigo mefus ddechrau Mehefin poeth, ac ambell fefusen mewn gwell siâp na'i gilydd! Ond er mor chwil oedd Non, doedd hi ddim yn un hawdd hyd yn oed yr adeg honno, a rhyw ddycnwch styfnig ynddi, meddw neu beidio. Doedd o ddim wedi gneud dim â hi, a'i gadael wnaeth ei ffrindiau hefyd. Rhyfedd wedyn iddi ddŵad yn un o'i griw ffrindiau ar ôl iddo gyfarfod ag Esyllt, a dod yn un o'r giang oedd yn dŵad ar wyliau i'r Maison bob blwyddyn.

Roedd Cadi wedi diflannu i'w stafell yn fuan wedi'r ffrae efo Non. Tasa Tim ddim wedi sefyll rhwng y ddwy ohonyn nhw, duw a ŵyr be fyddai Non wedi'i neud. Cadi druan. Doedd ganddi ddim syniad be 'nath i Gareth adael mewn gwirionedd. Y peth lleia allai Tim ei neud oedd ei hamddiffyn hi rhag dyrnau Non.

Llanwodd wydryn mawr o'r Muscadet a mynd allan drwy ddrysau dwbwl y lolfa i'r man eistedd coblog y tu allan. Roedd yn braf cael bod yno ar ei ben ei hun ar ôl yr holl waith paratoi. Gallai weld y pwll yn eitha clir, a golau'r lleuad yn saethu ar draws mân donnau'r dŵr.

Doedd o ddim wedi dychmygu y byddai pethau'n mynd cystal. Roedd pawb fel petaen nhw'n derbyn y busnes efo'r llythyr. Wedi'i dderbyn hyd yn oed os nad oeddan nhw'n ei licio. Roedd yr holl beth wedi ypsetio Gareth, wrth reswm.

Roedd Tim wedi sgwennu'r llythyr i gyd ar bapur cyn dŵad allan yma, ond wedi sylweddoli nad oedd o wedi gallu dynwared llawysgrifen Esyllt yn ddigon da. Felly penderfynodd ei deipio ar hen deipiadur oedd yn perthyn i Arthur erstalwm, ac yna'i arwyddo. Roedd hyn wythnosau'n ôl, ddiwrnod cyn gyrru'r gwahoddiadau. Fe âi yn ôl i'r drôr ambell waith, a darllen drwy be roedd o wedi'i sgwennu. Weithia byddai'r holl beth yn swnio'n iawn, yn gredadwy. Roedd pawb o'r criw yn gwybod am natur bryfoclyd Esyllt; mi fasa fo'n rêl hi i drefnu rhywbeth fel hyn, i chwarae

gêmau o'r tu hwnt i'r bedd. Nid ei bod yn gwybod ei bod am
farw mor ddisymwth yn dri deg pump, wrth gwrs, ond fe
fyddai Esyllt yn siarad yn amal am ei marwolaeth, a'i
chynhebrwng yn arbennig: pwy fyddai yno, pa fiwsig, pa
ddarlleniadau ac ati. *Morbid*, meddai pawb. Ond roedd
meddwl faint o ddagrau fyddai'n cael eu tywallt ar ôl iddi
fynd yn rhywbeth oedd yn ei difyrru. Cam arall fyddai hwn.
Dyna fyddai pawb o'r criw yn ei feddwl. Rhyw ymgais i ddal
i fod yn rhan o'r hwyl er nad oedd hi yno efo nhw. Roedd hyn
i gyd yn taro deuddeg. Dro arall, fe fyddai Tim yn edrych ar
y tamed papur ac yn teimlo mor chwithig fel ei fod yn
gwthio'r peth yn ôl i'r drôr mewn embaras ac aros yn effro
berfedd nos wedyn, yn poeni.

Roedd Tim wedi'i orfodi ei hun i fynd â'r llythyr i
swyddfa'r twrna, allan o'r ffordd. Fel arall, roedd peryg iddo
fo gael traed oer a nogio. Gan ei fod yn nabod Emyr y twrna
ers dyddiau ysgol, roedd hwnnw'n ddigon parod i gael ei
ysgrifenyddes i yrru'r pecyn bach drwy'r post i Ffrainc ar y
dyddiad penodedig. Gwnaethai Tim ryw stori am syrpréis i'r
ffrindiau pan fyddai'r cwbwl lot efo'i gilydd yn y Maison. Fe
fyddai Esyllt yn un arw am drefnu rhyw syrpréis neu'i gilydd
i'r criw. Doedd o ddim am adael i'r hen arferiad lithro heibio
er nad oedd hi yma mwyach.

Roedd Emyr wedi cytuno heb ofyn rhagor. Roedd Tim yn
amau ei fod o'n teimlo braidd yn annifyr fod y busnes efo'r
'wyllys wedi cymryd cyhyd. Roedd y dyddiau wedi mynd yn
wythnosau, ac Emyr mewn rhyw gyfarfodydd efo cleientiaid
eraill byth a beunydd. Doedd Emyr ddim y twrna mwya
trefnus ar y blaned, ac roedd o'n amlwg yn methu'n glir ag
ymdopi â'i faich gwaith. Doedd hi'n fawr o syndod nad oedd
o wedi symud ymhellach na'r practis bach cefn gwlad efo'i
dad.

Hwyrach, meddyliodd Tim wrtho'i hun, wrth gymryd

dracht arall o'r gwin, na fyddai'n ddrwg o beth 'tai o'n rhoi galwad ffôn i'r ysgrifenyddes ymhen diwrnod neu ddau, i'w hatgoffa i yrru'r llythyr mewn da bryd.

'Fan'ma ti'n cuddio?' Doedd o ddim wedi sylwi ar Ben yn sefyll tu mewn i'r drysau dwbwl. Teimlodd saeth o biwisrwydd. Oedd hi'm yn bosib cael hanner awr o lonyddwch heb i rywun ddŵad i darfu arno?

''Stynna wydriad o win i chdi dy hun o'r gegin, a ty'd â'r botal allan efo chdi,' meddai'n foneddigaidd. Fe fyddai cwmni Ben fymryn yn haws i'w ddiodda efo dipyn o win, meddyliodd. Roedd Ben yn ei ôl ymhen dim, ac yn amlwg wedi cymryd jochiad reit dda o'r gwydryn ar ei siwrne.

'Guto'n well 'ŵan?' gofynnodd Tim.

'Yndi tad, cysgu'n braf. Ew, rhyw hen betha bach digon cas oedd y morgrug yna 'fyd, sti.'

''Sa chdi'n meddwl 'sa rhieni'r cradur 'di gneud yn siŵr 'i bod hi'n saff iddo fo ista lle nath o gynta, 'basat?' meddai Tim yn bryfoclyd, ond ddywedodd Ben ddim byd. Roedd o'n dysgu . . .

Eisteddodd y ddau ohonyn nhw mewn distawrwydd am ryw ddau funud yn edrych allan ar yr ardd. Doedd 'na'm clawdd na drain na dim byd yn cuddio'r ardd oddi wrth y byd ond doedd 'na'm adeilad arall i'w weld o gwbwl tan y gorwel, a dim ond rhyw gwt anifeiliaid wedi dechrau dadfeilio oedd hwnnw. Roedd y preifatrwydd yn llwyr.

'Ew, braf 'di hi yma, 'de?' meddai Ben o'r diwedd.

'Mmmm . . . 'tydi?' Roedd Tim yn ceisio penderfynu p'un ai mân siarad gwag oedd hyn, 'ta oedd Ben yn trio anelu'r sgwrs at drafod y tŷ. Doedd dim rhaid iddo fo ddisgwyl yn hir iawn am yr ateb.

'Rhyfadd meddwl . . . w'sti . . . ma' hwn fydd y tro ola . . . 'wrach . . . ' Ceisiodd Tim guddio'r wên. Penderfynodd beidio ymateb. 'Ti'n bownd o fod yn teimlo'n chwithig 'fyd, w't ti? W'sti, fod y lle 'wrach ddim yn dŵad i chdi.'

'Ti'n gwbod rwbath dwi ddim?' gofynnodd Tim yn ffug-ddiniwed.

'Nacdw, nacdw, siŵr iawn! Deud dwi 'i fod o'n beth rhyfadd i Esyllt ei neud. Gyrru llythyr yn datgelu rhyw . . . rhyw wirionedd mawr.'

'Esyllt 'de,' meddai Tim, a cheisio anwybyddu'r teimlad anesmwyth oedd yn dechrau corddi yng ngwaelod ei fol. Doedd Ben rioed yn amau? Roedd o wedi'i berswadio'i hun na fyddai Ben yn broblem.

''Toeddan ni i gyd yn meddwl y byd ohoni?' meddai Ben wedyn. Cofiodd Tim am y dynwarediad gwych o Ben roedd Esyllt yn ei neud pan oedd y ddau ohonyn nhw adra efo'i gilydd, y symudiadau a'r ffugbarchusrwydd yn berffaith.

'Oeddan,' cytunodd gyda gwên.

'Dyna chdi Cadi ac Esyllt. Ffrindia gora, 'de? Fel dwy chwaer . . . '

'Ti'n iawn. Neb yn fwy o ffrindia na Cadi ac Esyllt.'

'Ond doeddan ni byth yn medru cystadlu efo chdi, wrth reswm,' meddai Ben wedyn. 'Chdi oedd 'i gŵr hi! Sut fedran ni . . . ?'

'Gystadlu?'

'Ia! Os leci di, cystadlu! Achos dyna be ydi hyn, 'te Tim? Mewn ffordd o siarad. Gosod pawb i fyny yn erbyn 'i gilydd. A than amgylchiada fel hyn! Ma'r peth yn . . . wel, dwi'm yn deud hyn yn ysgafn, ond mae o'n anfoesol!'

Edrychodd Tim ar Ben. Roedd o wedi dechrau mynd i hwyl, wedi neidio ar ei focs sebon ac yn dechrau'i deud hi. Teimlodd Tim y bygythiad yn cilio'n ôl nes ei fod o'n smotyn bach yng nghefn ei feddwl.

'Ond ti'n gystadleuol, tw't Ben?' Roedd llais Tim yn dawel,

ddigyffro. Mor ddigyffro â dŵr afon pan ma'r brithyll yn bachu.

'Fi? Cystadleuol? Dwn i'm . . . Ond ddim cystadleuaeth ddylia rwbath fel hyn fod. Pasio eiddo mlaen a ballu.'

'O'n i'n meddwl bo' chdi'n erbyn hynna yn y coleg? Ddim o blaid etifeddiaeth o fath yn y byd! Isio i bob dim fynd 'nôl i'r bobol. Cofio?'

'Ifanc o'n i, 'de.' Roedd Ben mewn congol ac yn chwilio am ffordd allan.

'A rŵan?'

'Wel, dwi'n sylweddoli erbyn hyn fod cadw eiddo mewn teulu yn iawn.'

'O! Wela i!' Roedd Tim yn dechrau cynhesu at y ddadl hefyd. 'Felly, mi fasat ti'n gwrthod unrhyw beth gin Esyllt, 'lly, ar y sail nad oedd hi'n perthyn dim i chdi?'

'Ond . . . ' ffwndrodd Ben, 'di'm yn gystadleuaeth . . . '

'Deg? Di'm yn gystadleuaeth deg? Dyna sgin ti?'

'Wel, 'tydi hi ddim nacdi, Tim? Gŵr a gwraig sy'n dŵad gynta, 'de? Pawb yn gwbod hynna. A dyna sy'n iawn!'

'O, felly gwrthwynebu w't ti ar y sail na nei di'm ca'l y tŷ beth bynnag? Dyna sgin ti? Bo' gin ti'm hôps? Dim ar sail egwyddor, 'lly?'

Roedd Ben yn edrych yn reit syn arno, ar goll ynglŷn â lle'n union roedd y sgwrs yn mynd.

'Neb yn fwy o ffrindia na Cadi ac Esyllt . . . ' meddai Ben eto, fel tasa fo'n adrodd mantra.

'Ffrindia gora, rhannu pob dim . . . ' cytunodd Tim.

'Ond fedri di'm cymharu cyfeillgarwch efo priodas,' meddai Ben o'r diwedd.

'Pwy sy i ddeud, 'de? Pwy sy'n gwbod be sy'n mynd ymlaen? Roedd Esyllt yn nabod y cwbwl lot ohonan ni tu chwith allan, 'doedd? Yn gwbod yn iawn be oedd yn mynd ymlaen.'

Dechreuodd Ben stwyrian yn ei sêt. Estynnodd am ei wydryn a gorffen beth oedd ar ôl. Yna tywalltodd fwy iddo fo'i hun ac i Tim. Yfodd y ddau yn ddistaw.

'Ond dwi, ar y llaw arall, yn cael fy synnu bob dydd gin bobol,' meddai Tim. 'Cymra di Gareth, er enghraifft.'

'A, ia! Gareth!' cytunodd Ben, yn falch o gael symud i dir niwtral. 'Ma' hwnnw'n foi mor ddistaw . . . '

'Ac eto . . . '

'Ac eto,' cytunodd Ben, 'dyma fo 'di diflannu. Gada'l Cadi yn y farchnad a'i heglu hi o 'ma i rwla. A gada'l Cadi druan i orfod torri'r newydd drwg wrth Non. Dio'm yn iawn, nacdi?'

'Doedd hynna'm yn deg ar Cadi,' cytunodd Tim yn ddiffuant.

Yfodd y ddau eto ar yr un pryd, yn ddrych o'i gilydd yn eu cytundeb fod Gareth 'di bod yn hen ddiawl gwael.

Roedd yn bryd cynhyrfu tipyn mwy ar y dyfroedd.

'A dyna chditha wedyn, 'de Ben?' Dechreuodd Tim yn ofalus. 'Yn adain chwith mawr yn coleg. Casglu deisab yn erbyn cau'r pylla glo a ballu. Rêl Trotsky bach.'

'O, dim eto!' griddfanodd Ben. 'Dwi 'di deud wrthach chdi! Ma' pawb yn addfwyno tipyn wrth fynd yn hŷn, 'tydyn? Cyfaddawdu. Dyna ydi bod yn oedolyn, Tim, rhag ofn bo' chdi'm 'di sylwi. Be 'di'r broblam?'

'A dyma chdi wedyn yn dewis mynd i ddysgu yn y sector breifat. Gada'l fel pennaeth adran a phob dim yn yr ysgol arall 'na, a mynd i weithio fel athro bach cyffredin i ganol y byddigions. Sôn am newid dy liwia!'

'Roedd yr amoda'n well!' meddai Ben fel bwled. 'Cyflog, pensiwn, oria, gwylia hirach. A phlant bach cwrtais sy'n gwbod be 'di parch . . . '

'Wrth gwrs,' meddai Tim. 'Parch . . . ' Roedd awyr y nos yn pigo rhyngddyn nhw, yn dawnsio ac yn crafu. Aeth Tim yn ei flaen.

'Ond ma'n rhyfadd 'fyd, 'dydi? Gada'l ysgolion y Wladwriaeth er mwyn mynd i weithio dan system roeddach chdi'n cwffio'n ei herbyn hi 'stalwm.'

'Pawb ohonan ni'n gorfod gneud penderfyniada anodd weithia!' meddai Ben yn swta.

Daliwyd llygad Tim gan symudiad dan y bwrdd. Roedd troed Ben yn symud i fyny ac i lawr yn egnïol a nerfus. Safodd ar ei draed heb orffen y gwin yn ei wydryn. Wrth iddo neud hynny, dyma'r gwydryn yn cael ei sgubo oddi ar y bwrdd a disgyn yn dameidiau miniog ar y cerrig crynion ar lawr.

'S . . . sori. Mi 'na i . . . ' meddai Ben yn ffwndrus.

'Anghofia fo! Sortia i o, 'li,' meddai Tim.

'Ti'n siŵr, Tim? Mi chwilia i dan sinc am y brwsh a'r shefl, os leci di.'

'Wir! Gad o i mi,' meddai Tim yn foneddigaidd. Teimlai damed yn euog oherwydd mai fo oedd wedi pryfocio Ben i banicio.

'D . . . dwi am fynd i glwydo, 'ta,' meddai Ben, heb allu cuddio'r nerfusrwydd yn ei lais. 'Mi fydd Cadi'n methu dallt lle ydw i.'

'Bydd, wrth gwrs! Dos di, a chofia fi ati hi,' meddai Tim yn glên, heb gymryd arno'i fod yn gweld dim byd o chwith.

Wedi i Ben fynd, setlodd Tim yn ôl efo'i win, a theimlo mai fo oedd wedi ennill y rownd fach yna.

Pennod 19

Cadi

Fel arfer, y trip i La Rochelle fyddai Cadi'n edrych ymlaen ato bob blwyddyn. Roedd 'na rywbeth gosgeiddig ac urddasol iawn am fwa dioglyd yr harbwr yn yr haul, a'r ddau dŵr wrth geg yr harbwr fel dau lew tew pont Britannia 'nôl adra. Gyda'r nos fe fyddai'r dŵr a'r harbwr yn cael eu trawsnewid, fel tasa rhyw ddewin wedi cyffwrdd pob man efo'i ffon hud a gneud iddyn nhw ddechrau pefrio a sgleinio a dŵad yn fyw.

Esyllt fyddai wastad yn tynnu'r criw at y miri stondinau oedd wedi tyfu fel caws llyffant ym mhobman. Fe fyddai Ben yn grwgnach fel arfer, a'i wg yn dyfnhau wrth weld y perfformwyr stryd. Roedd y rhein yn ddifyr, gydag ambell un yn well na'i gilydd, wrth reswm. Ffefryn Esyllt oedd y clown fyddai'n rhewi fel eich bod yn meddwl mai cerflun oedd o, cyn rhoi'i law ar ysgwydd un o'r fisitors oedd yn pasio a rhoi braw iddi, i fonllefau'r gynulleidfa. Cawson nhw ddadl feddw un noson ynglŷn â'r clown – tybed oedd o'r un un bob tro, 'ta cyfres o frodyr gwahanol oedd wedi etifeddu rwtîn y teulu. Un o'r dadleuon hynny oedd yn bitw drwy niwl hangofyr bora wedyn.

Roedd Tim yn mwynhau gweld Ben yn anghyfforddus. Roedd Non yn ei helfen, wrth gwrs, a Gareth yn mwynhau oedi yma ac acw i wrando ar ryw griwiau bach lliwgar o Giwba neu Affrica'n perfformio. Hogiau ifainc La Rochelle yn gneud campau efo'i sledfyrddau oedd yn mynd â bryd Cadi, oherwydd eu bod yn fwy diffuant, rywsut. Sglefrio efo'u ffrindiau oeddan nhw. Dim ond eu lwc nhw oedd eu bod nhw'n cael gneud eu campau gyda goleuadau harbwr La Rochelle yn gefnlen.

Ond pan gyhoeddodd Tim yn y bora falla y byddai La Rochelle yn syniad da heddiw, suddo wnaeth calon Cadi. Doedd ganddi fawr o awydd mynd i ganol prysurdeb y lle y diwrnod hwnnw. Ac roedd yn gwybod heb ofyn fod Ben yn teimlo'r un fath.

Gyda'r wythnos gynta'n prysur ddirwyn i ben, roedd Tim yn amlwg yn teimlo dyletswydd i 'drefnu'. Roedd y dyddiau diwetha wedi llusgo ac wedi llithro o'u gafael mewn ffordd ryfedd; yr un peth fyddai'n digwydd bob blwyddyn. Teimlai Cadi wastad fod pythefnos yn y tŷ yn hirfaith, fod gorfod cyd-fyw ac ymlacio ac anghofio am waith am gyfnod mor hir yn anodd. Ond eto, roedd y dyddiau'n carlamu heb yn wybod iddyn nhw, fel beic yn mynd ar wib i lawr allt.

Rhyw stwna o gwmpas y tŷ a'r ardd oedd pawb wedi bod yn ei neud, efo Tim a Ben yn cymryd eu tro i fynd i lawr i'r *boulangerie* yn y pentre bob bora i nôl dwy *baguette*. Roedd rota Ben wedi hen fynd i'r gwellt. Roedd pob dim mor wahanol 'leni fel nad oedd 'na'm pwynt iddyn nhw drio, ac roedd hyd yn oed Ben wedi ildio, er nad oedd neb wedi deud dim byd pendant.

Roedd Cadi wedi cadw iddi'i hun, yn torheulo pan fyddai Guto'n cael napan yn y pnawn ac yn chwarae yn yr ardd neu'n nofio efo fo pan oedd yr haul ar ei wannaf. Roedd Non a hithau'n osgoi'i gilydd. Roedd honno â'i phen yn ei phlu o hyd ond roedd y ffyrnigrwydd wedi mynd o'i llygaid, a golwg bron yn freuddwydiol arni pan fyddai Cadi'n digwydd dod ar ei thraws.

Pan aeth Cadi i lawr grisiau'r bora hwnnw i hwylio brecwast i Guto, synnodd weld fod Tim wedi cyrraedd y gegin o'i blaen ac wedi gosod y platiau a'r powlenni a phob dim yn barod. Doedd hi ddim yn wyth eto.

'Meddwl 'sa ni i gyd yn mynd am drip bach i La Rochelle heddiw!' meddai Tim yn wên i gyd. 'Dwi'n mynd i fyny i guro ar Non. 'Di Ben 'di dangos 'i wynab dan y dillad gwely, 'ta be?' gofynnodd, gan gwpanu sidan melyn pen Guto wrth neud hynny.

'Yndi, fwy neu lai,' meddai Cadi, 'ond mi a' i ato fo rŵan ar ôl 'mi sortio Guto.'

'Duwcs, i be nei di, a finna'n mynd i fyny beth bynnag?'

'Na!' Gobeithiai Cadi nad oedd yn swnio'n rhy flin. 'Na,' ychwanegodd yn addfwynach, 'wir 'ŵan. Mae o'n medru bod yn ddigon . . . piwis peth cynta.'

'Pen fatha pwcad, mwn. Ma'n yfad digon o win ar 'i wylia i bara drwy'r flwyddyn, 'dydi! 'Sa'm yn well iddo fo brynu gwinllan iddo fo'i hun, d'wad?' Doedd dim disgwyl i Cadi ateb. Roedd yn ddiolchgar fod Tim wedi'i chymryd ar ei gair ac wedi mynd i gyfeiriad stafell Non. Y peth ola fyddai Ben isio fyddai i Tim, o bawb, ei ddeffro a'i dynnu o'i wely. Doedd o ddim wedi cysgu'n dda o gwbwl y nosweithiau diwetha 'ma. Byth ers y noson honno wedi'r trip diawledig i'r Marais, a deud y gwir. Roedd o'n anghyffforddus yn ei groen drwy'r dydd, ac wedyn yn parhau felly gyda'r nos, gan droi a throsi am oriau nes bod Cadi'n cysgu'n anesmwyth hefyd.

Y noson wedi'r trip i'r Marais, bu Cadi am sbel yn setlo Guto, a'r eli *antihistamine* i'w weld yn ara deg iawn yn gweithio. Roedd y pigiadau'n dal i edrych yn reit ffyrnig ond roedd y llosg gwaetha wedi pylu, a'r bychan wedi syrthio o'r diwedd i drwmgwsg braf diforgrug. Gan fod Cadi wedi symud y cot teithio'n nes at y gwely, roedd hi wedi bod yn dal ei ddwrn bach yn ei llaw wrth iddo lithro i ffwrdd o'r byd, yr afael gadarn ond tyner mae rhywun yn ei ffendio rywsut wrth ddŵad yn fam. Wrth iddi hithau ddechrau pendwmpian roedd yn hanner ymwybodol o'i llaw yn graddol lacio oddi wrtho.

Clywodd ddrws y stafell yn agor a chau. Gwyddai o'r ffordd y cerddai Ben i mewn fod rhywbeth yn ei boeni, er bod ei lygaid yn dal ar gau. Gadawodd iddo dynnu'i ddillad yn ddistaw a'u taro dros fraich y gadair yn ôl ei arfer. Eisteddodd wedyn ar erchwyn y gwely, heb symud, fel 'tai o'n meddwl yn ddwys am rywbeth. Aeth i orwedd i lawr yn y diwedd, ond heb fynd i'w osgo arferol. Gallai Cadi'i ddychmygu'n syllu i fyny at y to.

Roedd hi rhwng dau feddwl be i' neud. Roedd hi wedi cael coblyn o ddiwrnod rhwng Non a'r trip trychinebus, ac yn dal i deimlo'n flin efo Gareth, ond heb wrthrych i anelu'i theimladau tuag ato. Feiddiai hi ddim deud wrth neb be oedd y gwir reswm dros ei ddiflaniad. Feiddiai hi ddim torri'i haddewid, a thorri calon Non a Tim wedyn wrth neud hynny. Petai hi wedi cael yr affêr ei hun, fyddai hi'm yn gallu teimlo'n fwy euog, yn fwy cyfrinachol. Ac o leia tasa hi wedi cael ffling wyllt efo rhyw gariad tinboeth, fe fyddai ganddi'r atgofion blasus berfedd nos na fyddai neb arall yn gallu eu cyffwrdd.

Tasa hi'n hunanol, cadw'n dawel fyddai hi a chogio'i bod yn cysgu, gan adael unrhyw drafodaeth tan y bora. Ond doedd Cadi ddim yn hunanol. Roedd Ben wedi ochneidio eto, yn ddyfnach y tro yma, ac fe ffendiodd Cadi'i hun yn symud yn nes ato'n reddfol ac yn roi ei phen ar ei frest.

'Mae o'n gwbod.' Roedd llais Ben yn graciau i gyd.

'Be? Pwy?' gofynnodd Cadi.

'Tim. Mae o'n gwbod, sti.' Roedd o wedi eistedd i fyny wedyn, yn falch o gael peidio trio bod yn ddistaw. Gwnaeth Cadi yr un fath.

'Pam ti'n deud hynna?' gofynnodd, a chraffu'n hanner cysgu ar ei gŵr. Roedd ei wyneb yn wyn. Ei dafod yn dew.

'Ma'n blydi amlwg . . . 'Sa ti 'di 'i glywad o gynna, Cad. Yn siarad am sut oedd o'n synnu bo' fi 'di mynd i weithio i'r sector breifat, gada'l y joban dda oedd gin i . . . '

'Ond ti'n gwbod y dril am hynna, tw't? Dio'm fatha 'sa fo'r cynta i holi.' Roedd hi'n trio'i gorau i beidio swnio'n ddifynedd.

'Ond oedd hyn yn wahanol!' Roedd o wedi codi'i lais ac edrychodd y ddau ohonyn nhw ar Guto bach. Doedd o ddim wedi cynhyrfu dim, wrth lwc, a'r rhuban bach o lafoer ar ymyl ei geg yn llonydd. Ond roedd 'na bobol eraill yn y tŷ; doedd ganddyn nhw mo'r hawl i styrbio pawb arall.

'Sssh, ia?' meddai Cadi'n famol. Cytunodd Ben a gostwng ei lais.

'Ond mi oedd o, sti . . . Roedd y petha oedd o'n ddeud, y ffordd oedd o'n eu deud nhw . . . Roedd o'n gwbod! Dwi'n deud 'tha chdi! Roedd o'n blydi gwbod!'

'Chdi sy'n meddwl . . . Yli, ti'm yn meddwl yn strêt rŵan, nag w't? Dy ben di'n troi a'r gwin coch 'na'n cymylu petha. Tria di gysgu.'

'Ond wir 'ŵan, Cad.'

'Ssssh . . . tria gysgu . . . Fyddi di'n gweld petha'n well yn y bora . . . Ac i be nei di boeni am y peth a hitha mor hwyr?'

'Un celwydd gola bach ar CV, Cad! A mi oedd Esyllt yn ei ddal o uwch fy mhen i fel gwn! Ddaru hi addo! Gaddo y basa hi'n cadw'r peth iddi hi'i hun!'

Sobrodd Cadi drwyddi. Doedd dim posib clywed enw Esyllt heb i hynny darfu ar yr aer. Roedd cyhuddiad Ben fel cletsh.

'Ac mi gadwodd ei gair!'

'Naddo, dim os 'di Tim yn gwbod!'

'Ti'm yn gwbod i sicrwydd 'i fod o'n gwbod, nag w't? Chdi

sy'n dychmygu petha! Dio'm yn deg cyhuddo Esyllt o beidio cadw'i haddewid!' Roedd Guto wedi dechrau stwyrian yn ei gwsg. Fe fyddai'n rhaid iddyn nhw fod yn ddistawach. Mentrodd Cadi eto, gan sibrwd y tro hwn.

'Os oedd Esyllt 'di gaddo, mi gadwodd at 'i gair i ti. Ddudodd hi'm byd wrth yr awdurdoda, naddo? Gest ti eirda gwych gin y Prif, 'do? Pawb yn canmol . . . '

'Do,' meddai Ben, yn dechrau ymlacio. 'Do, wn i.'

'A dy benderfyniad di oedd mynd i'r sector breifat, Ben. Lle fyddan nhw'n poeni llai am gymwystera, medda chdi. Chdi a neb arall benderfynodd hynny.'

'Ia . . . ia, 'de?' mwmiodd Ben.

Yn raddol, roedd Cadi wedi clywed anadlu Ben yn tawelu. Ond bu'n rhai oriau cyn i Cadi'i hun fedru'i ddilyn.

Soniodd Ben ddim rhyw lawer wedyn am y sgwrs a gafodd efo Tim. Ond roedd Cadi'n gwybod yn iawn nad oedd o wedi anghofio, a'i fod yn dal i deimlo'n anesmwyth.

* * *

O gyrraedd La Rochelle am un ar ddeg, roeddan nhw wedi cael lle cyfleus i barcio'r car, nid nepell o'r llong o eglwys gadeiriol yn y Place de Verdun. Roedd y Rue de Palais, y brif stryd siopa, yn enwog am ei phensaernïaeth o'r ddeunawfed ganrif, cofiodd Ben yn deud wrthi unwaith. Ond roedd ganddi hi fwy o ddiddordeb yn y cysgod ar un ochor i'r stryd, gan fod yr haul yn dechrau mynd yn rhy boeth i Guto sefyllian ynddo. Doedd dinas ddim yn lle i blentyn, meddyliodd wrthi'i hun. A doedd La Rochelle ddim yr un fath heb Esyllt.

Roedd y Rue de Palais yn tywallt i lawr at yr hen borthladd a'r strydoedd bach hynafol yn culhau wrth nesáu at y cei. Roedd ceir wedi cael eu gwahardd o'r ardal ac o leia roedd hynny'n rhoi un peth yn llai iddi boeni amdano efo Guto.

Roedd y byrddau'r tu allan i'r *cafés* yn dechrau llenwi, ond doedd dim isio poeni gormod ar hyn o bryd. Fe fyddai Guto'n iawn am ryw awran arall ar ôl cael brecwast reit dda 'nôl yn y tŷ. A gwyddai o brofiad fod Ben yn barod i fynd adra y munud roedd o wedi cael cinio, fel 'tai'r cinio oedd pinacl unrhyw drip. Roedd yn well gan Cadi ohirio cinio – cyn hwyred â phosib.

Felly, dal i ddilyn trywydd y stryd wnaethon nhw, ac ymhen hir a hwyr roedd y pump ohonyn nhw'n eistedd ar ymyl yr harbwr a'u traed yn hongian dros yr ymyl. Roedd Guto wedi mynnu'i fod yntau'n cael gneud yr un fath, efo Cadi'n gafael fel cranc o gwmpas ei ganol. Ddywedodd neb air am sbelan go lew, dim ond syllu allan ar y cychod a chrychu eu llygaid yn erbyn nerth yr haul.

Roedd Non yn dal mewn hwyliau go od 'fyd, meddyliodd Cadi. Edrychodd arni rŵan drwy gil ei llygaid; roedd yn taro cefnau'i sgidiau yn erbyn wal yr harbwr ac yn pwyso'n ôl ar ei breichiau. Doedd hi ddim yn hogan hawdd iawn i gymryd ati, ond roedd Cadi wedi trio'n galetach na'r rhelyw. Roedd 'na gymhlethdodau yn ei bywyd cynnar, dywedodd Esyllt gymaint â hynny wrthi; y tad a'r fam yn byw bywyd go wyllt, yn partïo ac yn gadael y Non fechan efo cyfres o fodrybedd a chydnabod tra oeddan nhw'n mynd i ffwrdd am sbri. Roedd 'na rywbeth yn ifanc ac yn ddiniwed amdani, ac eto, roedd hi'n medru troi fel neidar ac yn medru brifo. Roedd yn anodd maddau hynny iddi, er bod Cadi'n gwybod fod Non wedi cael ei thwyllo'n fwy nag oedd hi'i hun yn sylweddoli. A bod Cadi'i hun wedi chwarae'i rhan yn y twyll. Roedd yn rhyw fath o degwch, felly, ei bod hi wedi cael pryd o dafod ganddi, a'i bod wedi diodda mymryn. Doedd hi ddim yn gwbwl ddiniwed yn yr affêr wedi'r cwbwl, nag oedd?

Fel roedd Cadi'n edrych ar Non, trodd honno'n sydyn a sbio'n ôl arni, a gwenu.

136

'Ti awydd mynd i sbio rownd y siopa?' gofynnodd, fel tasa'r ddwy'n benna ffrindiau.

'Dwn i'm . . . Guto . . . ' meddai Cadi, gan gasáu'i hun am estyn eto am ei mab fel planced gysur.

'Mi fydd Gut yn iawn efo'i dad a'i Yncl Tim, 'yn byddi, boi bach?' meddai Tim, gan gosi pengliniau bach tewion y bychan a pheri iddo giglan.

'Iawn, Ben?' meddai Cadi, gan synhwyro nad oedd ei gŵr yn rhy hoff o'r syniad o fod ar ei ben ei hun eto efo Tim.

'Awn ni i gyd, ia ddim?' meddai Ben, gan ddechrau codi ar ei gwrcwd.

'Rho gyfla i dy wraig ga'l dipyn o *space*, wir Dduw!' meddai Non yn ddifynedd. ''Na i'n saff neith hi'm rhedag i ffwrdd, wir yr! Fedran ni ddim fforddio colli neb arall, na fedran?' ychwanegodd gan chwerthin. Doedd gan Cadi fawr o awydd ei dilyn na gorfod troi'i phen oddi wrth y bychan oedd yn estyn ei freichiau amdani'n ymbilgar. Ond fe fyddai tro bach o gwmpas siopau La Rochelle yn symud ei meddwl, siawns.

Roedd y siopau oedd yn wynebu'r cei wedi'u gosod rhwng bwytai bwyd môr oedd yn ogleuo'n fendigedig o bell. Roedd wastad ôl pres ar y cwsmeriaid yno, gan fod y bwytai'n codi crocbris am y fraint o gael sglaffio wrth sbio ar y cei. Gwerthu *souvenirs* ar gyfer ymwelwyr oedd y rhan fwya o'r siopau, a'r rheiny'n ddigon drud am be oeddan nhw, os oedd Cadi'n cofio'n iawn. Pan fyddai Esyllt a hithau'n mynd i siopa i La Rochelle, fe fydden nhw'n anelu am y strydoedd culion oedd yn arwain oddi wrth brysurdeb y cei. Yn fan'no roedd y siopau gorau, yn gwerthu stwff safonol, chwaethus am bris teg.

'Ti isio anelu am ffor 'ma?' gofynnodd Cadi'n wan, ond roedd llygaid Non wedi'u tynnu gan y byrddau bach tila oedd wedi'u gosod fel ffrinj ar hyd ymyl y cei, yn gwerthu pob mathau o bethau, o fwclis i sgwariau bach o felfed du a lluniau wedi'u creu arnyn nhw gydag edau arian. Fe fyddai Cadi wedi bod wrth ei bodd pe bai 'di cael cyfle i beintio a dŵad â chydig o luniau yma i'w gwerthu ar y cei, fel roedd Esyllt wedi'i hwrjio i neud droeon.

Safodd yn ufudd wrth ymyl un o'r stondinau wrth i Non chwilio a chwalu yn y trugareddau rhad, wedi ymgolli'n llwyr. Trodd Cadi i edrych tuag at y stryd fechan oedd yn arwain o'r gofeb yn yr harbwr, a'r lliwiau amryliw o bobol yn dyfnhau wrth iddyn nhw wasgu drwy'r agoriad, fel gwddw potel. I fyny fan'no oedd y siop . . .

'Be ti'n feddwl, Cadi? Licio hi?' Mae Esyllt wedi camu allan o'r stafell newid mewn creadigaeth fwslin felen. Mae pawb yn y siop yn edrych arni hi, ond ar Cadi mae Esyllt yn sbio am gadarnhad; gwên Cadi mae hi'n ysu amdani.

'C'est très jolie! Vous êtes magnifique, Madame!' Wir, wir yn ddel, yn hardd, yn fendigedig. Ond mae'r geiriau'n methu ffendio'u ffordd allan.

'Cad?' Arni hi mae Non yn sbio, heb gymryd y sylw lleia o be mae'r hen ieir yn y siop yn ei ddeud, a'u llygaid ar y cloc i gael mynd adra. 'Di'm yn rhy grand, nacdi? Di'm yn gneud i mi edrach fel 'swn i'n trio rhy galad, nacdi? Cad? Cadi?'

Mae'r wên hyderus wedi llithro ac mae hi'n brathu'i gwefus isa, yn ddihyder yn sydyn, yn disgwyl i Cadi fedru'i rhyddhau a gneud pob dim yn iawn.

Wrth gwrs ei bod hi'n rhy grand. Rhy grand i Gymru. Iawn ar long foethus yn St Tropez, iawn yn y cafés bach drudfawr ar yr Ile de Ré. Ond pwy arall fyddai'n gallu edrych yn well nag Esyllt ynddi? Felly, mae Cadi'n nodio'i phen a gwenu, yn cadarnhau, ac mae Esyllt yn serennu unwaith eto, yn camu'n ôl a mlaen o un pen o'r siop i'r llall, ac yn gallu derbyn canmoliaeth pawb arall gydag urddas.

Roedd y byd i gyd yn stopio'n stond i Esyllt, yn stopio'n

stond ac yn llygadrythu arni. Yr un effaith roedd hi'n ei gael ar bob dim, fel petai popeth wedi'i greu ar ei chyfer hi. Felly sut rŵan, meddyliodd Cadi, sut uffar oedd y byd yn medru mynd yn ei flaen yn iawn hebddi? Sut oedd La Rochelle yn dal i suo canu a wincio, ac Esyllt ddim yma i arwain?

Teimlodd boen sydyn ac edrychodd i lawr i weld bod Non yn gafael yn ei garddwrn, ei hewinedd hirion piws yn crafangu, yn gwasgu, fel petai hi'n trio gwthio gwythiennau gleision Cadi'n ddyfnach i mewn i'w chorff.

'Aw! Blydi hel, Non!' Roedd llygaid Non yn fawr, a'r gannwyll yn chwyddo fel rhyw bydew mawr du.

'Sori!'

'Iawn! Ond be sy'n bod?'

'Dwi ofn, Cadi!'

'Be?' Teimlai Cadi'n simsan braidd, wedi'i llusgo o'r stafell newid ac Esyllt a'r ffrog felen.

'Dwi'm yn medru deud dim byd o flaen y lleill, ond ma' raid i mi siarad efo rhywun! Dwi ofn . . . 'i fod o 'di 'ngada'l i . . . ' Roedd hi'n siarad yn sydyn, a'i llais yn crynu ar yr awyr gynnes.

'Ty'd draw i fan'ma, ia?' Arweiniodd Cadi hi at fainc fach. Sylwodd fod Non yn crynu.

'Sori, Cadi . . . Sori am weiddi, sori am wylltio . . . '

'Ma'n iawn. Paid ag ymddiheuro.'

'Ond ma' rhaid i mi! Doedd hi'm yn deg! Disgw'l bo' chdi'n gwbod lle a'th o. Pam a'th o . . . '

'Ddudis i pam, 'do. Gwaith.' O ddechrau deud celwydd, meddyliodd Cadi, mae hi'n hawdd wedyn. Unwaith mae rhywun wedi dechrau lliwio, wedi dechrau creu, mae'r byd yna'n dŵad yn fyd go iawn.

'Gwaith . . . ' meddai Non ar ei hôl, fel plentyn.

'Joban frys. Doedd o'm isio mynd,' meddai Cadi.

'Nag oedd?' meddai Non yn chwyrn, ac yna eiliadau

139

wedyn, dyma hi'n deud y gair eto, yn gwestiwn bregus tro hwn. 'Nag oedd?'

'Roedd o'n teimlo'n reit annifyr am y peth. Methu meddwl sut 'sa fo'n deud wrthat ti . . . '

Ei fod o'n cael affêr ers blynyddoedd. Ei fod o'n methu byw eiliad yn hirach yn y tŷ 'na hebddi hi, Esyllt. Ei fod o'n methu byw celwydd foment yn rhagor.

'Dwi'n 'i garu o gymaint, 'li, Cadi.' Roedd ei llais hi'n dawel. Doedd dim angen iddi ymdrechu i argyhoeddi Cadi. Edrychodd Cadi arni fel 'tai hi'n gneud hynny am y tro cynta erioed. 'Mae o'n bob dim i mi. Iddo fo 'nes i bob dim. Iddo fo dwi'n gneud pob dim. Er 'yn lles ni dwi'n . . . '

'Ti'n be?'

'Mae o isio plant.'

'Yndi, wn i, Non.'

'Mae o isio plant yn uffernol.'

'Mi ddigwyddith.' Y geiriau cysurlon roedd Cadi wedi'u cynnig mor amal i genod y swyddfa.

'Na neith,' meddai Non yn oeraidd.

'Yli, fel'na o'n i'n teimlo 'fyd, ar y dechra. Ti'm yn cofio? Oedd Ben a fi'n trio am chwe blynadd cyn cael Gut. A wedyn pan ma'n digwydd, ti jest ddim yn coelio . . . '

'Neith o'm blydi digwydd a finna ar y pil, na neith?'

Daeth ciwed o fyfyrwyr Asiaidd yr olwg heibio, yn clebran ar dop eu lleisiau ac yn chwerthin. Gofynnodd un ohonyn nhw i Cadi a fasa hi'n tynnu'u lluniau nhw yn wên i gyd a'r harbwr y tu ôl iddyn nhw. Ufuddhaodd Cadi, wrth gwrs. Pen pawb ar sgiw, pawb yn pwyso yn erbyn ei gilydd. Gwên. Un dau tri – clic. I mam a dad adra. I ebargofiant. Trodd Cadi 'nôl at Non ar ôl iddyn nhw fynd.

'Be ma' Gareth yn feddwl?'

''Dio'm yn gwbod.'

Daeth bonllef o gymeradwyaeth o gyfeiriad y sledfyrddwyr yn y pellter, fel tasa un ohonyn nhw newydd neud camp anhygoel.

'Be?' gofynnodd Cadi mewn syndod.

"Sa'n gneud 'i nyt 'sa fo'n gwbod. Hwnnw jest â marw isio plant a wedyn finna'n slei bach i gyd . . . Ond fedra i ddim, fedra i ddim, 'li!'

'Wela i,' meddai Cadi, er nad oedd hi'n gallu gweld cyn belled â'i thrwyn, a deud y gwir. Gareth druan.

"Sa fo mond 'di bod mor *keen* flynyddoedd 'nôl . . . ' meddai Non, a'i llais yn ddistaw, distaw a thrist. Roedd hi wedi colli Cadi rŵan; doedd ganddi ddim syniad at be oedd hi'n cyfeirio. 'Fel oedd Esyllt yn deud, ma'n ddigon hawdd i ddyn newid 'i feddwl . . . Roedd hi'n dda efo fi pan oedd Gareth a fi mond 'di bod yn mynd allan am ryw flwyddyn . . . Roeddan ni'n dipyn o fêts. Roedd hi'n grêt 'radag honno. Yn gwrando, yn dallt, ti'n gwbod?'

Nag oedd, doedd Cadi ddim yn gwybod. Ddim yn dallt nac yn gwybod am be oedd hi'n sôn, nac yn nabod yr Esyllt arall yma oedd yn glust ymhob ffycin cyfyngder!

'Cyn i ni ffraeo oedd hynna,' meddai Non wedyn, gan ei hadfeddiannu'i hun yn raddol. 'Cyn iddi hi a fi sylwi bo' ni'n rhy debyg, a fasan ni byth yn medru bod yn ffrindia da.'

Roedd 'na saib, yn llawn cwestiynau yn clochdar isio cael eu lleisio. Edrychodd Cadi ar Non a meddwl tybed pwy fasa'n sylwi tasa hi'n rhoi hwth bach iddi dros ymyl y cei. Fe fyddai'r sblash yn cael ei foddi ym miri'r noson, debyg. Roedd hi bum, chwe cam ar y mwya o neud y job . . .

'Awn ni at y lleill, ia?' meddai Cadi'n frysiog, wedi dychryn sut roedd meddwl rhesymegol yn medru gogwyddo felly mewn eiliad.

'Grêt! Dwi'n dechra mynd yn llwglyd 'wan, w't ti?' meddai Non gan godi o'r fainc a chychwyn yn ôl. Trodd at Cadi ar ôl rhyw ddau gam. Roedd ei chefn at y golau, a'i hwyneb mewn silwét. 'A diolch i ti, Cadi. Am ddallt.' Trodd drachefn a chario mlaen i redeg at y lleill.

Ddywedodd Cadi ddim byd, dim ond ei dilyn.

Pennod 20

Tim

Sylwodd Tim, heb synnu, fod Ben wedi gweld Cadi a Non yn cerdded yn ôl atyn nhw o bell. Byth ers y noson honno yn yr ardd pan oedd Tim wedi cael hwyl am ei ben o, roedd y twrdyn bach wedi trio'i orau glas i osgoi bod yn ei gwmni. Oedd o wir yn meddwl fod ei gyfrinach fach o wedi mynd i'r bedd efo Esyllt? Fel tasa Esyllt wedi cadw rhyw drysor bach o wybodaeth fel 'na oddi wrth ei gŵr! Roedd Tim a hithau wedi cael oriau o ddifyrrwch yn meddwl am y Ben bach hunangyfiawn yn byw dan gysgod yr 'A' fawr dywyll oedd yn lle'r 'E' oedd i fod gyferbyn â'r gair 'Mathemateg' ar ei CV.

Roedd Ben wedi sefyll ar ei draed o weld Cadi'n cerdded i'w cyfeiriad ar hyd y cei, ac wedi pwyntio 'Mami' allan i Guto bach er mwyn i hwnnw ymateb a gneud i Cadi druan deimlo'n euog, siŵr o fod. Non oedd yn cerdded gyflyma, sylwodd Tim, ac roedd ei hosgo hyderus arferol yn ei hôl. Mae'n rhaid fod deng munud yng nghwmni Cadi wedi gneud i'r ddwy gymodi rhywfaint. Cadi oedd yr un orau y gwyddai Tim amdani am neud i pawb deimlo'n well. Roedd hynny'n ddawn ganddi. Ond, o edrych arni rŵan, hi oedd yr un oedd yn cerdded linc-di-lonc, fel tasa'n well ganddi fod wedi cael mwy o amser i lyffanta rownd y stondinau.

Mi fydd yn rhaid i mi neud yn siŵr fod Cadi'n cael mwy o gyfle i fynd o wynt Ben, meddyliodd Tim wrth iddo yntau sefyll a dechrau cerdded i'w croesawu. Roedd hyd yn oed santes fel Cadi'n haeddu brêc.

Guto bach oedd yn llywio'r drafodaeth am ble roeddan nhw am gael cinio, fel arfer. Doedd fiw i'r lle fod yn rhy agos at y lôn rhag ofn iddo fo ddengid, na bod yn rhy grand rhag ofn iddo fo lusgo'r lliain bwrdd a'r gwydrau a'r platiau ac ati i'w ganlyn. Dim ond eleni y daeth hyn yn broblem. Llynedd, doedd babi bach mewn coets yn ddim trafferth yn y byd. Ond rŵan roedd y bwrdd yn gorfod bod yn ddigon pell o unrhyw risiau neu oddi wrth ddrws y gegin, gan fod y *waiters* yn hedfan allan o'r drysau agor dwy-ffordd rheiny a'u dwylo'n llawn o beryglon chwilboeth.

Felly, bu'n rhaid i weddill y criw frwydro i fod yn amyneddgar wrth orfod cerdded allan o sawl bwyty del oherwydd anghenion 'y rhieni'. Ond heddiw, am ryw reswm, wnaeth Ben na Cadi ddim gwrthwynebu pan welodd Tim fwrdd â lliain gingam coch a gwyn digon del y tu allan i fwyty bach i fyny un o'r strydoedd cul. Roedd yna griw o fysgwyr trwsiadus-werinol yr olwg wrthi'n dwyn bwrlwm De America i stryd fach La Rochelle – criw bach bywiog, sbarclyd, yn tynnu coesau'i gilydd a thynnu ar y bobol oedd yn pasio mewn ffordd hwyliog, anfygythiol.

Daeth gweinydd ifanc mewn ffedog gingam yr un fath â'r lliain atyn nhw. Gwnaeth ffys o Guto a chynnig pricyn bara iddo. Gwenodd y bychan, a chuddio'r tu ôl i'w fam. Estynnodd Cadi am y danteithyn a diolch i'r hogyn ifanc.

'Neith fan'ma'n grêt! Iawn, Cadi?' meddai Non, a oedd eisoes wedi tynnu cadair allan ac yn llygadu'r cwsmeriaid eraill yn fflyrtlyd.

'Ia, iawn. Digon bywiog, 'dydi?' meddai Cadi, heb edrych ar Ben am gadarnhad. 'A ma'n ddigon yn y cysgod,' meddai wedyn.

Unwaith eto, cafodd Tim y teimlad fod yr hwyliau wedi mynd allan ohoni.

'A mi ga inna smôc gan 'yn bo' ni yn yr awyr iach,' meddai Non, a dechrau ymbalfalu yn ei bag.

'Ers pryd ti'n smocio?' gofynnodd Ben.

'Fydda i'n gneud weithia! Sgin ti broblam?'

Roedd y gweinydd yn ei ôl mewn dau funud efo cadair uchel bren i Guto, a phapur glân a hanner dwsin o greons lliwgar i selio'r fargen. Doedd yr un bwyty'n medru fforddio bod yn rhy ffroenuchel efo teuluoedd; roedd tipyn o greons a phishyn o bapur yn medru mynd yn bell. Daeth yn ei ôl eiliadau'n ddiweddarach efo soser llawn olewyddion a bwydlen i bawb.

Roedd miwsig y bysgwyr wedi cyflymu a'r ymwelwyr oedd yn pasio'u bwrdd yn edrych yn eiddigeddus ar eu safle. Roedd yn argoeli'n dda ar gyfer pryd bach braf a bythgofiadwy i'w ychwanegu at y casgliad o atgofion eraill.

Roedd pawb wedi gorffen y prif gwrs ac wedi gwagio dwy botel o win cyn i bethau ddechrau mynd o chwith. Non a Ben oedd wedi bod yn gyfrifol am yfed y rhan fwya o'r gwin, gan fod Tim yn dreifio a Cadi wedi mynnu'i bod hi'n iawn efo dŵr. Doedd hi byth yn licio yfed gormod a hithau â gofal y bychan.

Sylwodd Tim ei bod yn edrych i gyfeiriad Non yn amal iawn, fel 'tai hi'n edrych arni efo gwedd newydd rywsut. Na, nid hynna'n union, chwaith. Nid beirniadaeth oedd o, ond rhywbeth arall, rhywbeth tebycach i siom. Ond doedd hi ddim yn bosib i Non siomi Cadi, siawns, a Cadi efo cyn lleied o feddwl ohoni fel roedd hi.

Roedd o wedi ymgolli cymaint yn ei feddyliau fel na sylwodd ar y newid yn Non yn syth. Ar ganol y pryd bwyd roedd hi wedi troi'i phen i ffwrdd yn siarp ac wedi dechrau crynu.

'Oer?' gofynnodd Tim. Edrychodd Non arno fel 'tai hi heb ei glywed. Yna ysgydwodd ei phen.

'Teimlo fod 'na rywun yn sbio arnan ni, 'na'r cwbwl,' meddai, ac yna ysgwyd ei hun fel petai rhywun newydd gerdded dros ei bedd.

'Un o'r bysgars 'di dy ffansïo di, 'li!' meddai Tim yn gellweirus. Daeth y sylw hwnnw â Non at ei choed. Gwenodd yn fflyrtlyd yn ôl.

'Gweld dim bai arno fo! Well 'mi ddangos dipyn mwy o goes, d'wad?'

Chwarddodd dros y lle, ac estyn am y botel win.

Cyn hir, dechreuodd ddadlau efo Ben am ysgolion bonedd, ac aeth y dadleuon yn fwy tanbaid ac emosiynol fel roedd y gwin yn mynd i lawr y lôn goch.

'Ond ma'n blydi *criminal* os ti'n gofyn i mi! Anfon plant bach, be, chwech, saith oed, i ffwrdd oddi wrth 'u rhieni am fisoedd! Misoedd!'

'Ti'n gor-ddeud 'ŵan.'

Chwythodd Non gwmwl o fwg i wyneb Ben.

'Am be? Oed y plant?'

'Anamal iawn ma' 'na blant mor ifanc â hynna'n ddisgyblion preswyl.'

'Iawn, plant naw oed 'ta, ddudan ni hynny! Ti'm yn meddwl ma' efo'i fam a'i dad 'sa'r plentyn bach yna isio bod tasa fo'n ca'l y dewis?'

'Ma' plant yn licio bod efo plant er'ill yr oed yna,' meddai Ben.

'O naw tan dri, ella. Am oria – nid am fisoedd. Be ddiawl . . . ' Cymerodd Non ddracht arall o'i gwin, 'Be ddiawl 'di pwynt ca'l plant os ti'n mynd i' ffarmio nhw allan wedyn i ryw blydi ysgol fel'na, a thalu trw' dy drwyn i ga'l gwarad ohonyn nhw? E? Atab di hynna i mi, y toff diawl!'

Sylwodd Tim ar Cadi'n gwingo'n anghyfforddus yn ei sêt. Roedd galw Ben yn snob yn rhywbeth oedd yn mynd at ei galon, fe wyddai Tim hynny o brofiad. Roedd edliw ei

146

wrhydri sosialaidd iddo pan oeddan nhw yn y coleg yn rhywbeth oedd yn ei gythruddo. Sylwodd Tim gyda pheth boddhad ar y gwrid coch oedd yn ara ddringo i fyny gwddw Ben ac i'w wyneb. Doedd dim byd gwell na 'chydig o adloniant ar ôl bwyd da.

'Dwi'm yn toff, Non. Ti'n siarad drw' dy het.'

'Chdi sy'n siarad drw' dy het *bowler* os ti'n gofyn i fi!' meddai Non, a chwerthin yn uchel ar ei jôc fach dila. Edrychodd o gwmpas y bwrdd am gefnogaeth ond chafodd hi ddim o werth. Roedd Tim yn medru cadw wyneb syth yn well na neb, a dim ond hanner edrych arni oedd Cadi.

'Pam arall 'sa chdi'n mynd i weithio i ysgol posh fel'na os oeddach chdi'm yn cytuno efo'r holl system adain dde godog! 'De, Tim?'

'Paid â sbio arna fi!' meddai Tim. 'Gofyn i Ben sy isio i chdi. Gofyn! Gofyn iddo fo!'

Falla nad oedd Cadi wedi troi diod oren Guto'n fwriadol, ond roedd yr amseru'n berffaith. Un eiliad, roedd Ben a Non yng ngyddfau'i gilydd a'r awyrgylch yn ymosodol, a'r funud nesa roedd y pedwar ohonyn nhw'n sefyll yn chwithig fel 'taen nhw'n sefyll mewn triog, ac yn trio sychu'r ddiod oddi ar eu dillad orau gallen nhw. Roedd Guto'n edrych yn syn o'i gwmpas a Cadi'n brysur, yn famol, mewn rheolaeth, a thân yr awyrgylch wedi'i ddiffodd am y tro.

Ond wrth iddyn nhw sefyll mor amyneddgar â phosib yn disgwyl i'r *garçon* ddŵad i roi lliain glân ar y bwrdd, sylwodd Tim fod Non yn sbio heibio iddo fo tuag at stryd fechan oedd yn nadreddu'i ffordd o'r sgwâr roedd y bysgwyr wedi'i hawlio iddyn nhw'u hunain. Nid rhyw edrych hamddenol, hanner busnesu oedd hyn, ond syllu – 'rhythu' oedd y gair ddefnyddiodd o i ddisgrifio'r peth wedyn wrth Cadi a Ben. Roedd hi'n rhythu i fyny'r stryd fel dynes o'i cho.

Yr eiliad nesa, dyma hi'n saethu oddi wrthyn nhw ac yn

rhedeg i fyny'r stryd. Gallai Tim ei gweld yn sefyll yn stond, ddim ymhell o'r bysgwyr oedd yn chwerthin ac yn tynnu arni hi i ymuno efo nhw mewn cân. Edrychodd Ben, Cadi a Tim ar ei gilydd, yna eisteddodd Cadi i lawr yn ei chadair, fel 'tai hi wedi anghofio'i bod yn wlyb. Gallai Tim deimlo llygaid llawn cwestiynau'r cwsmeriaid eraill arnyn nhw.

'Be ddiawl . . . ?' meddai Ben, gan edrych ar Tim fel 'tai ganddo'r ateb. 'Lle a'th hi?' Roedd Tim ar fin deud ei fod yn medru gweld tamed ohoni'n sefyll yn stond yn syllu i fyny'r stryd. Ond chafodd o'm cyfle. Yr un mor sydyn ag yr aeth hi, roedd Non yn ei hôl, a'i hwyneb wedi heneiddio ddeng mlynedd.

'Non?' mentrodd Tim, a chamu mlaen ati hi.

'Welis i hi!' meddai Non. 'Welis i Esyllt!'

Cadi

Roedd Ben wedi bod yn syllu drwy'r ffenest ar Non yn nofio ers tro bellach. Ond roedd o wedi mynd i gogio mai sbio ar y cymylau duon oedd yn cronni yn y pellter fel haid o ddrudwy oedd o.

'Terfysg sydd ynddi, saff 'chi!' meddai, a dal i graffu.

'Gad iddi, Ben,' meddai Tim yn flinedig o'r gadair freichiau yn y gegin, a gneud llygaid ar Cadi. Doedd ganddi hi mo'r awydd i neud llygaid yn ôl, er ei bod yn cydnabod yn ddistaw bach fod Ben yn bihafio fel rêl hen iâr.

'Dwi'n dal i ddeud y dylan ni alw'r doctor!' meddai Ben wedyn, a dŵad i eistedd wrth y bwrdd, ar binnau. '*Hallucinations!* 'Di peth fel'na ddim i fod! Wel, ddim heb dipyn o help, beth bynnag . . . 'Tydi hi'm yn dal i fela . . . ?'

'Efo'r waci baci? Na, dwi'm yn meddwl,' meddai Tim. 'Ddim ers blynyddoedd. A 'san ni'n siŵr o fod 'di sylwi, yn byw ar benna'n gilydd yn fan'ma.'

Roedd Cadi hefyd yn siŵr ei bod hi wedi rhoi'r gorau i hynna erstalwm. Falla nad Non oedd y person mwya cytbwys yn y byd, ond doedd hi ddim wedi dangos unrhyw arwydd o fod dan ddylanwad dim ers iddyn nhw adael coleg. Ac mi fasa Gareth ac Esyllt yn siŵr o fod yn gwybod. A thrwy hynna, mi fydda hithau hefyd yn dŵad i wybod. Ar un wedd, fe fyddai wedi bod yn haws derbyn y peth tasa hi'n dal i smygu. Fe fyddai 'na esboniad – label arno fo.

''Di Non ddim angan help i neud rwbath gwirion!' meddai'n ddifeddwl.

Synnodd at dôn ei llais ei hun. Doedd hi ddim wedi meddwl iddo ddŵad allan mor chwerw â hynna, ddim wedi bwriadu i bawb fedru darllen 'i meddyliau hi fatha llyfr.

'Roedd hi'n ymddangos yn hollol bendant, 'doedd? Dyna sy'n 'y mhoeni fi!' meddai Tim.

'Dy boeni di?' holodd Cadi ar unwaith. Doedd Tim rioed yn meddwl fod 'na wirionedd yn ei hen stori hi? Fod Esyllt rywsut wedi dŵad yn ôl? Roedd o'n sinic am bob dim arallfydol, unrhyw beth oedd yn sleifio o afael rhesymeg. Os nad oedd 'na esboniad iddo fo, doedd o'm yn bod i Tim.

'Fy mhoeni fi am Non, 'de,' meddai. 'Ei bod hi rwsut 'di perswadio'i hun, 'doedd? Yn meddwl o ddifri . . . '

Wrth gwrs. Teimlai Cadi'i hun yn gwrido.

Roedd Non wedi cadw at ei stori'r holl ffordd adra yn y car, gyda'r cadernid tawel yna sy'n nodweddu pobol sy'n go siŵr o'u pethau. Roedd hi wedi gweld Esyllt, wedi gweld ei gwallt cringoch a'r ffrog werdd 'na fyddai hi'n dŵad efo hi bob blwyddyn i'r Maison; wedi gweld ei chefn a'i gwallt yn diflannu i fyny un o'r strydoedd bach culion oedd yn arwain fel coesau gwe pry cop o'r sgwâr. Geiriau Cadi, nid geiriau Non oedd y rheiny. Doedd 'na ddim byd ffansi yn nisgrifiad Non. Fe fyddai'n llawer gwell gan Cadi fod wedi derbyn geiriau lliwgar, llawn rhwysg. Roedd 'na rywbeth oeraidd, erchyll yn y symlrwydd.

Yn syth ar ôl iddi gyrraedd y Maison roedd Non wedi newid i'w siwt nofio a'u gadael i gyd i fynd i'r pwll. Roedd hi wedi bod yno ers hanner awr go dda bellach, yn nofio'n ddyfal i fyny ac i lawr. Roedd hi'n nofwraig gref, a'i phwtan bach dew o gorff i'w weld yn ddim rhwystr iddi o dan y dŵr. Roedd Cadi wastad wedi synnu at ei gosgeiddrwydd yn y dŵr. Falla mai gormodiaith oedd ei chymharu efo morlo'n hercian ar dywod cyn llithro'n llyfn unwaith iddo gyrraedd y dŵr, ond roedd Non yn bendant fel petai hi'n fwy cartrefol mewn dŵr nag ar y lan, meddyliodd Cadi.

Roedd Ben, wrth gwrs, wedi bod isio mynd yno'n syth i gadw llygad arni. Doedd 'na 'run iot o sensitifrwydd yn perthyn iddo fo ar adegau fel hyn. Fel yr adeg pan fynnodd alw ar fam Cadi drannoeth ar ôl cynhebrwng ei thad, yn mynnu'i bod yn mynd efo nhw am dro yn y car i Landudno, a'i mam druan isio dim mwy na galaru yn ei chornel. Roeddan nhw wedi llwyddo i berswadio Ben mai llonydd oedd Non ei angen rŵan.

Dechreuodd Ben daro'i fysedd yn rhythmig ar ochr y bwrdd, gan ffanio'i fysedd yn osgeiddig, fel tasa'r bwrdd yn offeryn ac yntau'n feistr corn arno. Roedd y rhythm yn amlwg yn tawelu rhyfaint arno fo, meddyliodd Cadi. Ond doedd hi rioed wedi bod yn nes at ei hitio!

Yna, cododd Ben o'i sêt mor sydyn ag roedd wedi eistedd ynddi. Aeth at y ffenest, a mynd ar flaenau'i draed fymryn i gael gweld yn well. Methodd Cadi beidio â meddwl am fachgen bach yn nhraed ei sanau, yn ymestyn, yn stretsio i gael bod yn ddyn.

'Do's wbod be neith hi,' meddai Ben, bron iawn wrtho'i hun.

'Be, fel gneud amdani'i hun neu rwbath felly?' gofynnodd Tim, wedi codi'i ben a dangos peth diddordeb ar ôl bod yn syllu ar y llawr cyhyd.

''Di hi'm y teip. Dio'm be 'sa Non yn neud,' meddai Cadi'n syml. Hwyrach y basa hi'n gneud rhyw ddrama o drio, ond denu sylw fyddai'r pwrpas yn anad dim byd arall. Roedd Cadi wedi hen arfer efo'i chastiau. Ac, wedi meddwl am y peth, roedd hi'n siŵr mai smal oedd y cyfeiriad wnaeth Non ar y cei ati hi ac Esyllt fel ffrindiau penna ryw dro hefyd. Fedrai Esyllt mo'i diodda hi, fe wyddai Cadi hynny'n iawn.

Nid jest oherwydd Gareth chwaith, a bod yn deg. Roedd Esyllt yn un dda am weld drwy bobol, am weld drwy lol a sioe a rhagrith.

'Gada'l iddi 'swn i,' meddai Cadi, gan wybod ei bod yn siarad fel mam yn rhoi cyngor ar sut i ymddwyn efo hogan yn cael tantrym. 'Mi ddaw at 'i choed. Neith cael ni'n tinpwl arni ddim byd ond drwg.'

Teimlai eto fod ei llais yn galed, yn bradychu mwy nag oedd hi wedi'i fwriadu. Doedd dim rhaid iddi ofni, oherwydd doedd Tim na Ben ddim fel 'taen nhw wedi sylwi fod dim byd o'i le. Byddai Guto bach, ar y llaw arall, wedi codi'i ben a syllu arni tasa fo'n synhwyro unrhyw arlliw o newid yn ei llais. Daeth hiraeth sydyn direswm drosti am y foch fach felfed ar ei boch hi, a'r arogl llefrith melys ar ei wynt.

Safodd Tim ar ei draed yn ddirybudd.

'Ti'n llygad dy le, Cad. *In the eye of your place,* fel 'sa Yncl Neville 'di ddeud. Ma'r blydi gwylia 'ma 'di bod yn un digon rhyfadd fel ma' hi heb i ni dreulio'r gweddill ohono fo'n edrach allan 'cofn i Non chwara'r Queen of Death.'

Gafaelodd yn y bwnsiad o oriadau oedd ar gornel yr hen ddresel dywyll wrth ymyl y gadair freichiau.

'Dwi'n mynd i'r pentra, 'ta. 'Dan ni angan rwbath?'

'Lle ti'n mynd?' gofynnodd Ben, yn fusnes i gyd mwya sydyn.

'I'r pentra. Newydd ddeud, 'do ddim?' meddai Tim yn swta.

'Ia, ond i lle 'na?'

'Cwpwl o siopa . . . O, a dwi isio piciad â'r car i mewn i'r garej 'fyd. Mae o'n dal i dagu wrth gychwyn fel 'sa'n smocio Woodbines ers blynyddoedd. Dipyn o fecanic drama oedd hwnnw yn Nantes, 'sa chdi'n gofyn i mi. Garej hanner gwag? Mewn dinas fel'na? Dio'm y sein gora, nacdi?' Gwyddai na fyddai Ben byth yn gofyn am gael mynd efo fo dan yr amgylchiadau, a hwnnw ar *suicide watch*!

Gwyliodd Cadi gefn Tim yn diflannu drwy'r drws a theimlodd chwithdod. Efo Ben a Non yn byhafio fel oeddan nhw, teimlai mai dim ond y hi a Tim oedd yn byhafio'n gymharol normal yn y tŷ diawledig 'ma. Cododd o'i sêt a'i gneud hi am y drws oedd yn arwain at y llofftydd. Fe fyddai bod yng nghwmni'r bychan yn siŵr o'i helpu i gael persbectif ar y byd. Ond roedd gan Ben gynlluniau eraill.

'Oedd Non ac Esyllt yn ffrindia, medda chdi?' gofynnodd, a dŵad draw nes ei fod o'n sefyll gyferbyn â hi, rhyngddi hi a'r drws.

'Be?' meddai Cadi'n ddryslyd.

'Esyllt a Non, 'de? Oeddan nhw'n agos?'

'Na, ddim felly. Ddim . . . '

'Ddim mor agos ag Esyllt a chdi, ti'n feddwl?' Roedd ei lygaid o wedi culhau. Roedd ateb Cadi'n bwysig iddo fo. Teimlodd Cadi'i chalon yn cyflymu, fel tasa hi'n cael ei chroesholi gan rywun diarth, ddim yn cael sgwrs efo'i gŵr ei hun.

'Ddim mor agos â ni, nag oeddan. A deud y gwir, ddudwn i nad oedd 'na fawr o Gymraeg rhwng y ddwy erbyn diwadd.'

'Erbyn diwadd . . . ' adleisiodd Ben. 'Felly ma' hynna'n awgrymu bo' nhw 'di bod yn agos ar un adag . . . ' Canodd geiriau Non ar y cei yn ôl ym mhen Cadi. *'Esyllt a fi . . . Dipyn o fêts . . . '* Yr ast!

'Pam ti'n holi'r blwmin cwestiyna gwirion 'ma, Ben? Be ddiawch 'di'r ots tasa'r ddwy'n benna ffrindia! Be ddiawl 'di'r ots i chdi?'

'Ti'm yn gweld, nag w't?' meddai Ben, gan gamu'n ôl a dechrau mynd rownd y bwrdd yn feddylgar.

'Nacdw, sori, tydw i ddim!' meddai Cadi'n ddifynedd.

'Os oedd y ddwy ohonyn nhw'n benna ffrindia, do's wbod

be ddiawl oedd Esyllt 'di bod yn ddeud amdana i wrthi!'
Oedodd am eiliad, fel 'tai o'n cysidro'i gam nesa, ac yna aeth
ymlaen. 'Un peth oedd bod 'yn . . . 'yn sefyllfa i 'di cael 'i
chadw rhwng Esyllt a ni. Mi fasa fod Tim yn gwbod yn
ddigon drwg . . . '

Gallai Cadi deimlo waliau'r gegin yn cymryd cam bach yn
nes ati, a'r aer yn cywasgu, yn mygu . . .

'Ond be tasa Esyllt 'di deud wrth Non? Pan oeddan nhw'n
ffrindia? A Non rŵan yn dechra mynd yn dwlali a dechra
chwidlo pob dim ma' hi'n wbod amdana i wrth 'i ffrindia
bach hi yn yr ysgolion ma' hi'n mynd iddyn nhw efo
drama . . . Dim ond i'r stori gyrraedd Highcourt College ac
mi 'laswn i golli'n job! Ti'm yn gweld?'

Allai Cadi ddim cofio croesi'r ychydig deils llechi er mwyn
cyrraedd at lle roedd Ben yn sefyll. Doedd hi ddim hyd yn
oed yn cofio'i daro. Yn sicr doedd hi ddim wedi cynllunio'r
peth. Nac wedi disgwyl iddo fod yn deimlad mor braf. Ei
weld o'n gwingo a gwybod mai hi oedd wedi bod yn gyfrifol.
Yn gyfrifol am rwbath am unwaith yn ei bywyd, yn lle cael
ei chario gan y llif, a phroblemau pobol eraill efo hi nes 'u
bod nhw'n ei thynnu hi o dan y don.

'Y basdad bach hunanol!' Roedd ei geiriau'n ddistaw, yn
pigo'n ddistaw ar hyd y marc coch ar ochor wyneb Ben.
Trodd a cherdded i fyny'r grisiau heb edrych yn ôl.

* * *

Heb feddwl, aeth yn syth i stafell Tim ac Esyllt – heb betruso,
heb oedi ar y trothwy. Roedd Tim wedi gneud y gwely'n
eitha twt ar ei ôl, a'i ddillad yn bentwr bach ar dop ei gês o
dan y ffenest. Eau de Cologne a stwff atal chwys ar y
seidbord. Otoman mawr pinc wrth droed y gwely, fel erioed.
Roedd Esyllt 'di deud ei bod hi am ei beintio. Wedi deud y câi
hi a Cadi'i beintio ryw dro pan oeddan nhw draw 'ma. Rhyw

brosiect bach fyddai'n esgus iddyn nhw gael dianc oddi wrth y lleill. Cadi oedd yr artist. Fe fyddai Esyllt yn gneud y gwaith mul o newid y lliw *blancmange* yn hufen neu felyn ysgafn, ac yna byddai Cadi'n mynd ati i greu lluniau arno, dan gyfarwyddyd Esyllt.

Roedd o'n dal yn binc. Dim ond golygfa yn ei phen oedd honno o Esyllt a'i gwallt mewn cocyn ar dop ei phen, yn syrthio'n dangls blêr yma ac acw, ac yn edrych arni mewn rhyfeddod wrth iddi greu.

Roedd y carped yn dal yn frau wrth ymyl y drws, a'r papur wal roedd Esyllt yn ei gasáu yn dal i fod ar y waliau. Papur wal – un; Esyllt – dim. Dyna fydda hi'n ddeud, yndê? Bob tro roedd hi'n gadael y lle am gyfnod arall a'r waliau'n dal heb eu gneud.

Roedd drws y wardrob yn gilagored. Doedd 'na'm cwestiwn na fyddai hi'n mentro'n nes a'i agor led y pen. Dyna oedd i fod i ddigwydd. Côt a siwt yn perthyn i Tim oedd y pethau amlyca. Roedd o wedi gorfod mynd i angladd un o'r pentrefwyr un tro pan oeddan nhw draw, angladd yr hen Cécile oedd wedi bod yn driw i deulu Esyllt ers iddyn nhw ddŵad yn berchnogion ar y Maison. Cynrychioli Arthur oedd Tim. Doedd o ddim wedi trafferthu pacio'r siwt i fynd yn ôl i Gymru efo fo wedyn. Felly dyma lle roedd hi, yn aros yn amyneddgar am yr angladd nesa.

Ac yna gwelodd Cadi ddillad Esyllt. Rhai ohonyn nhw mewn bagiau plastig i'w cadw rhag y llwch a'r pryfaid, eraill yn hongian fel roeddan nhw. Roedd het haul wedi'i gosod yn absŵrd ar ben y rêl dillad, a blodyn haul mawr sidan ar ei hochor. Doedd Esyllt ddim yn mynd â phob dim adra efo hi chwaith. Roedd o fel tasa hi'n cadw gafael ar y Maison drwy'u cadw nhw yma, meddai wrth Cadi un tro, yn gadael y dillad i gadw golwg ar y lle.

Camodd Cadi ymlaen a boddi'i phen yn y lliwiau a'r

deunyddiau ysgafn. Anadlodd yn ddwfn. Ogla llwydni, jest ogla dillad wedi cael eu hongian yn rhy hir mewn tŷ heb bobol. Ogla marw.

Welodd hi mo ffrog felen La Rochelle yn syth. Honno oedd y dilledyn ola ond un ar y chwith, bron iawn allan o gyrraedd. Estynnodd am yr hangar a'i thynnu allan yn ara, fel rhywun yn gafael mewn llaw i'w harwain at y llawr dawnsio . . . Plygodd Cadi'i phen a gwasgu'r deunydd ati nes bod ei hwyneb yn llawn o'r melyn ac anadlodd i mewn yn ddyfn. Ac oedd! Roedd hi yna! Yn cuddio ym mhlygiadau'r *chiffon*, yn aros amdani yn y wardrob o hyd. Er gwaetha pob dim, roedd hi yna iddi hi. Roedd y ddwy'n anadlu, yn synhwyro, yn blysu fel cynt. Caeodd Cadi'i llygaid ac ymgolli.

Non

Gwthio, gwthio, an-ad-lu
Gwthio, gwthio, an-ad-lu . . .

Dad fyddai'n arfer mynd â hi i'r pwll nofio. Y lle'n un bonllef o blant a'r sŵn yn atsain yn erbyn y waliau teils, yr aer yn dew efo clorin. Doedd Non rioed wedi licio nofio, ddim o ddifri. Ond byddai Dad yn dŵad â hi bob bora Sadwrn pan oedd ei Mam yn mynd i gael gneud ei gwallt. Roedd o'n rhywbeth roedd Dad a hi'n ei neud, yn rhywbeth oedd yn perthyn i'r ddau ohonyn nhw a neb arall. Felly doedd gin Non mo'r galon, naci, mo'r gyts, i ddeud ei bod hi isio stopio rhag ofn i'r holl beth ddŵad i ben. Dad yno yn yr eisteddle efo'r rhieni eraill a'r criw o blant o'r ysgol fawr oedd yn dŵad i'r Ganolfan Hamdden i hamddena, nid i gadw'n ffit.

Fe fyddai Non yn sbio i fyny arno fo, a weithia byddai'n dal ei lygaid a byddai yntau'n codi'i law arni. Non yn codi'i llaw hefyd, jest â byrstio efo balchder ac isio dangos ei hun. Daeth yn nofwraig fach dda, a'i llygad o hyd ar ffigwr ei thad yn yr oriel uwchben.

Gwthio, gwthio, an-ad-lu . . .

Mae'n siŵr fod y lleill yma'n y Maison yn sbio arni hi rŵan, ond roedd hynny'n wahanol. Nid ei hedmygu fydden nhw, ond gweld bai arni am ddeud ei bod wedi gweld Esyllt. Gallai ddychmygu Ben fatha iâr ar daranau, ar dân isio holi mwy arni fel roedd o wedi trio'i neud yn y car. A Tim a Cadi wedyn, yn deud dim gair.

Yma ym mhwll y Maison, a'i phen yn codi o'r dŵr bob hyn a hyn i deimlo'r awyr gynnes, gallai gredu'n hawdd mai wedi dychmygu'r cwbwl roedd hi. Y gwallt, fflach y ffrog werdd yn toddi wedyn i amryliw'r dorf, cochni'r gwallt yn mynd yn un efo melynfrown y cerrig . . .

Pwy, meddyliodd Non, pwy sydd i ddeud pwy sy'n gweld be, a be ma' neb yn 'i weld go iawn? Dim ond clytwaith o liwiau a siapiau a phethau sy'n debyg i'w gilydd ydi bob dim, beth bynnag! Mae'n anhygoel o beth, a deud y gwir, fod cymaint o bobol yn gweld cymaint o bethau yn yr un ffordd! Neu hwyrach mai deud celwydd ma' pawb. Pawb ofn deud y gwir, fod y pethau oeddan nhw'n eu gweld yn wahanol i bawb arall. Yr ysfa i ymdoddi yn gryfach na dim.

Roedd hi wedi teimlo'r edrychiad arni'r tu allan i'r *café*. Doedd dim dwywaith am hynny, beth bynnag. A doedd o ddim yn edrychiad fel hwnnw roedd hi'n ei gael pan oedd hi wedi gneud ymdrech i edrych yn ddel a fflachio'i bronnau. Gwylio, dyna oedd o, y teimlad fod rhywun yn eu gwylio fel criw. Roedd hi'n sicr o hynna, yn gwbwl, gwbwl sicr efo'r chweched synnwyr yna fu ganddi erioed. Fel pan ddeffrodd hi am hanner nos yn y gwely bach cul pan oedd hi tua deg, a gwybod i sicrwydd ei bod hi wedi deffro i dŷ gwag. Prin oedd angen mynd ar ei phedwar fel ci i'w stafell wely nhw, a gweld gwely Mam a Dad yn oer ac yn fflat. Clustfeinio a chropian wedyn i lawr i'r lolfa, a phrofi arswyd y teledu tywyll, fel llygad fawr ar gau.

Torrodd ei chorff fel cyllell drwy'r dŵr.

Gwthio, gwthio, an-ad-lu . . . Gwthio, gwthio . . .

Roedd 'na rwbath rhyfeddol o rywiol yn sŵn slapio'r dŵr yn erbyn y teils glas ar ochor y pwll. Y slap fach wlyb, ysgafn oedd yn gyrru rhywbeth drwyddi, fel sŵn gwefusau'n agor, yn datgymalu'n ara, ara, yn glec fach ysgafn, laith.

Sylwodd hi ddim ar y glaw am eiliad. Doedd hi'n ymwybodol o ddim byd heblaw'r cynnwrf roedd ei chorff hi'n ei achosi, y tonnau bychain a'r slapio yn erbyn y teils. Ond wedyn fe ddechreuodd y glaw ddisgyn yn go iawn, gan adael pocedi bach hwnt ac yma ar wyneb y dŵr. Stopiodd nofio am eiliad, a sylwi wedyn ar y glaw'n bownsio oddi ar y cadeiriau plastig, ac yna byrlymu o'r landeri. Roedd yn deimlad braf – nofio a hithau'n bwrw ar weddill y byd; dim rhaid poeni am 'lychu na rhedeg i fochel na dim byd. Doedd dim byd yn gallu'i thwtsiad hi. Suddodd ei phen yn is o dan y dŵr a daliodd ei thrwyn rhwng ei bys a'i bawd, fel mai dim ond top ei phen, ei thalcen a'i llygaid oedd ar yr wyneb, fel rhyw hipo yn Affrica, meddyliodd, a theimlo'n hapus yn sydyn heb wybod pam.

Pan welodd y ffigwr yn cerdded tuag ati, doedd ganddi ddim ofn. Roedd o fel tasa neb yn medru'i gweld, ei bod wedi toddi'n un efo'r dŵr. Roedd o'n gwyro mlaen ac yn dal un fraich i fyny i gysgodi'i lygaid. Roedd y ffigwr yn cael ei effeithio gan y glaw; roedd o'n rhan o'r byd. Yn feidrol.

Roedd o bron â chyrraedd ymyl y pwll cyn i Non ei nabod a gweld mai Gareth oedd o. Roedd ei wallt o'n glynu am ei wyneb, ei grys yn dryloyw dros ei dorso, ei jîns o'n ddu o wlyb. Doedd o ddim yn gwenu nac yn chwerthin, nac yn edrych yn flin neu'n sori neu'n llawn cywilydd na . . . uffar o ddim byd. Roedd ei lygaid o wedi hanner cau wrth edrych arni, yn craffu arni yn y dŵr ac yn ei nabod yn iawn er gwaetha'r ffaith ei bod fel hipo wedi'i gorchuddio bron i gyd.

'Haia!' meddai Non, wedi codi'i phen fymryn o'r dŵr.

'Haia!' meddai'n ôl. Roedd y ddau'n ddistaw am funud, neu ddim yn siarad, beth bynnag, meddyliodd Non, oherwydd doedd 'na ddim byd distaw yn y cyfarfyddiad yma,

159

efo'r ardd i gyd yn dripian o'u cwmpas nhw, yn clecian ac yn stwyrian ac yn siarad drostyn nhw.

'Ti isio dŵad i mewn?' gofynnodd Non ymhen rhai eiliadau.

'Ti moyn dod mas?' meddai Gareth, a dyma'r ddau'n gwenu ar ei gilydd.

Rhoddodd help llaw iddi ddŵad allan o'r pwll. Teimlai'i law yn gynnes yn erbyn ei chroen gwlyb oedd wedi colli'i haenen o gynhesrwydd unwaith roedd hi allan o'r dŵr. Cerddodd y ddau at y tŷ fel dau ddieithryn. Doedd Non ddim yn gallu esbonio'r tawelwch yma'r tu mewn iddi, y boddhad ei fod o'n ôl. Prociodd syniad ymhell, bell tu ôl i'w phen yn rhywle, y dylai hi fod yn flin efo fo, tantro, gweiddi, strancio a'i holi o'n dwll pam ei fod o wedi diflannu. Ond sut oedd rhywun yn dechrau holi? Sut gallai rhywun ddifetha'r swigen yma o'i gael o'n ôl, yn gynhesrwydd ar groen tamp, trwy ddechrau gofyn gormod? Doedd hi ddim isio meddwl am y peth, rhag ofn iddo fo ddiflannu fel cynt.

Meddyliodd am y belen fach o eiriau amryliw'n cael ei gwasgu'n sgwishlyd mewn cledr llaw. Sut oedd dechrau dewis y gair perffaith?

Non agorodd y drws cefn i mewn i'r gegin, a dilynodd Gareth hi fel tasa fo'n mynd i dŷ diarth. Doedd hi ddim wedi meddwl be fyddai hi'n ei ddeud wrth y lleill, ddim wedi cysidro'r cam yna. Ond doedd dim rhaid iddi; roedd y gegin yn wag. Roedd y tŷ'n ddistaw heblaw am y ffrij yn canu grwndi'n isel, a'r peiriant golchi llestri'n swishian.

Cymerodd gipolwg ar Gareth a gweld 'i fod yntau'n falch nad oedd o'n gorfod wynebu'r lleill. Wedi dŵad yn ôl ati hi oedd o, ddim atyn nhw. Pam na fedrai'r ddau ohonyn nhw adael efo'i gilydd rŵan a pheidio gorfod cyfiawnhau dim byd i neb? Pobol eraill oedd yn difetha pethau iddyn nhw. Pobol eraill oedd yn mynnu rhwygo'r ddau oddi wrth ei gilydd.

Fasa Gareth byth, byth wedi'i gadael hi fel 'nath o petai dim ond y ddau ohonyn nhw ar wyliau mewn *appartement.*

Caeodd Non y drws yn ysgafn ar ôl iddyn nhw gyrraedd y stafell wely. Trodd a gweld fod Gareth wedi cerdded ar ei union at y ffenest ac yn edrych allan, fel tasa fo'n gweld y caeau fflat melyn am y tro cynta. Aeth ato a sefyll wrth ei ymyl. Roedd ei wallt wedi dechrau cyrlio yn y glaw, a'r glaw wedi gadael haenen fel gwe pry cop yma ac acw ar ambell gudyn.

'Tynna nhw, ti'n 'lyb. Tynna nhw . . . ' meddai hi. Wnaeth Gareth ddim ymdrech i'w hateb. Roedd y botymau'n ildio'n hawdd i'w bysedd prysur. Safodd Gareth yno heb symud, a'i ddwy law wrth ei ochr yn ufudd. Roedd 'na rwbath andros o annwyl yn y ffordd y safai yno yn disgwyl iddi hi'i ymgeleddu. Mwynhaodd Non deimlad ei sgwyddau noeth cryfion wrth iddi bilio'r defnydd gwlyb drostyn nhw. Tynnodd ei grys o wast ei jîns, a'i bysedd yn cyffwrdd y blew bach ysgafn ar ei fol, yn teimlo croen llyfn gwaelod ei gefn. Taflodd y crys ar y llawr a sylweddoli'i fod yn edrych arni. Estynnodd ei law allan i'w chyffwrdd ond ysgwyd ei phen wnaeth Non. Roedd yn rhaid iddi hi gael cymryd yr awenau.

Llaciodd ei felt a llwyddo o'r diwedd i agor y botwm mawr metel oedd yn cau 'i jîns. Gyrrodd sŵn y sip yn agor ias drwyddi gan gronni'n daclus yn nhop ei choesau. Caeodd Gareth ei lygaid a gwyddai Non ei fod yntau'n profi'r un ias. Tynnodd wasg y jîns yn is a theimlo chwydd bochau'i din wrth iddi neud. Roedd ei freichiau'n dal yn ddiffrwyth wrth ei ochr a gwyddai Non gyda phleser ei fod o'n ysu am gael cydio ynddi, am gael cymryd rheolaeth, ond ei bod hithau'n mynd i neud iddo fo aros ei dro. Ei dro hi oedd hwn rŵan. Llyfodd ei gweflau.

161

Tim

Roedd y weipars ffenest yn gwichian ac yn grwgnach wrth gael eu deffro o'u trwmgwsg. Gan amla fydden nhw'n cael dim defnydd o gwbwl yn ystod y pythefnos yn yr ardal yma, heblaw fod Tim weithia'n gorfod llnau'r ffenestri llychlyd. Roedd rhai'n dadlau fod yna rywbeth i'w groesawu yn y toriad yn y tywydd, ei fod yn chwa o awyr iach ar ôl cyfnod o wres llethol. Doedd Tim ddim fel arfer yn cytuno. Hanner yr atyniad o ddŵad i'r Maison iddo fo oedd ei fod yn gwybod fod yr haul yn debygol o dywynnu arnyn nhw bob dydd. Falla fod yna rywbeth yn y dechneg 'na o *pathetic fallacy* mewn barddoniaeth fel roedd o wedi'i neud yn y coleg, meddyliodd. Falla'n wir fod yr elfennau'n cydymdeimlo efo teimladau dyn, ac nad *fallacy* oedd o o gwbwl.

Trodd y radio mlaen yn uchel, a ffidlan efo'r nobyn tan iddo gael hyd i fiwsig, unrhyw fiwsig, ac ucha'n y byd, gorau'n y byd. Agorodd y ffenest, er gwaetha'r glaw oedd yn dechrau disgyn yn go iawn rŵan, yn ddafnau mawr tewion. Roedd 'na ffresni ffantastig yn y gawod yma heddiw, meddyliodd. Rhywbeth i' neud efo *ions* negyddol neu rywbeth, meddai un o'i grônis coleg wrtho fo ryw dro, yr un fath â'r ffresni fyddai'n ei deimlo wrth sefyll ar ymyl rhaeadr, a'r rhuthr gwyn, llaith yn sgubo heibio iddo.

Roedd o wedi gorfod mynd allan o'r tŷ. Roedd ymddygiad Ben, a hyd yn oed Cadi, wedi bod yn mynd ar ei nerfau o'r munud y daethon nhw adra o La Rochelle. Roedd Ben wedi gorymateb i Non; roedd hynny i'w ddisgwyl. Ond roedd o wedi mynd dros ben llestri, ac yn aflonydd yn y ffenest fel tasa 'na dân dan ei groen o. Roedd Cadi, i'r gwrthwyneb, yn od o fflat, a chafodd Tim yr ysfa ryfedda i'w hysgwyd er mwyn gneud iddi ymateb mewn rhyw ffordd. Fuo fo rioed ar y môr fel ei dad na dim byd felly, ond roedd yn hawdd dallt sut roedd y *cabin fever* y soniai'i dad amdano'n gyrru rhywun yn wallgo. Cofiai sut y byddai'i dad yn cerdded hyd y lolfa ar ôl dŵad adra o'r môr, yn cerdded 'nôl a blaen, 'nôl a blaen, fel tasa fo'n dal ar ddec llong.

Doedd dim dwywaith fod Non yn dechrau colli arni'i hun. Roedd diflaniad Gareth wedi cael effaith gwaeth nag oedd o'n feddwl arni. Roedd ganddo fymryn o gydymdeimlad â hi, wrth gwrs. A doedd y greaduras ddim yn gwybod ei hanner hi. Ond petai hi'n mynd dros ben llestri rŵan ac yn dwyn sylw pawb, waeth iddo fo ddeud ta-ta wrth ei gynllun am byth. Fe fyddai'r holl wyliau 'ma yn Ffrainc wedi bod yn dda i ddim, yr holl drefnu yn ofer. Roedd yn rhaid iddo fo neud rhywbeth cyn i'r criw chwalu i'r pedwar gwynt.

Doedd o'n dal ddim yn argyhoeddedig mai anghofio am y cwbwl fyddai orau, beth bynnag. Be oedd y pwynt mynd ymlaen efo'r busnes llythyr 'ma a Gareth ddim yno? Byddai'n well, hwyrach, i Tim adael i'r holl syniad lithro o'r golwg a gobeithio fod pawb wedi anghofio. Mater bach fyddai pocedu'r llythyr unwaith y byddai'n cyrraedd y Maison drwy'r post. Roedd ei ddatganiad mawreddog yn ystod swper y noson gynta honno'n ymddangos yn bell iawn yn ôl, fel petai o wedi digwydd mewn oes arall.

Fe fyddai'n hawdd claddu'r holl syniad oni bai am Ben. 'Toedd yr hen grinc bach yn mynnu codi'r peth o hyd ac o hyd? Yn procio dragwyddol.

Byddai Non yn cael ei brifo, dyna'r unig beth. Ond dyna fo. Roedd hi hanner ffordd i golli'i phwyll, beth bynnag. Ac roedd Gareth wedi hau'r hedyn o amheuaeth yn ei phen hi'n barod, yn cymryd y goes fel'na'n syth ar ôl cyrraedd. Y cwbwl fyddai Tim yn ei neud fyddai dyfrio tipyn ar yr hedyn fel ei fod o'n blodeuo . . . yn flodyn haul mawr grotésg a wyneb Gareth yn ei ganol o. Roedd 'na dwtsh o Salvador Dali am y llun hwnnw, meddyliodd, a chwarddodd yn uchel wrtho'i hun. Falla 'i fod o'n mynd o'i go' hefyd. Yn fendigedig o orffwyll, yr un a gafodd ei wrthod ond a drodd bob dim ben i waered a dangos i bawb be oeddan nhw. Gan y gwirion y ceir y gwir! Felly mlaen â'r gêm, er mai cysgod o'r cynllun gwreiddiol oedd o gan nad oedd Gareth yno i glywed.

Roedd siop fach Françoise wedi ailagor ar ôl siesta'r pnawn. Roedd y danteithion a'r bara ffres i gyd wedi mynd, wrth reswm, ond roedd gan Françoise ddigon o gawsiau a chigoedd oer yn y cwpwrdd rhewgell i neud i drip i'w siop fod yn werth y drafferth ar unrhyw adeg. Roedd Françoise hefyd yn rhedeg cownter swyddfa'r post ym mhen draw'r siop, fel y gwnaeth ei mam a'i nain o'i blaen hi. Roedd o bron fel cerdded i mewn i set ddrama am y pumdegau, efo'r leino sgwâr pỳg ar y llawr a'r bleinds wedi melynu yn eu plygiad ar y ffenestri. Mi allech chi feddwl hynna, cyn i chi sbio reit i ben draw'r siop lle roedd Françoise wedi mentro sefydlu seibergaffi a gosod dau gyfrifiadur bach twt ar fyrddau modern, oedd yn anghydnaws braidd â gweddill y siop.

I fanno yr anelodd Tim heddiw, ac amneidio'i ben at Françoise, oedd efo cwsmer arall ar y pryd. Roedd 'na hogyn yn ei arddegau a gwallt at ei sgwyddau ar un o'r cyfrifiaduron eraill, yn pwyso'i ben yn erbyn cledr ei law, a chrys-T IRON MAIDEN du amdano. Gwelodd Tim yn syth mai chwarae Solitaire oedd o. Cododd yr hogyn ei lygaid oddi ar y sgrin am eiliad i led gydnabod Tim, cyn troi'n ôl i syllu ar y cardiau o'i flaen. Eisteddodd Tim wrth ymyl y cyfrifiadur arall a dechrau arni.

Doedd o rioed wedi gweld y pwynt o brynu cyfrifiadur yn unswydd ar gyfer y Maison, dim ond er mwyn i Bruno gael ei gamddefnyddio i'w ddibenion amheus ei hun ymhell o lygaid ei fam. Ac roedd o'n erbyn yr egwyddor o ddŵad â'i liniadur efo fo ar ei wyliau. Felly braf oedd gwybod fod 'na seibergaffi yn Courçon o bob man a fyddai'n gneud y tro'n iawn ar gyfer amgylchiadau arbennig.

E-bost bach i atgoffa Emyr a byddai pob dim yn iawn. Hwyrach y byddai'n medru gofyn iddo fo anfon y pecyn ynghynt nag roeddan nhw wedi'i drefnu'n wreiddiol, hefyd. Doedd 'na fawr o bwynt arteithio pawb i aros y pythefnos cyfan yn y Maison bellach. A tasa fo'n onest, doedd ganddo fo'm mynedd mynd drwy'r artaith ei hun. Roedd o wedi diodda digon.

Wedi anfon yr e-bost, daeth yr ateb yn syth. Un o'r atebion electronig swta 'na oedd o, yr 'Out of Office Reply' oedd yn nodi fod Emyr Roberts allan o'r swyddfa rŵan am bythefnos, a gellid cyfeirio unrhyw ymholiad brys at . . . bla bla. Roedd o'n uniaith Saesneg 'fyd, oedd yn rhwbio halen yn y briw, er gwaetha'r ffaith fod y rhan fwya o gwsmeriaid a gweithwyr y practus bach yn Gymry. Dim ond yr Emma bach lywaeth honno o'r coleg addysg bellach lleol oedd yn mynnu siarad Saesneg, er ei bod wedi bod drwy'r un gyfundrefn addysg â'i chyfoedion. Siarad Saesneg oedd yr unig fathodyn o wreiddioldeb oedd yn perthyn iddi mewn tref farchnad fach Gymreig, a glynai ato'n styfnig. Ta waeth, roedd Tim wedi anfon ei ymateb byrbwyll, blin yn ôl i'r ymennydd electronig cyn medru pwyllo. Roedd o'n difaru rŵan, wrth gwrs. Doedd o ddim isio i Emyr gael y boddhad o ddŵad yn ôl i'w swyddfa a gweld fod ei absenoldeb o wedi peri cynnwrf iddo fo. Ond go damia fo! Pam na fasa fo wedi deud ei fod o'n mynd ar ei wyliau yr un wythnos yn union ag roedd Tim yn y Maison? Tasa fo 'di gneud hynny, fe fyddai Tim yn siŵr o fod wedi trio cael sgwrs wyneb yn wyneb efo'r ysgrifenyddes oedd yn mynd i anfon y pecyn ar ei ran! Doedd sgwrs ffôn neu ryw e-bost amhersonol ddim hanner mor effeithiol â sgwrs yn y cnawd. Be tasa honno'n cam-ddallt, neu'n waeth byth, yn anghofio anfon y pecyn o gwbwl! Rŵan roedd 'na gant a mil o bethau allai fynd o chwith.

Wedi cyrraedd y tu allan i'r Maison, eisteddodd lle roedd o heb symud. Roedd hi wedi stopio bwrw fwy neu lai erbyn hyn, ond roedd 'na ffrwd fechan wedi dechrau rhedeg o'r ardd i lawr at y fynedfa, a'r tir sych, caled heb roi dim lloches i'r gwlybaniaeth. Penderfynodd y byddai'n trio ffonio swyddfa Emyr yn nes ymlaen heddiw neu fory, ac anfon e-bost arall yn ogystal. Siawns y byddai ymosod ar ddau ben yn dwyn ffrwyth.

Sŵn Non yn chwerthin oedd y peth cynta i'w daro wrth iddo gamu dros y trothwy. Cymerodd ei lygaid ychydig eiliadau i ddygymod â'r llun o Gareth yn eistedd wrth fwrdd y gegin yn bwyta o blatiad o fara, caws a grawnwin.

Non

Chwarddodd Non eto ac edrych ar Gareth. Roedd o'n gwenu, ac yn claddu i mewn i'r bwyd oedd o'i flaen fel tasa fo ar lwgu. Roedd o'n frenin a hithau oedd ei weinyddes fach ufudd, a'i gorchwyl oedd plesio'r meistr ym mhob ffordd posib . . . Roedd y gêm yn un dda. Daeth yr atgo ohoni'n ei fodloni ychydig oriau ynghynt yn ôl iddi, a theimlodd y wefr yn dechrau cronni drachefn wrth gofio.

'Pam ti'n dishgwl arna i? Sda fi rwbeth ar ochr 'y ngheg ne beth?' meddai Gareth.

'Gin i hawl i sbio ar 'y nghariad, 'does?' meddai hithau, a gwenu.

Atebodd Gareth ddim, dim ond cario mlaen efo'i fwyd gan ysgwyd ei ben yn ysgafn, yn methu'i dallt. Roedd hynny'n iawn. Roedd o'n ei licio hi fel'na, yn hogan arti, amwys, anodd ei dallt. Dyna oedd o wedi'i weld ynddi hi'n gynta, 'de? Dyna oedd wedi'i ddenu o ati hi.

Edrychodd ar ei wallt yn disgyn yn flêr o gwmpas ei wyneb, ei freichled ledr yn dila o gwmpas ei arddwrn cryf. Roedd o yma, roedd o'n real, roedd o'n ôl. Doedd o ddim wedi sôn pam roedd o wedi mynd. A doedd hithau ddim wedi gofyn. Gwyddai nad oedd hyn yn gneud synnwyr iddi hithau, fwy nag i neb arall. Mewn ffilm fe fyddai wedi bod yn ewyllysio'r arwres i gornelu'r dyn oedd wedi'i gadael, i fynnu esboniad a chyfiawnhad. Ond wrth dylino'i groen meddal a theimlo'i lawnder y tu mewn iddi, ei dynerwch yn gyrru ias drwyddi fel bollt o drydan . . . roedd ganddi ofn gofyn. Dyna'r gwir plaen. Roedd o yma, yn bwyta o'i blaen hi rŵan. Wedi'i dewis hi. Doedd angen 'run esboniad arall.

Chlywodd hi mo sŵn y car. Roedd Tim wedi agor y drws ac yn sefyll yno'n syllu ar Gareth cyn iddi sylweddoli, a dim ond ymateb i'r newid oedd yn Gareth wnaeth hi'r adeg honno. Stopiodd gnoi a daeth rhyw swildod rhyfedd drosto fo, sylwodd Non. Nid swildod chwaith, roedd o'n rhywbeth mwy anghyfarwydd. Roedd y newid awyrgylch yn drawiadol.

'Tim?' meddai Gareth, a chymryd brathiad mawr o'r hanner tafell oedd o'i flaen, gan ddechrau cnoi'n hamddenol heb dynnu'i lygaid oddi ar Tim. Cythrodd Tim heb rybudd. Aeth yn syth am sgwyddau Gareth a'i lusgo ar ei draed.

'Be uffar ti'n feddwl ti'n neud? Jest yn cerddad 'nôl i mewn i fan'ma?' Doedd Non rioed wedi gweld Tim mor flin, ei lygaid yn danbaid, a phoer yn saethu o'i geg wrth iddo fo siarad.

'*Sod off*, Tim! Beth yffach ti'n feddwl ti'n neud?' meddai Gareth. Roedd wynebau'r ddau o fewn llai na modfadd i'w gilydd, a llygaid y naill wedi'u serio ar y llall.

'Chdi, 'de! Jest yn gada'l! A wedyn jest yn troi fyny, fel 'sa dim byd o'i le!'

'Do's na'm byd o'i le!' gwaeddodd Non. Ffendiodd Non ei hun ar ei thraed, a'i hwyneb hithau'n agos agos at wynebau Gareth a Tim. Trodd y ddau eu llygaid i edrych arni, fel tasan nhw wedi anghofio'i bod hi yno. 'Do's na'm byd o'i blydi le! Iawn?'

Llaciodd Tim fymryn ar grys Gareth, a rhwygodd hwnnw'i hun yn rhydd. Roedd y ddau'n anadlu'n galed.

'Nath o ada'l, 'i heglu hi o 'ma heb ddeud 'run gair wrtha chdi . . . ' dechreuodd Tim, a'i wyneb yn ddryslyd.

'Do, a mi oedd gynno fo'i resymau!' meddai Non, gan

obeithio na fyddai Tim yn gofyn iddi beth oeddan nhw. 'A rŵan mae o'n ôl!' meddai'n bendant.

'Wedyn gad ni fod!' ategodd Gareth, gan edrych i fyw llygaid Tim wrth ddeud hynny.

'Ti'n deud?' meddai hwnnw.

'Odw!'

'Neu be nei di?'

'Ti wir moyn gwbod?'

'Gareth! Be ddiawl . . . ?'

Roedd Ben wedi cael ei dynnu gan y sŵn, mae'n debyg. Trawyd Non gan y ffaith nad oedd hi wedi meddwl tybed oedd Cadi a Ben yn dal yn y Maison wrth iddi arwain Gareth i fyny at ei stafell wely. Roedd y tŷ wedi bod mor ddistaw, a phresenoldeb Gareth yn cau pob dim arall o'i phen. Ond rŵan roedd hi yn y gegin fach ac yn gorfod rhannu Gareth. Ac yn gorfod gwrando ar y lleisiau'n ei holi, yn ei ddryllio efo'u cwestiynau.

''Dach chi 'di bod yn cwffio?' gofynnodd Ben.

'Hwn sy off 'i ben!' meddai Gareth, ac eistedd yn ôl yn y gadair, ei goesau ar led, heb dynnu'i lygaid oddi ar Tim.

'Mae o'n 'i ôl a ma' pob dim yn iawn 'ŵan, 'dydi?' meddai Non, gan osgoi llygaid pawb a cherdded at y tecell. ''Ŵan be 'sa chi'n ddeud i banad? Neu gawn ni agor y gwin, os leciwch chi.'

'Neu ladd y ffycin llo pasgedig!' mwmiodd Tim dan ei wynt, a cherdded allan ac am y grisiau.

Pennod 25

Cadi

Roedd Guto bach yn hel dannedd. Roedd igian crio'r bychan wedi rhwygo Cadi ato, i sychu'r dagrau mawr tewion, fel glaw taranau.

''Na ni, 'na ni, babi . . . '

Cofiodd o nunlle sut y byddai crio Guto'n fabi bach yn achosi i'r llefrith ruthro i'w bronnau, a'r rheiny'n chwyddo fel balŵns llawn o aer mewn ymatab i anghenion ei hepil. Hithau'n rhyfeddu, ond fymryn bach yn edliwgar, ei bod yn anifail oedd yn methu gwrthsefyll grymoedd natur, waeth befo am y ffaith fod ganddi ymennydd.

Dechreuodd gerdded i fyny ac i lawr y stafell wely efo fo er mwyn trio llonyddu mymryn arno fo. Roedd ei fochau o'n fflamgoch a'r dwrn bach roedd o wedi'i stwffio i mewn i'w geg yn lafoer i gyd. Roedd yr ysfa i gnoi ar rywbeth caled bron yn ffrantig ar yr adegau yma. Gafaelodd yn y jeli homeopathig oedd ganddi, rhag iddi orfod defnyddio gormod ar y ffisig pinc mendio-pob-dim gafodd hi gan y doctor. Rhoddodd swigan o'r jeli ar ei bys, a dechrau'i rwbio'n ysgafn ar y cig wrth fôn ei ddannedd. Gallai deimlo'r dant bach newydd yn graig fach wen, ei gopa prin yn y golwg, a'r cnawd pinc yn feddalach ac yn binc tywyllach wrth i'r dant ennill y frwydr.

'Da . . . da . . . ' meddai Guto, yn ddigon call erbyn hyn i weld fod y swigan bach o jeli ar fys Mam yn dŵad â chysur.

'Ti isio 'i neud o, Guto? Guto 'neud o, ia?' meddai Cadi,

gan roi mymryn o'r stwff ar ei fys yntau. Crychodd top ei drwyn wrth iddo ganolbwyntio ar anelu at yr ochor o'i geg oedd yn brifo. 'Hogyn da. Hogyn mawr . . . ' Roedd hi'n ei arfogi'n gynnar i dyfu i fyny, i fod yn annibynnol. Dyna ddyletswydd pob rhiant yn y pen draw, a dyna ysfa pob plentyn. Roedd yn anochel, ond hefo'r twtsh yna o greulondeb oedd yn sownd wrth gwt pob dim oedd yn fater o raid. Roedd Cadi'n gwybod ei bod yn farus, isio'i gael o efo hi o hyd. Roedd hi'n hapus ei fod o'n datblygu, yn llacio'i afael fymryn. Ond allai hi ddim llai na diolch ei fod o'n dal yn dynn yn ei gwddw wrth fynd i'r feithrinfa, er ei fod o wrth ei fodd yno. Ac, wrth gwrs, roedd ei gael o'n cropian ati fel peiriant bach tyrbo pan oedd hi'n ei nôl o ar ôl gwaith yn bleser pur. A fedrai hi ddim llai na theimlo hiraeth bob tro y byddai'n plygu'r dillad oedd wedi mynd yn rhy fychan iddo fo. Nid dillad yn unig oedd yn diflannu i mewn i'r bag bin du ar gyfer 'y babi nesa'.

'Soffti!' fyddai Esyllt yn ei galw. 'Hen soffti . . . ' ond roedd tynerwch y deud yn siwgwr ar y cerydd. Be dduda hi tasa hi'n dallt ei bod hi newydd roi clustan i Ben nes ei fod o'n troi. Be dduda hi? Clapio, siŵr o fod!

Clywodd y cythrwfl i lawr grisiau fel sŵn taranau yn bell, bell i ffwrdd. Sŵn storm rhywun arall. Aeth i dop y grisiau efo'r bychan ar ei chlun, a gwrando. Gwrandawodd Guto hefyd am eiliad neu ddwy, nes gwenu ar ei fam wrth iddo feddwl ei fod o'n dallt y gêm. Llais Tim oedd yna, wedyn llais Non, a llais Ben. Ia, Ben. Doedd o rioed yn ailadrodd hanes y gelpan gafodd o ganddi! Ac eto, roedd 'na lais arall. Doedd o'm yn swnio fel chwyrnu isel Bruno ond eto . . .

Y funud nesa, roedd Tim wedi dod ar ras i fyny'r grisiau, gan garlamu dwy ris ar y tro a'i ben i lawr, nes ei fod o wyneb yn wyneb â Cadi a Guto cyn sylweddoli eu bod nhw yno.

'Cadi!' meddai Tim mewn syndod. 'Sori os 'nes i . . . os naethon ni . . . ddeffro . . . '

'Naddo. Dannedd,' meddai Cadi'n gloff.

'Da . . . da . . . ' ategodd Guto.

Sylwodd Cadi fod wyneb Tim yn goch a'i wallt yn blith draphlith dros ei dalcen. Roedd o'n chwysu, fel tasa fo newydd fod yn gneud rhyw joban gorfforol anodd.

'Ti'n iawn, Tim? Be sy 'di . . . ?'

'Gareth!' poerodd Tim. 'Mae o'n ôl, 'dydi? Fel 'sa'm byd 'di digwydd!'

'O!' meddai Cadi, yn flin efo hi'i hun am swnio mor llywaeth, am fethu codi i'r achlysur ac o leia rannu syndod Tim, os nad ei atgasedd. 'Wela i.'

'Pwy uffar ma'n feddwl ydi o? Yn cerddad 'nôl i mewn i'r lle 'ma fel tasa 'na'm byd o'i le. Fel 'sa gynno fo hawl ar y lle!'

'Ella fod gynno fo!' Roedd y geiriau wedi dengid cyn iddi fedru eu hatal.

Edrychodd Tim arni. Roedd o'n dal i anadlu'n drwm.

'Ella fod gynno fo? Be ma' hynna fod i' feddwl?'

'Dim. Y llythyr gin Esyllt . . . alla fod yn unrhyw un ohonan ni . . . ' Yna ychwanegodd 'Sori' gan iddi sylweddoli ei bod wedi bod yn ansensitif. Cododd Tim ei law at ei geg a dechrau sugno ar y migyrnau. Sylwodd Cadi eu bod yn goch ond nid yn gwaedu. Rhoddodd Guto chwerthiniad bach o weld rhywun oedd yn gneud 'run fath â fo, fel tasa fo isio deud 'Dallt sut ti'n teimlo, mêt!'

''Nest ti mo'i hitio fo, naddo Tim?'

'Naddo . . . Ond ma'n lwcus ar diawl. Y sgrwff!'

'Pam 'sa chdi isio gneud rwbath felly?' Edrychodd Tim arni a chulhau'i lygaid. Doedd Cadi rioed wedi sylweddoli o'r blaen ar y sbeciau bach brown yn ei lygaid glas, fel wy aderyn y to. Meddyliodd gyda braw tybed oedd y llygaid glasfrown yna 'di gweld llawer mwy nag oedd hi'n ei dybio.

Ond na, roedd hynny'n amhosib, a hwythau wedi bod mor ofalus. 'Pam?' gofynnodd eto, ond heb fod isio clywed yr ateb mewn gwirionedd.

'Trin Non fel'na. Ei gada'l hi yma heb air.'

'Ac ers pryd wyt ti'n poeni am Non, Tim?'

Edrychodd Tim arni eto, cyn gwthio heibio iddi hi a Guto ac i'w stafell wely.

Dim ond Ben oedd yn y gegin pan gyrhaeddodd Cadi. Roedd o'n eistedd yn llipa yn y gadair fawr gyfforddus yn syllu ar y llawr. Cododd ei ben wrth glywed Cadi'n dŵad i mewn ac yna edrych i lawr eto. Edrychodd Cadi'n frysiog o gwmpas y gegin, yn disgwyl gweld arwydd o ffrwgwd. Roedd 'na blatiad o fwyd wedi hanner 'i fwyta ar y bwrdd; tamed o *baguette* a lwmpyn o gaws a salad. Roedd y pryfaid eisoes yn hofran uwchben y plât. Fel arall, roedd popeth yn normal.

'Sori, Ben!' meddai, gan sylweddoli'i fod o wirioneddol wedi cael ei frifo gan ei chlustan. Fentrodd hi ddim mynd ato chwaith. 'Sori, sori, bach,' meddai eto.

Edrychodd Ben i fyny arni, a gwenu'n wan.

'Ma'r tŷ 'ma'n gyrru pawb o'i go'. Yn nyts,' meddai gan estyn ei freichiau allan i gymryd Guto. 'Pawb ond chdi, 'de boi? Dannadd, Gut? Yr hen ddannadd 'na eto?'

Gafaelodd y bychan ym mawd Ben a dechrau'i gnoi yn daer. Teimlodd Cadi ruthr o gariad at Ben, ond ddudodd hi'm byd. Falla ei fod o'n iawn. Falla eu bod nhw i gyd yn mynd o'u coeau'n ara deg yn y lle 'ma.

'Ma' Gareth yn ôl,' meddai Ben, heb dynnu'i lygaid oddi ar Guto.

'Glywis i. Welis i Tim.'

'Mi a'th o'i go'.'

'Lle mae Gareth rŵan?'

''Di mynd allan i'r ardd efo Non. Honno 'di madda pob

dim.' Roedd yn anodd dirnad a oedd Ben yn cyd-weld ai peidio.

'Do? Gwell felly, 'dydi? Madda . . . ' Gwasgodd Cadi ysgwydd Ben wrth ei basio ar ei ffordd allan. Wnaeth o ddim ymgais i gydnabod ei chyffyrddiad.

Daeth ar draws Gareth a Non yn yr ardd. Roedd y glaw wedi cilio mor sydyn ag y daethai ac ambell lygedyn o haul yn mynnu gwthio drwodd. Trodd y ddau wrth iddyn nhw glywed sŵn traed Cadi, a sylwodd hithau fod Non wedi gafael yn dynnach ym mraich Gareth wrth droi.

'Braf ca'l chdi'n ôl, Gareth!' meddai Cadi, gan drio'i gorau i swnio'n hwyliog, fel tasa Gareth 'di gorfod gadael am reswm dilys. A falla ei fod o'n un o'r rhesymau mwya dilys yn y byd!

'Sori bo' ti 'di gorffod cario'r siopa 'nôl dy hunan o'r farchnad!' meddai Gareth, a hanner gwenu arni. Sylwodd fod Non yn edrych ar y ddau yn anghyfforddus. Tybed oedd hi'n teimlo fod Cadi wedi dwyn y 'sori' oedd yn perthyn iddi hi? Doedd o ddim yn air i'w rannu'n ddifeddwl.

'Non, fyddet ti'n galler nôl glased o win ne' rwbeth i fi? Wy bron tagu,' meddai Gareth.

'Ella basa Cadi . . . ?' dechreuodd Non, a gwelodd Cadi rywbeth tebyg i banig yn ei llygaid wrth feddwl gorfod gadael ymyl Gareth. Greaduras.

'Well 'mi beidio mynd 'nôl fewn neu mi fydd Guto'n swnian isio dŵad allan ata i eto. Mae o'n *clingy* ofnadwy efo'r miri dannadd 'ma,' meddai Cadi'n gelwyddog. "Sa chdi'n medru mynd mewn ac allan yn dipyn cynt na fi. 'Sa ni'm yn licio gweld Gareth 'ma'n llewygu efo sychad, na fasan?'

Edrychodd Non o un i'r llall, cyn nodio'i phen a diflannu 'nôl i mewn i'r ty, ond ddim heb roi sws ar wefusau Gareth cyn mynd.

Safodd y ddau yn ymyl ei gilydd wrth y ffens am rai eiliadau yn edrych allan ar y caeau blodyn haul.

"Drych golwg ryfedd sydd ar y blodau haul ar ôl iddyn nhw fynd yn hen, Cad . . . ' meddai, a'i lais yn feddal. Edrychodd Cadi hefyd ar yr wyneb mawr llwyd y tu mewn i'r dail crin brown, yn plygu'i ben fel tasa fo wedi gweld digon o haul am un oes. Roedd y peth yn affwysol o drist rywsut, a'r ffaith ei fod ynghanol y blodau haul ifanc, iach oedd yn ei neud felly. Roedd y rheiny'n gwthio ac yn straenio am y gorau i gyrraedd pelydrau'r haul.

'Lle est ti?' gofynnodd Cadi heb edrych arno.

'O's ots ble?' Nag oedd. Doedd dim ots, nag oedd? Doedd dim rhaid dod o hyd i'r darnau coll yn jig-sô rhywun arall.

'Doedd o'm yn deg, Gareth.' Roedd yn rhaid iddi gael deud be oedd hi'n ei deimlo. 'Be 'nest ti. Ddim yn deg o gwbwl.'

'Ie, wel, pwy wedodd erio'd bo' bywyd i fod yn blydi teg, gwed!' meddai gan ddechrau tynnu ar damed o welltyn go hir oedd yn tyfu wrth y ffens. Roedd ei wallt yn disgyn dros ei lygaid, yn ffens arall.

'Pam ddest ti'n ôl, 'ta? Ga i ofyn hynna?' Trodd Cadi wrth glywed sŵn siffrwd traed ar draws y glaswellt crin. Roedd Non yn ei hôl yn cario dau wydriad mawr o win, ac yn crychu'i thalcen wrth ganolbwyntio ar beidio colli'r un dropyn, fel tasa'i bywyd hi'n dibynnu arno fo.

'Coch yn iawn? Ma' 'na wyn 'na 'fyd ond dio'm 'di oeri. Dda gin ti mo win gwyn cynnas, nag ydi, Gar?' meddai gan estyn y gwydriad i Gareth yn gynta ac wedyn i Cadi. Cusanodd Gareth Non yn angerddol ar ei gwefusau a thaflu golwg ar Cadi ar ôl gneud, gystal â deud mai dyna oedd ei hateb hi.

Closiodd Non yn nes byth ato, a'i llygaid yn pefrio. 'Be wnawn ni heno?' meddai wedyn. 'Ca'l parti?'

'Parti?' meddai Cadi mewn syndod.

'Pam ddim? 'Ŵan bo' ni i gyd 'nôl efo'n gilydd, 'de? 'Dan ni'm 'di ca'l un iawn ers cyrra'dd, naddo?'

'Dwn i'm,' meddai Cadi. Edrychodd ar Non a cheisio gweld rhyw arlliw o goegni yn ei llais, ond ddaeth 'na ddim byd i'r golwg. Roedd hi'n chwerthin ac yn sionc ac yn byhafio fel tasa Gareth jest 'di gorfod ymuno'n hwyr efo nhw. Sylwodd ar y llinell *kohl* wedi smyjio dan ei llygaid, y lipstic yn llawer rhy goch i bnawn cymylog bregus.

'Y peth ydi . . . ' meddai Non wedyn, ac wrth iddi daflu un fraich i ddechrau ehangu ar beth oedd ganddi i'w ddeud, aeth gwydryn Gareth i'r awyr a gneud *pirouette* bach cyn glanio'n ddeiamwntau wrth ei draed. Ond nid cyn tywallt y gwin i gyd dros fronnau Non nes bod ei chroen noeth yn sgleinio a'r top tyn amdani'n socian.

'Non!' Cyhuddgar oedd o, nid cydymdeimladol. 'Beth yffach . . . !'

Llanwodd llygaid Non efo dagrau. Roedd ei llais yn grynedig, a'i dwylo hefyd yn ysgwyd.

'Sori . . . sori, Gareth. Neith o'm . . . neith o'm drwg . . . neith o'm gada'l staen. Yli, mi a' i i newid a nôl glasiad arall i chdi, 'li. Os na . . . ' Taflodd olwg nerfus gellweirus ar Cadi a'i gneud yn berffaith glir i Cadi ei bod yn gwybod yn iawn ei bod hi yno, ac yn gwrando. 'Os na lici di lyfu fi'n lân fesul modfadd, 'de?' meddai yng nghlust Gareth.

Edrychodd hwnnw ar ei draed a symud ei bwysau o un droed i'r llall yn anghyfforddus. Edrychodd Cadi allan ar y cae blodau haul.

'Cer i'r tŷ i newid, ife?' meddai'n dawel. Doedd dim osgoi'r min yn ei lais.

Diflannodd Non 'nôl i'r tŷ eto, ond ddim cyn taflu hanner gwên hunanfoddhaus ar Cadi cyn mynd.

'Sori!' meddai Gareth wedi iddi fynd. 'Ma' ddi fel gast yn cwna 'ddar i fi ddod yn ôl. Ffaelu . . . gneud digon drosta i.'

'Gast yn cwna!'

'Ma'n wir!'

'Am ffordd i ddisgrifio dy wraig!'

'Smo hi'n wraig i fi, odi hi? Ddim ar y funed. Mwy fel . . . '
Doedd dim rhaid iddo ddeud 'hwran', ond roedd yn amlwg
mai dyna oedd o'n feddwl. Taflodd Cadi olwg brysiog at y tŷ.
Doedd dim golwg o Ben na neb yn y ffenest.

'Ma' hi'n fregus, Gareth. Ma' hi'n colli arni'i hun.'

'Fydd hi'n iawn.' Roedd yr oerni yn ei lais yn gyrru ias i
lawr cefn Cadi.

'Ma' hi 'di gwrthod dŵad efo ni i lefydd, meddwl 'i bod
hi'n gweld petha . . . '

'Gweld pethe? Fel beth?'

Gallai Cadi glywed pryfaid yn cynnal seiat yn y mieri.
Fedrai hi ddim deud wrtha fo fod Non wedi honni iddi weld
Esyllt! Os oedd Non yn penderfynu deud, wel rhyngddi hi a'i
phethau. Pa iws oedd o i Cadi ailadrodd straeon hurt hogan
fatha Non?

'Gweld beth?' gofynnodd Gareth eto.

'Jest . . . meddwl fod 'na rywun yn sbio arnan ni, 'na'r
cwbwl. Rhywun yn edrach arnan ni o bell. Yn La
Rochelle . . . ' Doedd hi ddim wedi disgwyl yr hanner gwên
gan Gareth. Ddudodd o ddim byd, dim ond hanner gwenu.
'Be ti 'di neud iddi, Gareth, e? Be ma'r tri ohonan ni 'di neud
iddi hi?'

'Fydd hi'n iawn o hyn mla'n,' meddai Gareth, a thynnu'i
ffrinj o'i lygaid fel ei fod yn gallu edrych ar Cadi'n iawn am
y tro cynta. 'Setlo. Dechre teulu. Fyddwn ni'n iawn.' A
cherddodd oddi wrthi yn ôl tuag at ddrws y gegin.

Edrychodd Cadi arno'n mynd, yna aeth ar ei chwrcwd a
dechrau pentyrru'r darnau o wydr oedd wedi'u hau hyd y
glaswellt yng nghwpan ei llaw.

Pennod 26

Tim

Mae'r hogan â'r gwallt cyrliog coch yn edrych yn syth ar Tim ac yn chwerthin yn ôl arno. Mae Tim yn gwybod bod yr Undeb yn llawn dop o fwg a sŵn a chwerthin a chega. Ond mae pob dim wedi pylu, fel tasa fo'n gefndir i hyn, iddo fo a hi yn sbio ar ei gilydd yn swil, ac yn chwerthin. Mae'n llyncu'i boer ac yn mynd draw at ei bwrdd. Mae hi ar ei phen ei hun, wrth lwc. Ei ffrindiau wedi mynd i'r lle chwech neu at y bar.

'Seidar a blac?' medda fo a gafledu ar y stôl dros y ffordd iddi. 'Clasi!'

'Jest iawn cystal â Blue Moon!' meddai hithau, gan amneidio at y gwydriad o ddiod lliw pwll nofio o'i flaen. 'Sgin ti bwdl bach dan y bwrdd i fynd efo fo a phob dim?' meddai hi, yn gellwair i gyd.

'Gin i anifail o fath dan y bwrdd, 'de!' meddai yntau, ac mae'i llygaid hi'n esgus chwyddo mewn braw. Mae o'n edrych ar lesni'i llygaid hi ac yn meddwl tybed oedd rhywun wedi dwyn pob llygad glas arall yn y byd, jest er mwyn creu'r llygaid glas yma. Dydi o'm yn meiddio deud dim byd mor hurt wrthi, wrth gwrs. Mae o'n methu coelio fod y ffasiwn linell gawslyd wedi dŵad i'w ben o gwbwl! Ond efo hi yma o'i flaen . . .

Mae hi'n toddi'n hawdd i mewn i'r criw ac eto, rŵan ei fod o'n dechrau sbio arni a siarad efo hi, mae o'n sylweddoli ei bod hi'n unigryw, ac yn methu dallt pam na welodd o hynny ynghynt. Mae o'n codi'i sgwyddau ac yn gwenu, gan estyn am lowciad arall i orffen ei ddiod. Mae'n gweld sut mae'r byd yn

*rhyfedd i gyd drwy waelod gwydr. Ac mae o'n gwybod na fydd
dim byd cweit 'run fath byth eto.*

*Mae bod mewn cariad fatha bod yn feddw, meddai rhywun
wrtho fo ryw dro; ti'm yn gwybod bo' chdi yn y stad honno tan
ti'n trio codi a ffendio bo' chdi'm yn medru sefyll ar dy draed
dy hun. Mae o'n gwybod, o sbio arni, ei fod o'n chwil ulw, er
mai dim ond un glasiad o'r Blue Moon mae o wedi'i yfed.*

'Tim? Tim!' Agorodd Tim ei lygaid led y pen o'u trwmgwsg a
sbio'n hurt ar y person oedd yn sefyll uwch ei ben.

'Be . . . ti'n . . . ?' ffwndrodd.

'Roeddach chdi'n gweiddi,' meddai'r ffigwr. 'Roedd Cadi'n
meddwl 'wrach fod 'na rwbath yn matar.'

Sbiodd Tim yn hurt arno. Rwbath yn matar? Ac yntau
mewn stafell lawn mwg ac ogla cwrw, yn edrych ar yr hogan
ddela . . . Edrychodd yn reddfol ar yr ochor arall i'r gwely.
Doedd gwacter cynfas wen ddi-grych byth yn colli'i effaith
arno.

Edrychodd yn ôl ar Ben a gweld fod hwnnw wedi sylwi
arno fo'n gneud hynny.

'Faint o'r gloch 'di?' gofynnodd, gan eistedd i fyny yn y
gwely a cheisio cuddio'r codiad oedd fel pyped ysbryd dan y
gynfas. Rhwbiodd ei lygaid.

'Deg.'

'Y nos?'

'Y bora, y clown!' meddai Ben. 'Pryd est ti i dy wely cyn
hannar nos rioed?'

'Jest am bo' chdi'n *boring*!'

'Jest am bo' chdi'm yn cofio bo' chdi'n mynd yn hŷn!'
Roedd Ben yn medru gneud y llais piwis yn well na neb
roedd Tim yn 'i nabod.

'O, *sod off*, Ben, nei di?'

Roedd normalrwydd yn ei ôl ac aeth Ben i ffwrdd yn flin i

gyd. Gorweddodd Tim yn ôl ar y gobennydd ac edrych o gwmpas y stafell. Pan ddaeth i fyny'r grisiau ar ôl gweld Gareth yn llanc i gyd yn y gegin bnawn ddoe, roedd o wedi cael braw arall. Wrth gamu i mewn i'r llofft, roedd o wedi gweld ffrog felen oedd yn perthyn i Esyllt yn crogi'n dawel y tu allan i'r wardrob. Roedd o'n hollol bendant nad oedd dim dilledyn o fath yn y byd yno pan adawodd y stafell ddiwetha.

Eiliad wirion, eiliad hurt o feddwl fod Esyllt 'di picio allan i'r stafell molchi ac yn barod i gamu i mewn i'r ffrog pan fyddai'n dod yn ôl. Eiliad. Doedd 'na'm rhyw ddarn o farddoniaeth oedd yn honni *'Death is nothing at all'*, 'i fod o fatha symud o un stafell i'r llall? Blydi rybish, meddyliodd Tim, er bod Esyllt wedi licio'r gymhariaeth ar y pryd.

'Byhafia di dy hun . . . Fydda i byth yn bell iawn, Timmy boi!' Ond doedd colli rhywun ddim fel cerdded i stafell arall, siŵr dduw. Sut oedd hynny i. fod i gyfleu'r hiraeth fatha taflyd i fyny oedd yn eich meddiannu chi bob eiliad, ynghwsg neu'n effro? Sut oedd hynny i fod yn debyg i'r sylweddoliad trwm yna yng ngwaelod eich bol na fasach chi byth, byth, byth yn gweld y person yna eto? Mi fyddai wedi bod yn fodlon disgwyl ugain, deugain, hanner can mlynedd, i gael ei gweld hi eto am bum munud.

Roedd 'na ryw ddiawl wedi gafael yn ffrog Esyllt ac wedi'i hongian hi'r tu allan i'r wardrob. Dyna'r unig esboniad. Ond pwy fasa mor hy, mor frwnt â gneud ffasiwn beth? Non, ma' siŵr. Honno oedd y debyca. Os nad yn frwnt, roedd honno'n ddigon hurt. Beth bynnag oedd hi'n feddwl oedd hi'n neud yn trio aflonyddu arno fo, doedd o'm yn mynd i weithio!

Mi fyddai'n rhoi unrhyw beth rŵan i feddwl mai rhan o'r freuddwyd oedd Gareth hefyd. Ac eto, rŵan ei fod o'n ôl, roedd 'na reswm dros eu cael nhw i gyd yma.

Estynnodd am y ffôn symudol ar y bwrdd bach wrth ochor y gwely. Mi ddyliai rhif ffôn swyddfa Emyr fod ynddo yn rhywle, meddyliodd, a sgrolio i lawr nes dod o hyd iddo. Faint o'r gloch oedd hi? Chydig wedi deg, wedyn yng Nghymru fe fyddai'n . . . naw. Fe fyddai'r swyddfa wedi agor y bleinds, a'r ygrifenyddesau'n brysur yn agor a didoli'r post i'r partneriaid. Perffaith. Galwad fach glên i Emma, gan siarad Saesneg efo'r hulpan os oedd raid. Nid heddiw oedd y diwrnod i'w thynnu hi i'w ben. Fe fyddai'n deud wrthi am daro'r amlen yn y post heddiw. Pan fyddai'n cyrraedd, fe fyddai gan Tim wedyn y gallu i gynnal y cyfarfod yn y Maison pan fyddai'n ei siwtio fo. Doedd o ddim yn trystio 'Emmy', fel roedd Emyr yn ei galw, i gofio postio'r pecyn fory neu drennydd.

Roedd y ffôn wedi bod yn canu am rai munudau cyn iddo gael ei ateb. Dychmygodd Tim griw bach o genod wedi clystyru o gwmpas y tecell yn hel clecs.

'*Rogers and Roberts Solicitors. Emma speaking*, Emma yn siarad,' meddai tôn llais fyddai wedi bod yn gartrefol iawn yn yr Home Counties.

'Tim Mathews yma. Ma' Emyr Roberts yn gyfreith . . . '

'Sori, Mr Roberts dim yma.'

'Na, dwi'n dallt hynna,' meddai Tim.

'Gwylia. Dim yma am dau wythnos.'

'Wn i.'

Cafwyd saib ar y ffôn, a gallai Tim weld Emma'n tynnu wyneb neu'n gneud ll'gada ar un o'r genod eraill. Nytar ar y lein, pawb!

'Dach chi'n siŵr o fod yn meddwl pam dwi'n ffonio os dwi'n gwbod nad ydi Emyr yna,' meddai Tim yn gloff, gan deimlo'i hun yn tyfu i fod yn fwy o nytar ar y lein gyda phob ynganiad. Saib arall, gydag Emma'n rhy boléit i gyfadde wrtho'i fod yn peri penbleth iddi. Roedd 'i Chymraeg hi'n dda, chwara teg – wedi gwella'n arw. Ond Saesneg oedd y seibiannau!

'Y peth ydi, mae 'na becyn ma' Emyr 'di 'i gadw ar un ochor.'

'Pecyn?' meddai Emma gan ei ynganu fel 'Peking'.

'Ia, amlen. Enfilop.'

'Dwi'n gwbod be ydi amlen!' meddai Emma'n dalog. Prysurodd Tim yn ei flaen rhag ofn ei fod wedi'i phechu.

'Ac mi ddudodd Emyr y basach chi cystal â gyrru'r enfi . . . amlen i mi yn Ffrainc lle rydw i rŵan.'

'Ti'n byw yn Ffrainc?'

'Nacdw. Dwi'm yn byw yn Ff . . . Ond dwi yma rŵan. Am wythnos.'

Saib arall.

'Ond ti'n dŵad adra mewn wythnos.'

'Yndw.'

'Ti isio fi yrru amlen i ti adre?'

'Nacdw, i Ffrainc. Ma' Emyr 'di taro'r cyfeiriad ar yr amlen i fod. Maison du Soleil, Courçon, ardal Poitou-Charentes . . . '

'Un munud.' Bloeddiodd miwsig Vivaldi i'r pedwar tymor yng nghlust Tim. Am eiliad fe'i synnwyd fod practus bach henffasiwn Rogers and Roberts wedi mentro cynnig rhywbeth mor fodern â *musak* i ddifyrru'r galwr. Chadwodd Emma mohono'n hir ond roedd yn ddigon hir i'w edmygedd bylu.

'Does 'na'm amlen efo enw Maison arno fo yn fan'ma,' meddai Emma'n bendant, fel petai hi newydd dreulio'r eiliadau diwetha yn mynd drwy domen o amlenni i bob man yn Ffrainc ond y Maison du Soleil.

'Ond ma' raid 'i bod hi yna! Mi ddudodd Emyr y basa fo'n 'i gadael hi allan yn rwla amlwg i chi 'i gweld hi a'i gyrru ar y dyddiad arbennig oeddan ni wedi cytuno . . . '

'Dim *peking*. Dim amlen. Dim enfilop,' meddai Emma'n bendant.

Cyfrodd Tim i dri yn ara yn ei ben. Doedd dim diben colli'i

limpyn efo'r greaduras. Galwad i Emyr ac mi fyddai pob dim wedi'i setlo.

'Ga i rif ffôn Emyr 'ta, plis? Mi sortia i hyn allan.'

'Emyr ar ei wyliau.'

'Yndi, dwi'n gwbod,' meddai Tim gan drio'i orau i fod yn bwyllog. 'Ond os nad ydi o 'di mynd ar ei wylia ar y lleuad, mi fentra i fod gan ei fobeil o signal o ryw fath neu'i gilydd.'

'Dwi'm yn cael rhoi rhif ffôn Emyr i gleients pan mae o ar ei wylia. Sori.'

'Ond dwi'n ffrind . . . Dwi'n ffrind i Emyr. Roedd y ddau ohonan ni yn yr ysgol efo'n gilydd. Roeddan ni'n . . . mi ydan ni'n fêts. Plis.'

'Os ti'n ffrind i Emyr, ella bod gen ti rhif ffôn o?' meddai Emma'n oeraidd. Doedd hon ddim yn hurt, hyd yn oed os oedd hi'n swyddoglyd.

'Nag oes.' Doedd o rioed wedi bod angen ei ffonio fo ar ei fobeil o'r blaen, nag oedd? Rioed 'di bod angen siarad efo Emyr bach tu allan i oriau defnyddioldeb. 'Ffrind' naw tan bump oedd o.

'Alla i ddim helpu mwy, sori. Bore da!' meddai Emma, a rhoi'r ffôn i lawr.

Pennod 27

Cadi

Roedd Cadi wedi synnu fod Tim wedi cytuno mor handi i syniad Non am barti.

Diwrnod y Bastille neu beidio, roedd dathlu ymhell o fod ar agenda neb ohonyn nhw. Roedd hi'n wir ei fod yn arferiad ganddyn nhw neud rhywbeth yn y Maison os oeddan nhw o gwmpas ar y diwrnod yma o ddathlu cenedlaethol yn Ffrainc. Nid gŵyl i'w dathlu ar eich aelwyd eich hun oedd hon fel arfer, ond esgus am *fête* yn sgwâr pob pentre neu dre. Roedd arddangosfa *son et lumière*, tân gwyllt, yn rhan o'r dathlu yn y trefi mwya, a theulu a ffrindiau'n cymryd y cyfle i gyd-lawenhau dan liwiau'r faner *tricolore*, oedd i'w gweld ar bob postyn ac ym mhob ffenest.

Doedd eu criw nhw rioed wedi mynd i unrhyw ddathliad cyhoeddus. Nid fod neb wedi eistedd i lawr a thrafod hynny a phenderfynu peidio. Ond y teimlad gan bawb oedd y byddai bron fel ymyrryd ym marti rhywun arall heb wahoddiad. Dathliad Ffrengig oedd hwn, a doedd eu statws fel dieithriaid, fel *étrangers*, byth yn fwy amlwg nag ar ddiwrnod y Bastille. Fe fyddai Esyllt wedi bod yn ddigon cartrefol ynghanol y parti yn y pentre, ond roedd hi'n ddigon hapus i aros efo'r lleill hefyd, a chael parti yn yr ardd. Fe fyddai tân gwyllt y pentre i'w weld yn glir o'r Maison, beth bynnag.

Parti bach yn y Maison fyddai'r drefn, felly, bob Gorffennaf 14eg, efo Tim yng ngofal y pryd bwyd, a Ben yn siŵr o roi sbîl hanner meddw i bawb ar bwysigrwydd symbolaidd yr ymosodiad ar garchar y Bastille. Roedd Cadi wedi hen roi heibio trio'i gael o i gau'i geg.

Ond doedd mo'r un blas ar y dathlu 'leni.

Roedd Non wedi hefru mlaen ac ymlaen dros amser brecwast. Penderfynodd y criw fynd i un o'r traethau ar yr Île d'Oléron oddi ar La Rochelle, er mwyn cyflawni traddodiad arall. Roedd Guto wedi gwirioni efo'r tywod yn fwy nag efo'r tonnau, ac roedd Cadi wedi gorfod llnau'i lygaid efo dŵr cynnes ar wlân cotwm ar ôl dŵad adra rhag ofn i'r tywod gymysgu efo hylif y llygad i greu haenen o sment erbyn y bora. Doedd Cadi byth wedi anghofio'r tro hwnnw ar ôl oriau ar y twyni tywod yn Berffro, pan gafodd ei llygaid hithau eu selio i'r byd. Bu'n ddall am hanner awr gyfan cyn i'w Mam eu rhyddhau'n dyner gyda'i gwlân cotwm gwlyb.

Trwy hyn i gyd, yr un oedd cân Non, fod yn rhaid iddyn nhw gael y parti fel arfer. Roedd hi wedi gweld cyfle lle nad oedd cyfle i godi'r mater efo pawb, wedi amlinellu pa fwydydd fasan nhw'n medru eu cael, pa win, pa fiwsig hyd yn oed, gan fod ganddi gasgliad go dda o stwff cerddorol efo hi yn ei chês. Stwff ffynci ond hawdd gwrando arno fo fel Suzanne Vega, Gwyneth Glyn a Dido. Dim James Blunt na neb fyddai'n rhy brudd, ond neb bopi, gwirion fyddai'n gneud i griw yn eu tridegau canolig fel nhw deimlo fel has-bîns go iawn.

Roedd Cadi wedi bod yn ddrwgdybus o'r dechrau. Doedd yna ddim hwyliau dathlu ar neb, a doedd dychweliad Gareth ddim fel 'tai wedi dŵad â rhyw lawenydd mawr i neb heblaw Non, oedd yn dal i ymddwyn fel hogan bymtheg oed efo'i chariad cynta.

Ond y peth rhyfedda oedd fod Tim wedi cynhesu at y syniad. Roedd o wedi bod yn dawedog iawn i ddechrau, wedi diflannu ar ei ben ei hun i lawr i'r traeth ar ôl y picnic, a'i ddwylo wedi'u plannu'n ddyfn ym mhocedi'i siorts hir, ei ben wedi'i sodro yn edrych i lawr ar ei draed.

'Falla bod y parti ddim yn un o syniada gora Non, dan yr amgylchiada . . . ' oedd Ben wedi'i ddeud wrth edrych ar gefn Tim yn ymbellhau.

Roedd Non a Gareth wedi mynd i chwilio am hufen iâ at y caban bach pîn ar ymyl y maes parcio, ond roedd yr amser roeddan nhw'n ei gymryd yn awgrymu nad hufen iâ yn unig oeddan nhw'n ei fwynhau! Roedd ymddygiad 'gast yn cwna' Non yn dechrau mynd yn embaras i bawb ohonyn nhw, nid yn unig i Gareth. Falla mai mynd o'r golwg oedd y syniad calla iddyn nhw.

Ond doedd Tim ddim yr un boi wedi iddo fo ddŵad yn ôl. Roedd o'n wên o glust i glust fel tasa rhyw bwysau mawr wedi cael eu codi oddi ar ei sgwyddau.

'Dwi 'di bod yn meddwl. Am be ddudodd Non,' meddai. 'Gawn ni barti Bastille. Neith les i bawb. Jest y peth.' Roedd o'n ymddangos i Cadi fel tasa fo'n deud y geiriau'n hollol ddiffuant. Ac o edrych allan ar yr ardd cyn i'r parti ddechrau go iawn, allai Cadi chwaith ddim peidio teimlo'n falch fod Non wedi gwthio'r cwch i'r dŵr a threfnu'r holl beth. Roedd hi wedi bod wrthi'n ddygn drwy'r pnawn yn gneud lanternau papur coch, gwyn a glas i'w hongian ar ddwy goeden yn yr ardd, ac roedd eu siglo tawel yn creu awyrgylch hamddenol, braf, oedd yn ei gneud yn haws iddyn nhw esgus eu bod nhw'n cael hwyl.

'Ti'n licio fo, Cadi?' gofynnodd Non, a'i llygaid fel sêr. Roedd hi wedi sylwi arni'n syllu ac wedi dŵad ar draws y glaswellt ati hi. Sylwodd Cadi fel roedd y chwys fel gwlith ar ei chroen a'r masgara wedi duo'n fwy nag arfer o gwmpas ei llygaid. Cymerodd Non slochiad mawr o'i gwydriad gwin wrth ddisgwyl am ateb. Roedd hi wedi dechrau yfed amser cinio, ac wedi cadw'i gwydryn yn wlyb ers hynny. Doedd gan Cadi mo'r awydd i ddeud wrthi am arafu.

'Ti 'di gneud joban wych, Non,' meddai'n famol, a gwenodd Non a nodio'i phen. Roedd golwg ryfeddol o hapus arni. Rhyfeddol.

'Gawn ni ddathliad go iawn, 'de Cad?' meddai Non. 'Y gora rioed 'li.'

Gwenodd Cadi, heb fentro deud dim. Gwyddai y byddai crac yn ei llais.

Edrychodd y ddwy allan ar y caeau gwastad o'u cwmpas. Roedd Ben a Guto wrthi'n trio dal pilipala yn y rhwyd bysgota fach dila roedd Ben wedi'i phrynu iddo yn Rochefort y llynedd. Clywai lais Ben yn deud:

'Na, na, Guto, pry genwair 'di hwnna. 'Dan ni'm isio dal pry genwair, nag oes?' Gallai Cadi glywed tinc ddifynedd yn dechrau amlygu'i hun o dan ei eiriau. Doedd dim cloch ysgol i ryddhau rhiant o'i ddyletswyddau, meddyliodd Cadi, a doedd Ben ddim wedi arfer eto efo'r oriau di-ben-draw o ddifyrru. Trodd ar ei sawdl tra oedd ganddi gyfle, a mynd i mewn i'r tŷ.

Roedd y gegin yn gynnes ac yn stêm i gyd pan gerddodd i mewn. Tim oedd wedi mynnu mai fo oedd y *chef* eto. Doedd neb wedi gwrthwynebu, wrth gwrs. Sylwodd o ddim arni hi i ddechrau yn y sŵn ffrio a'r berwi. Edrychodd Cadi arno'n syllu'n bell i fewn i'r sosban, a'i dalcen wedi crychu.

'Ogla da 'ma!' meddai, a throdd Tim ati'n syth a gwenu. Roedd hynna'n rhyddhad. Byth ers iddyn nhw gael y peth agosa at ffrae ar y grisiau y pnawn y daeth Gareth yn ôl, roedd Cadi wedi poeni fod Tim yn osgoi bod yn ei chwmni. Roedd o wedi bod â'i ben yn ei blu yn gyffredinol ers hynny; yn diflannu i'r pentre heb fawr o esboniad a rhyw olwg pell arno fo bob gafael, fel tasa ganddo fo ribidirês o bethau ar ei feddwl. Ond allai Cadi ddim llai na theimlo'i fod o'n ei hosgoi hi'n arbennig. Ac arni hi fyddai'r bai am hynny.

Fedrai hi ddim coelio'i bod wedi deud falla mai Gareth fyddai'n etifeddu'r Maison. Be oedd haru hi? Roedd hi wedi dod mor agos at ddatgelu'r cwbwl. Y peth ola roedd hi isio'i neud oedd ei frifo fo. Doedd ganddi ddim hawl i neud hynny iddo fo os oedd Esyllt wedi llwyddo i beidio.

"Sa rwbath fedra i' neud?' gofynnodd.

'Ti'n neud o, dwi'n meddwl,' meddai Tim a gwenu arni. Syllodd y ddau i mewn i'r badell ffrio fel tasan nhw'n rhythu i mewn i grochan hud. 'Cig oen . . . ' meddai Tim. 'Roedd gan Vincent amsar i neud y *carré* 'ma wrth lwc.'

'*Carré*?'

'Tamad gora'r gwddw. Mae o'n ei dorri'n wyth *cutlet* bach ond yn dal yn ôl rhag eu gwahanu fel bod y cig yn un darn o hyd. Ti isio gweld?' Nodiodd Cadi'i phen ac agorodd Tim y popty iddi. Roedd yr ogla'n fendigedig, a pharsel bach o gig wedi'i glymu'n gelfydd ac yn poeri a brownio'n hyfryd yn y gwres.

'Dwi am neud stoc allan o win coch a dipyn o'r garlleg oedd ganddon ni ar ôl,' meddai Tim. 'Fedra i ddefnyddio hwnnw wedyn dros y cig i roi blas. Ma' ffa gwyn yn mynd yn dda efo hwn, medda Vincent. Cofia, dwn i'm ai deud hynna achos fod gan ei gyfnither o rai dros ben yn y siop oedd o, 'ta be!' meddai wedyn.

Roedd Cadi wedi cyfarfod â Vincent sawl tro, ac roedd o wedi'i tharo hi fel hen foi diffuant fyddai byth yn honni rhywbeth am resymau hunanol. Ond falla fod Tim yn medru dadansoddi'i gymeriad yn well gan fod ganddo well crap ar Ffrangeg na hi. Pa mor dda oedd yn rhaid deall iaith i nabod person, tybed?

'Mi a' i 'nôl at y criw, 'ta,' meddai.

'Paid!' meddai Tim. 'Falla fydda i angan help yn y munud. Ac mi gei di gadw cwmni i mi tan hynny.'

Cytunodd Cadi drwy lusgo un o'r cadeiriau oddi wrth y bwrdd, ac eistedd arni. Roedd hi'n braf cael dengid am chydig. Doedd hi ddim yn gneud hyn yn ddigon amal, yn enwedig ers cael Guto. Roedd fel tasa hi'n teimlo bod yn rhaid i bob tamed o'i diwrnod hi fod yn gneud rhywbeth er lles rhywun neu er mwyn dod i ben hefo dyletswyddau, ac roedd hi hefyd fel tasa hi'n llenwi pob congl o'i phen fel nad oedd 'na le i unrhyw beth heblaw pethau ymarferol ynddo fo. Dim lle i deimladau. Dim lle i ffrog felen a'r awgrym lleia o sent.

Edrychodd ar Tim, ac roedd hwnnw hefyd i'w weld ymhell, yn troi'r llwy bren yn ara, fel 'tai o'n troi rhyw gymysgedd hud a lledrith, yn cynllwynio . . . Roedd yn hawdd gweld be oedd Esyllt wedi'i weld ynddo fo. Doedd o ddim yn ymffrostgar o athletaidd na dim byd felly, ond roedd o'n amlwg yn ffit yn naturiol, a doedd 'na'm bloneg ar gyfyl ei fol o fel oedd 'na gan sawl dyn yn ei dridegau. Syrthiai cudyn o wallt tywyll dros ei dalcen, a sylwodd Cadi am y tro cynta fod 'na ambell flewyn gwyn yn swatio yn y gwallt o gwmpas ei glust. Welai Esyllt byth mohono'n britho. Fe fyddai'n aros yn hogyn tal, gwallt tywyll, iddi hi am byth. Fel y byddai hithau'n aros yn hogan ifanc bengoch iddo fo, i Gareth, iddi hi . . . i bawb.

'Ma'r gwylia 'ma'n dŵad i ben yn sydyn 'fyd, Tim.'

'Yndyn, yn diwadd.' Doedd dim rhaid i'r un ohonyn nhw ddeud beth oedd yn eu meddyliau, fod y pythefnos wedi edrych yn andros o hir ar y dechrau. Sylwodd fod Tim yn brathu'i wefus isa, fel petai rhywbeth amgenach na throi cynnwys y badell ffrio ar ei feddwl.

'Ma' Non 'di mynd i draffarth, chwara teg iddi,' meddai Cadi. 'Roedd hi'n benderfynol o ddathlu eto 'leni.'

'Dathlu . . . ' meddai Tim, ond doedd 'na'm emosiwn o fath yn y byd yn sownd wrth y gair.

'Wel, ddim dathlu, wsti, ond . . . ' mwmiodd Cadi, cyn rhoi'r gorau iddi. Llanwyd yr aer efo sŵn ffrwtian. 'Ma' hi'n falch o'i ga'l o'n ôl, Tim,' meddai wedyn. 'Sgynnon ni ddim hawl i wadu hynny iddi.'

'Pwy ddiawl mae o'n feddwl ydi o?' meddai Tim, bron iawn fel 'tai o heb ei chlywed. 'Cael croeso mawr yn ôl? Fel 'sa fo 'di bod ar ryw grwsâd! Dwi'n gwbod taswn i 'di gadael Esyllt fel'na . . . ' Stopiodd siarad am ennyd. Aeth ei henw hi'n gymysg efo sŵn y ffrio a'r hisian. 'Wel,' meddai'n dawelach, 'dwi'm yn meddwl ma' parti 'sŵn i'n gael, dduda i hynna!'

'Roedd ganddo fo'i . . . ' mentrodd Cadi ond torrodd Tim ar ei thraws.

' . . . resyma? Dyna oeddach chdi'n mynd i' ddeud?' Roedd o wedi troi oddi wrth yr hob ac wedi hoelio'i sylw'n llwyr arni hi. Gwyddai Cadi ei bod wedi bod ar fin deud gormod eto. Teimlodd don o wrid yn lledaenu'n ara bach ar hyd ei hwyneb.

'Wn i am 'i blydi rhesyma fo . . . ' meddai Tim dan ei wynt, a doedd 'na ddim amheuaeth gan Cadi mai dyna ddudodd o. Trodd yn ôl at gymysgu.

Doedd Cadi ddim yn gallu trystio'i hun i agor ei cheg ymhellach. Gwyliodd bry bach oedd yn mynd yn igam-ogam ar hyd y bwrdd, yr un fath yn union â tasa fo'n chwil. O godi'i phen sylwodd fod Tim wedi eistedd ar y bwrdd wrth ymyl ei chadair a'i fod yn sbio arni.

'Dwi'n gwbod mwy na dwi isio'i wbod am Gareth, Cad.'

'Wyt ti?' meddai Cadi'n llipa, a'i chalon yn igam-ogamu fatha'r pry bach chwil.

'Am Gareth – ac Esyllt.'

Sŵn ffrwtian, sŵn chwerthin yn dŵad o'r ardd – a chlapio.

Guto wedi gneud rhywbeth doniol, mae'n siŵr. 'Non hwylia da' yn fodlon hyd yn oed clapio clyfrwch y plentyn bach roedd hi'n trio'i gorau i'w anwybyddu fel arfer.

Chwaraeodd Cadi eiriau Tim yn ei phen eto. Be oedd o'n ei feddwl? Ei fod o'n gwybod mwy am Gareth – a hefyd yn gwybod mwy am Esyllt? 'Ta'n gwybod am y ddau efo'i gilydd? Mwya'n byd roedd Cadi'n deud y geiriau yn ei phen, mwya'n byd o ofn oedd ganddi.

'Roedd gin ti dipyn o feddwl ohoni, 'doedd, Cad?' meddai Tim, a thaflu edrychiad bach sydyn arni.

'Roedd gynnon ni i gyd, Tim,' meddai hithau, ond heb fedru dal ei lygaid rhag ofn iddo fo weld mwy ynddyn nhw.

'Oedd. Pawb ohonan ni. Rhei'n fwy na . . . ' Ond llithrodd cynffon y frawddeg o dan y bwrdd i rywle.

Doedd o rioed yn gwybod! Yn gwybod am 'i theimladau hi?

'Roedd hi'n busnesu, sti,' meddai Tim, a dechrau troi'r cynhwysion yn fwy egnïol. 'Doedd hi'n da i ddim yn y gegin, nag oedd, ond oedd raid iddi ga'l blydi busnesu. Pam ti'm yn rhoi hwnna'n fan'na? Pam ti'm yn dechra hwnna gynta ac yn trio hwn a llall . . . ' Roedd o'n sgubo'r cynhwysion at ei gilydd, yn eu rhwygo ar wahân, ac yna'n taflu pob dim at ei gilydd eto. 'Doedd hi'm yn medru diodda fod 'na rwbath yn medru mynd mlaen heb ei bod hi yna'n rwla, yn . . . mela . . . ' Roedd ei lais bron iawn yn ffyrnig, meddyliodd Cadi gyda braw.

Neidiodd y ddau wrth i ddrws y gegin agor yn sydyn a Non yn powlio i mewn, ei bochau'n goch gan yr haul a'r gwin.

'Cadi! 'Sa werth i chdi weld Guto! Mae o 'di dal pilipala a mae o 'di mopio'i ben, bechod. Mae o mor ciwt! Lle ma' Gareth? Gareth! *Gareth*!' Diflannodd i mewn i grombil y tŷ a gweiddi ar Gareth eto ar waelod y grisiau. Daliodd Tim lygad

Cadi am eiliad, ond roedd Non yn ôl yn y gegin mewn dau funud.

'Ma' raid 'i fod o'n yr ardd ffrynt neu'n chwilio am rwbath yn y car,' meddai. 'Peidiwch â deud, na newch? Bo' fi 'di bod yn chwilio amdano fo . . . Jest 'i fod o . . . Wel, ma' 'di mopio efo Guto, 'do?' A diflannodd eto i'r ardd. Edrychodd Cadi a Tim ar ei gilydd.

'Gareth, Gareth, Gareth . . . ' meddai Tim. Roedd ei lais fel rasal.

Oedd o'n gwybod? Daeth llun iddi ohoni hi'i hun yn hogan fach, yn neidio o garreg i garreg dros afon fyrlymus, beryg. Yn mynd o garreg i garreg, fesul un, gam wrth gam. O air i air roedd hi'n neidio rŵan, a bod yn ofalus i beidio glanio ar air fyddai'n simsan oddi tani, a fyddai'n ei bradychu.

'Yli, Tim, mi fyddan ni i gyd yn mynd 'yn ffordd 'yn hunain mewn chydig ddiwrnoda rŵan,' meddai'n ara. Roedd yn swnio'n ddigon amwys, yn ddigon cyffredinol, 'doedd? 'Sdim rhaid i chdi weld Gareth na Non na neb ohonan ni byth eto os ti'm isio,' meddai wedyn.

Gwenu wnaeth Tim a chiledrych arni hi eto.

'Ti'n iawn, 'sti Cad. Mewn diwrnod neu ddau mi fydd pawb ohonan ni wedi'n sbydu i'r pedwar gwynt. 'Sna'm lot o amsar ar ôl, nag oes?' Ond, yn od iawn, nid derbyn tawel oedd Cadi'n ei glywed yn ei lais, ond rhywbeth tebycach i herfeiddiad.

Gafaelodd Tim yn y botel win coch a thywallt tswnami coch i'w wydryn o ac un Cadi. Cododd ei wydriad a'i daro'n drwsgwl yn erbyn gwydryn Cadi, a'r tinc yn diasbedain yn gloff am eiliad drwy'r gegin.

'Swpar da fydd hwn!' meddai, ac roedd y wên ar ei wyneb yn gyrru ias i lawr ei hasgwrn cefn.

Pennod 28

Non

Wrth gau'i llygaid gallai Non deimlo'r byd i gyd yn chwyrlïo o'i chwmpas, fel tasa hi ar feri-go-rownd mewn ffair. Y byd yn troi ar wib a hithau'n stond, yn berffaith stond yn y canol. Fel arall y byddai hi'n arfer teimlo, fel tasai'r byd a phawb oedd ynddo fo'n llonydd a syber, ac mai hi oedd yr un oedd yn troelli, troelli o'u hamgylch nhw. 'Hen hogan wyllt, wirion,' meddai'i mam lipstic coch pan fyddai antics Non yn dŵad rhyngddi hi a'i noson allan. Hi oedd yn troi fel top, hi oedd allan o reolaeth a'r byd i gyd yn iawn, diolch yn fawr.

Ond roedd y gwin yn newid pob dim, yn troi pob dim â'i ben i waered. Doedd dim rhyfedd fod pobol yn mynd yn alcoholics, meddyliodd gyda gwên. Roedd teimlo mai chi oedd yn soled ac yn sad ac mai pob dim arall oedd yn wyllt, yn deimlad braf.

Eisteddai ar y bonyn coedyn ym mhen draw'r ardd wrth ymyl y ffens, chydig ar wahân i'r lleill. Bruno oedd wedi creu'r bonyn i edrych fel sêt i ddau, dan orchymyn Esyllt gwpwl o hafau yn ôl. Ac roedd o wedi cael hwyl dda arni 'fyd, chwara teg. Roedd Esyllt wastad wedi mynnu'i fod o'n dipyn o grefftwr ar y slei, yn saer da. Roedd adwaith Tim, wrth gwrs, 'di bod yn ddisgwyliadwy – deud y basa Bruno'n medru gneud lot o bethau petai o'n mynd i drafferth i neud rhywbeth heblaw stelcian rownd y pentre a hel merchaid. Rhedodd Non ei bysedd ar hyd yr hollt dwfn roedd Bruno wedi'i greu i neud lle eistedd, a rhyfeddu pa mor llyfn roedd o'n teimlo. Suddodd ei gwydriad gwin yn y blocyn bach oedd wedi'i naddu'n silff i'r perwyl hwnnw. Syniad Esyllt eto, mae'n siŵr. Prin fyddai Bruno wedi meddwl am rywbeth felly!

Edrychodd Non yn ôl ar yr ardd a'r addurniadau coch, gwyn a glas roedd hi wedi bod yn gyfrifol amdanyn nhw. Roedd Ben bellach yn gorwedd ar ei gefn dan y parasôl a Guto'n eistedd heb fod yn bell oddi wrtho, wedi plygu yn ei hanner fel stwffwl wrth ganolbwyntio ar ryw bry neu'i gilydd oedd yng nghledr ei law.

Doedd hi ddim wedi ffendio Gareth eto, ond roedd hynny'n iawn, 'doedd? Doedd hi ddim isio iddo fo feddwl ei bod hi'n sownd wrtho fo bob munud. Roedd ganddi gywilydd rŵan wrth feddwl amdani'n mynd drwy'i fag o fel'na ar ôl iddo fo fynd. A'r cwbwl gafodd hi oedd ei ddillad o, a rhyw damed o bren efo 'G' digon blêr wedi cael ei grafu arno fo. Doedd Gareth ddim wedi sôn fod ei bethau wedi cael eu rhoi'n ôl yn y bag mewn ffordd wahanol. Roedd hi wedi bod yn ofalus iawn i roi pob dim yn ôl fel roeddan nhw; ddim yn rhy anniben a ddim yn rhy dwt. Fel tasa hi rioed 'di bod yn agos atyn nhw.

Pan sgubodd heibio i Cadi a Tim yn y gegin gynnau, roedd golwg wedi dychryn arnyn nhw, fel tasa hi wedi tarfu ar sgwrs gyfrinachol. Nid ei bod hi'n amau fod 'na ddim byd pethma yn mynd mlaen rhwng y ddau, ond roedd 'na rywbeth yna. Roedd hi wedi styrbio rhyw agosatrwydd. Falla fod Cadi'n cuddio rhag Ben. Fasa Non yn gweld dim bai arni am guddio rhag y lolyn, am fod isio dianc i'r gegin at Tim i gael llonydd oddi wrtho fo am ryw chwarter awr.

Roedd yn sefyllfa drist, meddyliodd, gan ymestyn ei choesau'n hunanfodlon o'i blaen fel cath, pan oedd cyplau'n cynllwynio i ddianc oddi wrth ei gilydd. Nid dianc oddi wrth y criw fel 'nath Gareth, ond dianc oddi wrth ei gilydd.

Doedd 'na ddim byd arall y gallai Gareth ei neud ond dengid am chydig, roedd Non yn gweld hynny rŵan. Ac arni hi roedd y bai am fynnu eu bod nhw'n derbyn y gwahoddiad i'r Maison. Hi fynnodd. Pam na fasa hi wedi gadael i bethau fod ar ôl ffendio'r amlen aur ym mhoced ei jîns o, yn lle chwarae'r drama cwîn fel y gwnaeth hi. Ond roedd hi'n mynd i newid. Roedd pob dim yn mynd i newid o hyn allan.

Cymerodd sip arall o'r gwin, cau ei llygaid ar y caeau blodau haul llonydd o'i blaen a gadael i'r byd sgubo heibio iddi eto. Gallai deimlo gwres yr haul yn binnau mân ar ei chroen. Roedd sibrwd rhythmig sioncyn y gwair yn y brwgaets yn un efo cân staccato rhyw aderyn yn rhywle. Clywai o bell sŵn Guto dan y parasôl yn mwmian wrth y pryfetach roedd o wedi'u dal yng ngharchar meddal ei ddwylo. Roedd hi'n llonydd. Y byd oedd yn dal i droi.

Mi fyddai'r parti 'ma'n gyfle i sgubo pob dim yn lân. Cyfle i chwythu'r gorffennol a phob dim oedd ynddo fo'n yfflon, yn lliwiau ac yn sŵn ac yn *spectacle* ar draws awyr y nos cyn diflannu. Parti, ia. Dechrau newydd.

Roedd hi wedi taflu'r pils oedd ar ôl yn y paced i lawr y toiled ddoe, a'u fflysio'n reit sydyn cyn iddi newid ei meddwl. Aethai'n ôl yno ddwywaith wedyn i neud yn siŵr nad oedd 'na un wedi mynnu dŵad yn ôl i arnofio'n gyhuddgar ar wyneb y dŵr. Fe fyddai'n eironig tasa Gareth yn dŵad i ddallt y gwir felly, a hithau wedi bod mor ofalus. Ond pan fyddai hi'n disgw'l y tro yma, fe fyddai pob dim yn wahanol i'r tro o'r blaen. Dim cuddio'r prawf beichiogrwydd a dal i edrych yn ei nics bob dydd am y cochni fyddai'n profi mai'r prawf oedd yn rong. A fyddai 'na ddim dagrau. Yn bendant, dim dagrau. A dim drws pren disylw mewn stryd gefn yng Nghaer. A fyddai 'na ddim Esyllt tro 'ma chwaith. Dim ond hapusrwydd Gareth, a dechrau newydd.

'Ty'd! Ty'd!' Dadebrodd Non a theimlo rhywbeth yn tynnu

ar odre'i sgert. Guto oedd o, yn edrych i fyw ei llygaid ac yn dal i dynnu'r deunydd tenau. Sylwodd ar y streips o eli haul glas ar ei drwyn a'i fochau yn toddi'n nant fach igam-ogam ar ei groen. Roedd ei gap yn sgi-wiff i gyd, a'r pig wedi symud ar draws at ei glust chwith. Edrychai fel rhyw *chav* oedd wedi cam-ddallt y steil, meddyliodd Non a gwenu'n ôl arno. Symudodd y pig yn ôl i'w briod le, a synnu at ei hymarferoldeb mamol. Ond doedd Guto ddim balchach o'r gymwynas. Roedd ganddo fo bethau llawer pwysicach ar ei feddwl.

'Ty'd 'ŵan. Yli! Y-y-yli . . . '

'Be sy? Be sy, boi?' Roedd o'n edrych yn ôl ar yr ardd, yn ymylu ar banig. Roedd Ben yn yr un safle ag o'r blaen, a'i geg gam a'i osgo'n awgrymu ei fod o'n cysgu'n sownd.

'Ty'd!' Hyd yn oed ar ôl i Non godi a dechrau symud i'r cyfeiriad roedd y bychan yn pwyntio, doedd o ddim am fentro gollwng gafael ar ei sgert, a'i goesau bach ansad yn hercio mynd. Gallai Non weld godre adenydd pilipala bach yn fflit-fflatian heibio cefn y garej fach bren, ei symud delicét yn anghydnaws efo hen stripiau pren blêr y garej.

Pan ddiflannodd y pilipala, dechreuodd coesau bach Guto gyflymu rhywfaint a thynnu Non yn ei blaen nes ei bod yn hanner cerdded a hanner baglu ar ei ôl. Roedd cefn y garej yn gybolfa o laswellt tal a mieri, a hen injan torri gwair oedd wedi cael ei stwffio o'r golwg dan goeden. Roedd y glaswellt wedi tyfu dros yr handlen a thrwy'r mecanwaith, a'r lliw coch oedd ar frest yr injan wedi dechra magu haenen o gen gwyrdd. Bruno eto, meddyliodd Non, gyda gwên. Wedi gaddo i Tim y bydda fo'n mynd â'r injan i'w thrwsio ac wedi'i rhoi o'r neilltu wedyn ac anghofio amdani, mae'n siŵr.

'Pilipala 'di diflannu gin i ofn, Guto,' meddai Non. Edrychodd Guto arni'n syn o dan ei gap pig. 'Pilipala 'di mynd. *All gone!* Ta-ta, pili . . . '

Doedd hi ddim wedi disgwyl i'w lygaid bach glas o lenwi efo dagrau, a'i wefus isa'n gwthio allan fel tasa fo wedi bod mewn ysgol actio i ddysgu sut i grio a phwdu. Doedd hi ddim wedi disgwyl bod diflaniad pilipala'n golled fawr i fachgen bach oedd yn teimlo fod ganddo fo hawl ar y byd a'i greaduriaid. Teimlodd ei hun yn dechrau mynd i banig, ei bod hi yma ei hun tu ôl i'r garej ac wedi gneud i'r hogyn bach grio. Doedd hi ddim isio clywed mwy o grio. Ddim a hithau wedi cael llonydd rhag y crio arall 'na berfedd nos. Roedd hwnnw wedi tewi. Ond nid ei job hi oedd tawelu crio Guto.

Roedd hi ar fin cydio'n ei law bach feddal, chwyslyd a'i dywys yn ôl i'r tŷ i chwilio am ei fam, pan welodd hi'r marc ar y goeden. Roedd y llythyren yn amlwg rŵan. Roedd rhywun wedi naddu'r rhisgl o gwmpas y llythyran ar siâp tarian nes bod y pren meddal golau wedi'i ddinoethi a'r llythyren yn sefyll allan o'r herwydd, yn frown ac yn amlwg. Ac roedd 'na ddrych ddelwedd ohono, 'toedd? Dan glo ym mag Gareth. Sut oedd hi wedi bod mor dwp â meddwl mai'r llythyren 'G' oedd ar y tamed pren oedd wedi'i guddio yn ei fag? A hithau mor blydi amlwg rŵan mai siâp E oedd wedi cael ei adael ar fonyn y coedyn. E. Am Esyllt.

Roedd hi'n dyner efo'r bychan wrth ei arwain yn ôl at y tŷ, yn dal ei law fach, boeth yn ei llaw hithau fel roedd yntau wedi gweld ei dad yn gafael yn y pilipala, yn gneud cawell o fysedd o'i gwmpas i'w amddiffyn rhag pob drwg. Eisteddodd Ben i fyny pan welodd Non a Guto'n agosáu, a phlygu'n ôl ar ei freichiau.

'Efo Anti Non ti 'di bod?' meddai Ben yn gellweirus, gan wybod fod Non yn casáu cael ei galw'n fodryb i neb. Atebodd Non mohono. 'Siwtio chdi 'fyd, Non!' meddai Ben wedyn.

'Pilipala, ta-ta!' meddai Guto, ond roedd yn amlwg o'i lais ei fod yn dechrau dod dros y siom yn barod ac yn awyddus i edrych am y sglyfaeth nesa.

Doedd hi'n teimlo dim byd wrth adael Guto efo'i dad a llithro i mewn drwy ddrws y patio rhag iddi orfod wynebu pwy bynnag fyddai yn y gegin. Doedd hi'n teimlo dim byd chwaith wrth gael ei llyncu gan oerni a chysgodion y tŷ, nac wrth ddringo'r grisiau i'w stafell wely a chau'r drws. Doedd dim golwg o Gareth, ond roedd ei fag cefn o'n un bwndel yn y gornel a dillad budron yn hanner ei guddio.

Aeth ar ei phedwar tuag at y bag fel o'r blaen, bron iawn isio'i brocio fel tasa hi ofn bod anifail yn llechu tu mewn iddo.

Doedd o ddim wedi trafferthu i guddio'r tamed coedyn eto ar ôl dod yn ôl. Mae'n rhaid ei fod yn rhesymu nad oedd hi'n amau dim oherwydd ei bod wedi bod mor gynnes ei chroeso ar ôl iddo fo ddod yn ôl.

Gosododd y tamed pren ar gledr ei llaw a syllu arno. Taenodd ei bysedd ar hyd y llythyren, y llythyren wen oedd wedi'i suddo yn y pren, yn ddrych o'r llythyren oedd yn gwthio allan o'r goeden. Yna dechreuodd rwbio'n ôl a blaen gyda blaenau'i bysedd, nes ei bod yn teimlo rhywbeth o'r diwedd, yn teimlo'r pren yn naddu ac yn pigo i mewn i groen ei bysedd, nes ei bod yn gweld y gwaed.

Yn sydyn, daeth cnoc ar y drws a neidiodd Non am y bollt i'w gloi. Doedd hi ddim isio i neb ddŵad ar ei chyfyl hi, ddim isio i neb ddŵad yma. Cnoc, cnoc, cnoc. Pwysodd Non ei phen yn erbyn y drws a gwthio'i chefn yn sgwâr yn ei erbyn. Tawelodd y cnocio am ennyd cyn dechrau eto, yn gryfach.

Y cnoc, cnoc ar y drws bach derw yng Nghaer, y drws sydd wedi'i guddio fel hen gyfrinach fach fudur i lawr stryd fach gul, dafliad carreg o stryd fawr Northgate a'r siopwyr a'r teuluoedd a'r mamau. A'r mamau . . . Cnoc fach ansicr ydi hi, ar stepan drws dydi hi ddim isio bod yn sefyll arni.

'Ty'd, Non. Gawn ni goffi wedyn, 'li. Rhoi amsar i chdi ddŵad at dy hun.' Esyllt yn feddal ac yn gadarn. Yn gwenu. Yn ffeind. Yn ffrind. Yn deud nad ydi Gareth isio bod yn dad. Yn deud nad oes raid i Gareth fyth wybod. Ar Esyllt mae hi'n edrych wrth gnocio, llygaid gleision Esyllt sy'n wincio arni, yn cynnal, yn annog . . . Ac Esyllt sy'n cynnig talu. Chwarae teg iddi. Chwarae teg.

Rhoddodd Non y tamed pren yn ôl yn y bag ond heb drafferthu i domennu'r dillad yn ôl ar ei ben. Crafangodd ar draws llawr y stafell wely eto a mynd am ei bag llaw ei hun tro 'ma. Daeth o hyd i'r siswrn gwinedd yn hawdd. Aeth ar ei phedwar eto a phwyso'i phen yn erbyn y drws. Roedd y cnocio wedi stopio. Fel roedd pob sŵn yn stopio ymhen chydig; y cnocio, sŵn y babi'n crio berfedd nos . . . roedd hwnnw hefyd yn mynd yn y diwedd. Doedd chwilio am y sŵn yn gneud dim gwahaniaeth. Aros oedd isio. Aros ac mi fyddai pob sŵn yn siŵr o edwino.

Agorodd ei dwrn a syllu i lawr ar y siswrn bach yn sgleinio ar gledr ei llaw fel trysor, fel yr allwedd i bob dim.

Roedd y teclynnau wedi sgleinio yn y clinig yng Nghaer hefyd. Pob dim yn sgleinio: gwên yr hogan wrth y ddesg, fflach y feiro wrth i Esyllt arwyddo'r siec. Ac roedd y crafu a'r sugno a'r boen uffernol 'na'n sgleiniog rywsut 'fyd, yn pigo'n sgleiniog wrth iddo fo rwygo drwyddi.

Roedd o'n beth del; y metel disglair ar freuder gwyn ochor fewn ei braich. Y croen yn ifanc, wedi'i gadw o'r haul. Yn ganfas gwyn heb ei sarnu eto gan baent.

Ac mi fydda fo'n deimlad braf, cael brifo ar ei thelerau hi'r tro yma, a chael y gwayw roedd hi wedi'i greu yn saethu drwyddi. Y croen gwyn yn ildio, yn agor ei hun i'r boen lachar, braf. Braaaf . . .

'Non? Non, ti yna?' Gwibiodd llygaid Non ar draws y

199

stafell fel petai bron yn disgwyl i'r llefarydd fod yn y stafell efo hi. Llais Cadi. 'Cadi sy 'ma. Ti'n iawn? Non?' Llais ysgafn, gofalus.

Daliodd ei gwynt, ei ddal rhag iddo yntau'i bradychu a gadael y byd i mewn drwyddo. Sŵn traed wedyn, yn cerdded i ffwrdd i lawr y landin. Gwthiodd Non ei phen yn ôl a gwrando ar y sŵn traed yn pylu'n ddim. Tynnodd ei braich yn ôl cyn i lafn y siswrn gael cyfle i naddu.

Pennod 29

Tim

Safodd Tim gam yn ôl o'r bwrdd am y trydydd tro mewn llai na munud, gan symud un gwydryn gwin ychydig i'r dde a'r gwydryn gwin nesa ato yn yr un modd. Sythodd un *serviette* oedd fymryn yn gam, a hefyd fforc fel ei bod yn hollol sgwâr efo un o'r matiau corc oedd yn mynd dan blât pawb.

Doedd o ddim wedi disgwyl teimlo mor uffernol o nerfus. Mor nerfus nes iddo fod bron iawn â sbwylio pob dim drwy adrodd y cwbwl wrth Cadi, am y bocs oedd yn llawn o bapurau Esyllt, am y llythyr roedd Esyllt wedi'i adael ar ei hanner. Ond fasa hynny ddim wedi bod yn iawn. Fyddai hi ddim yn deg iddo fo ddeud y cwbwl wrth Cadi a rhoi'r pwysau yna arni hi, a hithau â dim oll i' neud efo'r peth. A fedrai o wedyn ddim rhoi'r bai ar Cadi petai hi'n methu peidio â throi ar Gareth a'i gyhuddo. Ac fe fyddai hynny, wrth gwrs, yn difetha pob dim.

Roedd o bron wedi gadael i'r gath sgrialu o'r cwd pan welodd o Gareth wrth y bwrdd yn y gegin, ond wnaeth o ddim. Ac roedd o wedi arbed ei hun eto rŵan efo Cadi. Roedd o wedi gneud cystal, wedi cadw cynnwys yr hanner llythyr iddo fo'i hun. Hanner llythyr, ond doedd 'na'm byd anghyflawn yn be roedd hi'n ei ddeud nac wrth bwy roedd hi'n ei ddeud o.

Doedd 'na'm gronyn o amheuaeth i Tim afael ynddo fel cysur. Doedd dim gobaith iddo fod wedi cam-ddallt . . .

Rhywun o le gwaith Esyllt oedd wedi bod isio rhyw

ddogfennau ar ôl iddi fynd. Llais ymddiheurol ar y ffôn yn gofyn i Tim a oedd o'n gwybod tybed lle fydden nhw. Yntau wedyn yn garedig, yn hael yn ei alar. Pawb wedi bod mor ffeind. Dyna'r peth lleia y gallai ei neud. Mynd i'r stydi a dechrau mynd drwy stwff gwaith Esyllt ar y *bureau* derw roedd hi wedi'i chael ar ôl ei thad. Ac wedyn ffendio'r llythyr mewn bocs dan domen o bapurau gwaith, yn wyn ddiniwed ar bapur A4. Petai hi wedi'i deipio fo, hwyrach mai yno basa fo, yn cuddio yn ei iwnifform ffurfiol. Ond daliwyd llygad Tim yn syth gan ei llawysgrifen. Roedd hyd yn oed restr siopa yn ei llawysgrifen hi fel llawysgrif gain ers iddi fynd.

Llythyr heb ei orffen oedd o. Hanner llythyr. At Gareth. Ond roedd y teimladau oedd ynddo fo yn gyfan, doedd 'na ddim blewyn o grac ynddyn nhw. Ei chalon yn perthyn yn gron gyfan i Gareth. Deud fod pnawn ddoe wedi bod yn amêsing, a'i bod hi'n ei garu o â'i holl fod ac a'i holl enaid. Ond . . . ac roedd yr 'ond' wedi'i sgwennu mewn llawysgrifen fymryn yn wahanol i'r geiriau eraill – wedi'i sgwennu dan deimlad. 'Ond'. '*Ond* roedd yn rhaid iddo fo neud be oedd yn iawn iddyn <u>nhw</u>' (wedi'i danlinellu) – i'r ddau ohonyn <u>nhw</u>. Roedd hi'n iawn iddo fo gael y cyfle efo Non, i gael beth allai hi byth ei gynnig iddo fo. Geiriau wedi'u croesi allan yma ac acw fel pryfaid du. Geiriau newydd yn eu lle nhw. Geiriau yn trio ffendio'u ffordd allan. Geiriau'n cwffio i gael byw.

Doedd o ddim wedi syrthio i gadair gyfagos mewn perlewyg. Nac wedi rhwygo pob papur o fewn golwg yn gonffeti mân. Yn hytrach, roedd o wedi rhoi'r llythyr o'r neilltu'n ofalus ac yna wedi mynd ati i dyrchu am y dogfennau perthnasol eraill. Roedd o wedi cau drws y stydi ar beth oedd o wedi'i ddarganfod. Ond mae 'na gau drws a chau drws.

A rŵan roedd o am gael deud. O'r diwedd, am gael deud wrth bawb be oedd Gareth wedi bod yn 'i neud efo Esyllt. Be oedd Gareth wedi'i neud i bob un ohonyn nhw. Roedd hi'n iawn iddo fo ddeud, i bawb gael gwybod. Darnio pob atgo fel bod pawb yn medru gneud llun newydd o'r darnau wedyn. Fel bod 'na 'symud ymlaen'. Symud. Ymlaen. Yn lle cylchdroi mewn gwagle yn llawn o eiriau 'doedd neb yn medru eu deud, yn llawn o eiriau 'doedd pobol ddim yn gwybod fod angen eu deud nhw. Fo oedd yn iawn. Roedd cyfiawnder ar ei ochr o. Wrth gwrs ei fod o. Felly pam roedd o mor uffernol o nerfus?

Ta waeth, meddyliodd wrth ddechrau gosod y dysglau gweini ar y bwrdd gweithio yn ymyl y popty; llythyr neu beidio, roedd pethau wedi mynd yn rhy bell rŵan.

Daeth Ben i mewn yn chwys i gyd, a'i wyneb yn amlwg wedi bod ormod yn yr haul. Sylwodd Tim ar y streipen wen a saethai ar draws ei dalcen lle roedd y cap wedi'i arbed. Roedd Guto wrth ei gynffon, yn rhwbio'i lygaid ac yn amlwg yn barod i fynd am napan bach ar ôl ei wrhydri yn hela gloÿnnod byw.

'Lle ma' Non?' gofynnodd Ben, ac edrych o gwmpas y gegin fel tasa Tim wedi'i chuddio a'i rhoi mewn caserol!

'Be wn i? Ddo'th hi i'r gegin sbelan yn ôl yn chwilio am Gareth. Isio iddo fo weld Guto a'i bilipala. Pam?'

'Dwn i'm,' meddai Ben, heb argyhoeddiad.

'Be sy?' holodd Tim eto.

'Dwn i'm. Syrthish i i gysgu dan y goeden a phan dda'th hi'n ôl efo Guto, roedd golwg 'di styrbio arni, 'na'r cwbwl.'

'Teimlo'n sâl oedd hi, ma' siŵr. Ma' hi 'di bod yn tancio ers amsar cinio, 'do?'

Fe fyddai cael Non yn feddw yn ystod ei gyhoeddiad yn medru bod yn gymhleth, meddyliodd. Iawn os oedd hi'n ddigon meddw i neud ffýs, ond ddim pe bai hi'n syrthio i gysgu uwchben y bwyd a cholli pob gair.

'Dwn i'm ai bod efo Guto oedd 'di 'i ypsetio hi,' meddai Ben. 'Dydi hi fawr o Mary Poppins, nacdi!'

'Pam ddylia hi fod?' meddai Tim, a meddwl am y plant bach pryd tywyll na fyddai Non a Gareth byth yn eu cael efo'i gilydd rŵan.

'Lle ma' Cadi?' gofynnodd Ben wedyn mewn ffordd a gosodd rywbeth yn Tim.

"Di mynd i orwadd lawr cyn swpar! 'Dydi Rip Van Winkle ddim patsh arna chdi!'

'Rip Van Winkle?' gofynnodd Ben eto, fel 'tai o ar fin gofyn lle roedd hwnnw hefyd.

"Sa chdi'm llawer hurtach 'sa chdi 'di bod yn cysgu am gan mlynadd! Cofia, fe fydda chdi 'di cael y blaen ar hwnnw am wn i, gan bo chdi'n reit hurt yn barod!'

'Da 'ŵan, Tim!' meddai Ben yn biwis. Gwenodd Tim. Fe fyddai'n chwith heb Ben i'w bryfocio. Cododd hwnnw Guto yn ei freichiau.

'Mi a' i â'r boi bach 'ma at 'i fam, 'lly,' meddai. Ac yna, cyn gadael, 'Rhyw barti digri 'di hwn, a phawb 'di diflannu . . . '

'Dwi'n codi bwyd mewn pum munud,' meddai Tim, yn anwybyddu'r sylw.

Pwyllodd am eiliad, cyn gofyn: 'A Gareth? Dwi'm 'di gweld hwnnw ers oes, chwaith. Lle mae o?'

'Dwn i'm. Cysgu? 'Di mynd AWOL eto? Pwy a ŵyr, 'de?' Aeth Ben yn ei flaen efo Guto at y grisiau.

Fasa Gareth byth yn ei heglu hi o 'ma eto fyth! A difetha pob un dim! Falla mai dyna pam oedd Non wedi cynhyrfu. Hwyrach eu bod nhw wedi bod yn ffraeo a bod Gareth wedi mynd eto, a . . .

Tawelwyd ei ofnau oherwydd, y funud honno, rhwbiodd drws y gegin ar agor am yr eildro, a llithrodd Gareth i mewn fel cysgod. Roedd o wedi torchi llewys ei grys gan ddangos ei freichiau gwydn ac oel car du drostyn nhw i gyd. Roedd ei wallt yn gudynnau chwyslyd wedi'u sgubo oddi ar ei wyneb. Trodd Tim ei ben oddi wrtho rhag iddo fo orfod sbio ar y breichiau a meddwl amdanyn nhw'n gafael am ei chanol, wedi'u claddu yn nhonnau copr ei gwallt.

'Car yn 'cau cychwyn?'

'Moyn newid yr olew, 'na'i gyd. Ac o'dd ishe dŵr 'fyd. 'Da siwrne hir o'n bla'n . . . '

Isio'i heglu hi o 'ma yn o handi wyt ti'r diawl, meddyliodd Tim wrth godi'r tun cig o'r popty a diflannu am eiliad yn y stêm. Methu aros i gael clywed sgrech dy deiars ar y cerrig mân wrth yrru i ffwrdd.

'Bwyd jest yn barod,' meddai'n swta. 'Ti am fynd i ddeud wrth Non, 'ta be?'

'Wrth gwrs 'ny!' meddai Gareth, a gwrandawodd Tim ar sŵn ei gerddediad yn ymadael â'r gegin. Ceisiodd anwybyddu cyflymder ei galon wrth hogi'r gyllell i ddechrau cerfio'r cig.

Roedd pawb ond Non yn eistedd wrth y bwrdd. Safai honno a'i chefn atyn nhw, yn syllu allan ar yr ardd. Teimlodd Tim yn flin efo hi, yn mynnu torri'i chwys ei hun ac yntau isio i heno fynd fel roedd o isio. Cafodd Gareth drafferth i'w chael hi i ddŵad i lawr o gwbwl, yn amlwg. Roedd o wedi bod i fyny ac i lawr ati ddwywaith gan ddeud ei bod wedi mynd i gysgu ac wedi cloi'r drws. KO, medda fo. Safai rŵan â'i chefn wedi crymu, fel hogan bymtheg oed oedd wedi pwdu efo'r byd, ac efo'i theulu yn fwya arbennig.

Dechreuodd pawb arall balu i mewn i'r hwmws a'r priciau bara a'r olewydd roedd Tim wedi'u gosod allan fel *hors d'oeuvres*. Doedd neb yn siarad fawr. Roedd y gwres a'r ffaith eu bod i gyd yn dechrau meddwl am bacio i fynd yn ôl i Gymru wedi gosod rhyw flanced o syrthni dros bawb. Doedd 'na ddim teimlad o gynnwrf nac o ddathlu, meddyliodd Tim yn bryderus. Fe fyddai cynnwrf wedi bod yn haws. Sut oedd o'n mynd i gyhoeddi'i wirionedd mawr ynghanol y difaterwch blinderus 'ma?

'Ty'd i ista, neu fydd y rhein 'di byta'r cwbwl lot!' meddai Tim, gan obeithio y byddai Non wrth y bwrdd yn bywiogi pethau.

"Sna'm tân gwyllt byth!' meddai Non yn ateb iddo, neu bron fel nad oedd wedi'i glywed o gwbwl. 'Dim sein o'm byd.' Roedd ei llais yn isel, yn hiraethus.

'Braidd yn gynnar, ella,' meddai Cadi. 'Ty'd, Non. Ty'd atan ni.'

Trodd Non a dŵad i eistedd yn y sêt wag nesa at Gareth. Roedd golwg welw arni, ond doedd hi ddim yn edrych yn arbennig o feddw, chwaith, meddyliodd Tim. Dim ond yn flinedig. Roedd ei llygaid yn ddwy lygad panda, oherwydd ei bod wedi bod yn cysgu a heb drafferthu i llnau gweddillion ei cholur llygaid. Estynnodd at yr olewydd a dechrau pigo arnyn nhw fel deryn. Sylwodd Tim nad oedd hi'n edrych i gyfeiriad Gareth o gwbwl. Dim ond syllu ar y plât o'i blaen neu ar y ffenest bob hyn a hyn.

Doedd Cadi ddim yn 'i hwyliau chwaith. Falla 'i fod o wedi bod yn rhoi gormod o win yn ei gwydryn hi pan oedd y ddau ohonyn nhw'n siarad gynnau yn y gegin, a hithau wedi mynd allan o'r arfer o yfed o gwbwl ers cael Guto. Rhwng hynny a'r gwres a Ben yn paldaruo, doedd dim disgwyl iddi deimlo'n sbesial iawn. Tybed, meddyliodd Tim, tybed ddylia fo fod wedi deud wrth Cadi gynnau ei fod o ar fin cyhoeddi cyfrinach am Gareth ac Esyllt? Mi fyddai hi o leia wedi cael cyfle i ymbaratoi. Fe fydda fo'n ei brifo hithau hefyd, yn anorfod. A hithau efo cymaint o feddwl o Esyllt, yn ffrind mor driw iddi, fel rhyw 'hen sbanial', fel y disgrifiodd Esyllt hi unwaith. Hen sbanial bach ffeind, dibynadwy. Ond hwyrach y byddai'r demtasiwn wedi bod yn ormod iddi ac y byddai wedi deud pob dim wrth Ben, a hwnnw wedyn wedi trio'i ddarbwyllo i beidio bwrw mlaen efo'i gynllun. Na, roedd pethau'n well fel hyn. Yn symlach.

'Dwi'm isio gweld bai ar neb . . . ' meddai Ben, gan estyn ymlaen a gafael mewn dau bric bara, a'u sgubo heibio i'r hwmws wedyn fel gwylan ar wyneb y môr. 'Ond . . . ers pryd ma' hwmws yn fwyd Ffrengig?'

'Ben, paid â dechra,' meddai Cadi gydag ochenaid.

'Na, na! Dwi'm yn dechra dim byd, nacdw?' meddai Ben, a chymryd brathiad arall. 'Ond gan mai hwn ydi'r dathliad mwya Ffrengig fedri di 'i ga'l, rhyfeddu dwi bod 'na fwy o Groeg nag o . . . '

'Gei di neud y bwyd tro nesa, 'li Ben. Iawn?' meddai Tim yn fwy swta nag oedd o wedi'i fwriadu. Doedd ganddo ddim mynadd dadlau na thynnu coes efo'r rwdlyn heno.

'Sdim isio bod fel'na, dim ond deud dwi . . . ' meddai Ben wedyn. Tawelodd am funud, gan synhwyro fod gweddill y criw yn dawedog ac yn cynnig dim anogaeth iddo. Edrychodd o un i'r llall a'i geg yn cnoi ffwl spid wrth neud.

Rhyfeddodd Tim ei fod wedi medru sôn am y 'tro nesa' a bod neb wedi ymateb i eironi hynny. Fel tasa cael dŵad yn ôl i'r Maison dro ar ôl tro yn rhywbeth oedd yn mynd i fod yn digwydd am byth, yn rhywbeth oedd ganddyn nhw hawl i'w ddisgwyl. Ar ôl heno, wedi iddo fo gael deud ei ddeud, fyddai traed 'run ohonyn nhw'n dŵad ar gyfyl y lle eto. Roedd hynny'n saff. Doedd o ddim yn medru dychymygu be fyddai o'n ei neud efo'r tŷ wedyn, ac, i ddeud y gwir, doedd o ddim wedi trio meddwl yn galed iawn. Roedd ei ddychymyg fel tasa fo'n dod i stop ar y swper yma bob tro, yn styfnigo ac yn gwrthod mynd gam ymhellach.

'Meddwl dwi ein bod ni'n nes na 'dan ni'n sylweddoli at gael diwrnod fatha'r Bastille ym Mhrydain 'fyd!' dechreuodd Ben arni eto.

Edrychodd pawb yn syn arno. Gwenu'n smyg wnaeth hwnnw a mynd ymlaen.

"Tydi antics 'rhen Prins Charlie ddim wedi'i gynhesu at ei daeogion ryw lawar, nacdyn?'

Cymerodd Ben ddracht arall o win, yn cynhesu at ei bwnc.

'A tydi'r ddau fab 'na sgynno fo fawr gwell, yn partïo ac yn chwara bod yn sowldiwrs . . . Dwi'n medru dechra ogleuo gweriniaeth, bois! Yn nes nag erioed!'

'Ti 'di bo'n gweud 'ny ers blynydde!' meddai Gareth.

'Ac ers pryd w't ti yn Highcourt College 'na 'fyd . . . ?' gwenodd Tim. 'Dwy? Tair blynadd?'

'Paid dechra hynna eto!' meddai Ben yn flin, ond roedd Tim yn codi hwyl.

'Dwi'n dechra dim byd, dim ond deud. Dwi'n ogleuo rhagrithiwr 'yn hun, 'de . . . Be am bawb arall?'

'A finne!' meddai Gareth.

Dim ond Gareth oedd yn cytuno efo fo. Eisteddai pawb arall yn edrych ar eu platiau. Doedd hyn ddim yn mynd yn iawn o gwbwl. Doedd o ddim isio bod ar yr un ochr â Gareth o bawb!

'Gawn ni jest . . . fwynhau'r bwyd, ia?' meddai Cadi'n ddistaw, ond doedd dim osgoi'r tôn ymbilgar yn ei llais.

'Tshampion!' meddai Tim, fel 'tai chwarae bod yn gwrtais a chymdeithasol ar flaen ei agenda yntau hefyd heno. Tasan nhw ond yn gwybod! Fe fyddai gadael i bethau lithro o'i afael yn golygu fod 'na sawl peth yn mynd i fod am byth heb gael eu gwyntyllu. Roedd pethau wedi mynd yn rhy bell i hynny. Roedd o 'di blasu gwaed.

'Ond ma' gas gin i bobol sy'n deud un peth ac wedyn yn gneud y peth arall, 'li, Cad. Dyna'r draffarth. Pobol sy'n cogio bod yn rwbath dydyn nhw ddim. Pobol sy'n twyllo, ac yn bradychu . . . '

Edrychodd Tim yn syth ar Gareth a chododd y milgi

hwnnw ei lygaid ato – a'u dal. O gil ei lygaid, gwelodd fod Non wedi codi'i phen ac yn edrych arno hefyd. Roedd Cadi yn stwyrian, yn synhwyro fod 'na rywbeth ar droed. Roedd yn rhyddhad, yn deimlad meddw bron, ei fod ar fin datgelu'r cwbwl, am agor y blydi bocs cyfrinachau i bawb gael gweld a phori drwyddo fo.

'Ogla reit neis ar y goes oen 'na, Tim, chwara teg i ti!' meddai Ben gan estyn drosodd yn awchus i sglaffio olewydden arall, a llygadu'r twmpath cig ar ochor y bwrdd yr un pryd.

'Dim coes oen ydi o . . . ' meddai Cadi, a thaflu golwg bryderus i gyfeiriad Tim. '*Carré.*'

'Oen yw oen,' meddai Gareth yn dawel.

Oen i'r lladdfa. Gwibiodd y geiriau o un ochor i'r llall ym mhen Tim.

'Ti'n iawn,' meddai Ben. 'Dydi pythefnos yn y Maison ddim yn mynd i neud Ffrancwyr ohonan ni, waeth i ni heb â chogio 'i fod o.'

'Fydd 'na le yn Courçon heno. Y sgwâr yn llawn . . . ' meddai Cadi a'i hysgafnder yn amlwg yn straen.

'Oen yw oen!' meddai Tim fel tasa fo'n methu coelio'i glustiau. 'Diolch i ti, Gareth, am y doethineb bach yna! Oen 'di oen! Siŵr fydd hwnna'n ddyfyniad mewn rhyw gasgliad ryw dro, yn bydd?'

'Os yw ffowlyn 'di ca'l ei roi mewn pei, ma fe'n dala'n ffowlyn, on'd yw e?' meddai Gareth, a chodi'i ben yn ara fel bod ei lygaid wedi'u serio eto ar wyneb Tim. Gallai hwnnw deimlo pawb rŵan yn aflonyddu yn eu seti. Pawb ond Non. Arhosai honno'n berffaith lonydd, yn syllu ar ei phlât fel tasa hi'n disgwyl i hwnnw ddechrau symud.

'Duwcs, be 'di'r ots, 'de? Ma'n neis beth bynnag, 'dydi?' meddai Cadi, a chryndod yn ei llais.

'Ma' gin Gareth bwynt 'fyd,' meddai Tim yn ara. 'Dio'm

bwys sut dach chi'n cyflwyno rwbath, mae o'r hyn ydi o yn y diwadd, 'tydi? *A rose is a rose by any other name . . . '*

'Romeo a Juliet . . . ' murmurodd Non, heb godi'i phen. Chymerodd neb fawr o sylw ohoni.

'Ti'n gweld, cath 'di cath, 'de?' Roedd Tim yn dal i sbio i fyw llygaid Gareth. 'Bwji 'di bwji . . . Ci 'di ci . . . ' Heb symud gewyn, heb ildio dim. 'A cachgi anffyddlon 'di cachgi anffyddlon, yndê, Gareth?' Gallai weld y lliw yn goferu o wyneb Gareth wrth iddo siarad.

'Beth?' meddai Gareth, gan ddal i sbio arno.

'Glywist ti'n iawn . . . ' meddai Tim yn ddistaw, heb dynnu'i lygaid oddi arno.

Gafaelodd Gareth yn ei fforc a'i phlannu'n ddwfn i'r tamed o gig o'i flaen.

Gallai Tim deimlo llygaid pawb arall arno fo, neb yn symud, pawb wedi rhewi. Daliai i edrych yn syth at Gareth. Pan ddaeth y geiriau, roedd Tim yn eu poeri allan fesul sill, fel hen ddannedd.

'Chdi ac Esyllt . . . a'ch affêr bach fudur . . . '

Symudodd neb. Ddywedodd neb air.

Ac yna fe newidiodd pob dim. Oherwydd yr eiliad nesa roedd Tim a Gareth ar y llawr, yn ymladd fel dau anifail. Digwyddodd y cyfan mor sydyn. Cadair yn sgathru ar y llechi ac yna'n syrthio i'r llawr. Teimlodd Tim ddwrn yn sgubo heibio i esgyrn ei foch, a'i ddwrn yntau'n taro i mewn i esgyrn boch Gareth, ei law yn llawn o wallt, blas gwaed yn glir rŵan ar ei wefus, y stafell yn troi, sŵn sgyrnygu, gweiddi, crio, a chwyrnu dau anifail yn cwffio. Teimlodd Tim ddwylo rhywun ar ei sgwyddau yn trio'i ddal yn ôl. Ond taflodd y dwylo i ffwrdd a chythru eto am Gareth, oedd yn hanner eistedd, hanner gorwedd ar y llawr, yn sgyrnygu fel ci.

Ac wedyn y waedd, yn uwch na gwaedd neb arall, yn

waedd o'r galon oedd yn gneud i'r ddau ohonyn nhw fferru yn eu hunfan. Trodd y ddau mewn syndod a gweld Cadi yn ei chwman ar y llawr, a'i phen wedi'i gladdu yn ei dwylo. Roedd y sŵn mwya dychrynllyd yn dod oddi wrthi, rhywbeth rhwng igian crio a griddfan. O gongl ei lygad, gwelodd Tim gefn Non wrth iddi hanner rhedeg, hanner baglu am y drws. Safodd Tim a Gareth yno'n anadlu'n drwm, yn edrych ar ei gilydd a'r nerth i gyd am funud yn eu hanadlu.

Theimlodd Tim mo'r glec yn dŵad o'r cyfeiriad arall yn syth. Roedd ei ffocws i gyd wedi bod ar Gareth fel bod dwrn Ben wedi'i ddal a'i daflu oddi ar ei echel. Syrthiodd yn ôl yn drwsgwl ar y gadair agosa.

'Be ddiawl . . . ?'

'Meiddia di dwtsiad . . . yn Cadi eto . . . ' meddai Ben, yn baglu dros ei eiriau, a'i wyneb yn fflamgoch. Ond roedd ei olwg yn benderfynol. 'Dallt? Ti'n dallt? Sgin Cadi ddim byd i' neud . . . Paid ti . . . jest . . . paid ti â meiddio . . . '

Eisteddodd Gareth yn ara, a'i lygaid gwyllt yn symud rhwng Ben a Tim. Yn ddiedifar. Edrychodd Tim ar Cadi eto, ei ysgwyddau main yn dal i grynu, yn dal dan deimlad. Roedd Ben yn sefyll fel giard o'i blaen.

'Sori, Cad . . . nid . . . nid fel hyn . . . '

Methodd geiriau Tim. Roedd o wedi llusgo pob un ohonyn nhw yma i ddeud y gwir wrthyn nhw, a rŵan roedd y geiriau'n gerrig yn ei wddw. Gydag un edrychiad arall ar Ben, aeth Tim yn syth am y drws ar ôl Non.

Dim ond ychydig funudau oedd 'na. Eiliadau hyd yn oed. 'Na'r cwbwl. Eiliadau rhwng rhannu pryd a chael y byd yn dymchwel o gwmpas eich clustiau. Eiliadau rhwng y gau a'r gwir. Rhwng gwybod a pheidio gwybod. Rhwng cael y giât fach yn y wal wedi'i chau ac yna wedi'i hagor.

Rhedodd Tim at y giât ac edrych i fyny ac i lawr y lôn.

Doedd dim golwg ohoni. Roedd o'n dal i ymladd am ei wynt. Yn dal i fethu credu bod y sgarmes gyntefig yna wedi digwydd a bod y gyfrinach wedi cael ei chicio dan y bwrdd, o'r ffordd. Fod popeth wedi arwain at hyn, ar ôl yr holl gynllunio.

Sylwodd o ddim yn syth ar y car mawr oedd yn sefyll yn urddasol y tu allan i'r giatiau mawr haearn ar waelod y dreif. Clywed sŵn drws y car yn agor dynnodd ei sylw ato. Yna gwelodd rywun yn cerdded tuag ato.

'Emyr!' meddai Tim.

'Iawn, Tim?' meddai'r twrna bach, gan lygadu'r tŷ y tu ôl i Tim gyda diddordeb mawr.

Pennod 30

Non

Brysio, brysio, brysio heibio i'r caeau ŷd a'r byrnau yn dyrrau mawr simsan, fel cewri melyn mud. Heibio i'r caeau india-corn a'u dail yn llipa fel clustiau cŵn. Brysio, brysio, ond heb wybod i ble nac i be.

Roedd hi wedi cerdded fel ysbryd i lawr y grisiau, wedi eistedd yn ufudd wrth y bwrdd, ar bwys ei gŵr. Ei gŵr . . . A hyd yn oed pan oedd Tim yn gwawdio, yn procio ac yn procio, hyd yn oed wedyn . . . doedd hi'n teimlo dim byd. Y gwacter oedd yn ei synnu hi, y teimlad gwag yna tu mewn iddi hi fel tasa pob dim o bwys wedi cael ei dynnu allan ohoni, gan adael pwll mawr llwyd ar ei ôl.

Roedd o wedi bod yn ddiwrnod mor dda. Yn mynd i fod yn barti gwerth chweil, yn rhywbeth roedd hi wedi'i drefnu, yn rhywbeth roedd hi wedi'i greu. Tan iddi ffendio'r tamed bach o bren a newidiodd bob dim.

Doedd Gareth ddim hyd yn oed wedi gwadu. Ddim wedi trio achub rhywfaint arno'i hun drwy ddeud fod Tim wedi cam-ddallt. Dim ond cwffio drosti Hi ar y llawr, fel 'tai Hi yno, yn y canol rhyngddyn nhw. Ac roedd Esyllt yno, 'yn doedd? Doedd Hi rioed wedi gadael.

'Fydd o'm dy isio di efo babi!' oedd Hi wedi'i ddeud wrth Non y tu allan i'r clinig. A Non wedi glynu yn ei rhaff geiriau fel tasan nhw'n mynd i'w thynnu o'i thrwbwl. Fe fyddai babi'n ddiwedd pethau, yn ddiwedd ar bob dim. Meddai Hi. Ond yn ddiwedd ar bethau i ba un ohonyn nhw?

Doedd Non ddim yn siŵr i ble roedd hi'n mynd. Na, roedd hynna'n gelwydd. Roedd ganddi syniad oedd wedi cael ei yrru i'r gornel fel hogyn bach drwg, a'i wyneb at y wal. Roedd o'n troi rownd weithia ac yn sbecian arni, ond fe'i gyrrodd yn ôl bob tro. Tan rŵan.

Yn rhyfedd iawn, doedd hi ddim yn teimlo'n feddw o gwbwl, er iddi fod yn yfed drwy'r pnawn. Roedd pob dim wedi'i sobri hi. Cliriodd y niwl o'i phen a'i gadael yn ffres ac effro, a gadael pob dim yn berffaith glir o'i chwmpas.

Roedd yr awyr yn dechrau newid ei lliw wrth iddi gerdded ar hyd y lôn, a doedd 'na 'run car yn unlle. Synnodd, o edrych yn ôl, pa mor sydyn roedd y Maison wedi mynd yn ddotyn yn y pellter. Roedd hi'n agos at y pentre erbyn hyn. Gallai glywed cnocio pell tiwnio'r grŵp pop oedd yn mynd i gael y fraint o chwarae yn y sgwâr. Grŵp lleol oeddan nhw mae'n siŵr – pobol ifainc, hirwalltog y pentre'n dynwared rhyw grŵp o America, a'r neiniau'n ysgwyd eu pennau a chuddio'u clustiau, a phlant bach yn dawnsio o'u blaenau. Roedd hi'n rhy gynnar i'r arddangosfa tân gwyllt swyddogol, ond bob hyn a hyn fe fyddai sgrech yn hollti'r awyr a chlwstwr o liwiau'n blodeuo cyn diflannu a gadael dim ond lliwiau naturiol hwyrddydd haf.

Roedd hi'n gwybod yn iawn i ble roedd hi am fynd, dyna'r gwir. Roedd yn rhaid i'r celwydd i gyd stopio. Y celwydd a'r cyfrinachau. Cyfrinachau fel fferins yn cael eu rhannu gan bwyll, neu'n cael eu gadael i bydru. Roedd hi'n mynd at y boi oedd yn gneud i'w gwaed gynhyrfu wrth i'w lygaid grwydro'n ara deg ar hyd ei chorff. Roedd hi'n mynd i deimlo'i wefusau fo arni hi, drosti hi, ynddi hi . . . Roedd hi'n mynd i'w dynnu fo tu mewn iddi a gwingo gyda'r boen a'r pleser, a gwybod ei fod o'n cael gyrru i mewn iddi hi fel roedd o wedi bod isio'i neud o'r tro cynta y gwelodd o hi yn y Maison.

Wrth nesáu at y drws, meddyliodd Non tybed fydda fo adra. Teimlai'n dwp. Wrth gwrs, ar y sgwâr a'i fraich rownd canol y bishyn ddiweddara y bydda fo. Pwy fasa'n aros adra ar Ddiwrnod y Bastille? Fe fyddai'n waeth byth tasa'r hen jadan o fam 'na oedd ganddo fo'n agor y drws iddi, ac yn gwybod o edrych arni be oedd hi isio. Allai Non ddim diodda'i dirmyg hi. Ond eto, roedd hi wedi diodda gwaeth o lawer na dirmyg rhyw hen Ffrances yr oedd ei chyfleon am bleser wedi hen ddarfod.

Doedd dim rhaid iddi gnocio'r drws a disgwyl i weld pwy fyddai'n ateb. Roedd Bruno yn yr ardd yn smocio, a'r crys oedd amdano'n cael ei dynnu'n dynn gan gyhyrau'i gefn. Edrychai allan ar yr ardd a'i gefn ati hi. Dechreuodd gerdded ato, a throdd pan glywodd sŵn. Edrychodd yn syn i ddechrau, a sbio tu ôl iddi hi fel tasa fo'n chwilio i weld pwy arall oedd wedi dod efo hi. Ysgydwodd ei phen.

'*Toute seule*,' meddai hi, gan ychwanegu, 'dim ond fi, Non,' yn Gymraeg, i neud iddi'i hun deimlo fymryn mwy cartrefol, debyg.

'*Et moi aussi*,' medda fo, a chodi'i fraich dde. Sylwodd Non am y tro cynta fod ei fraich mewn plastar. Estynnodd ei llaw tuag at ei foch, a'i hanwesu. Edrychodd arno wrth neud hynny. Roedd ei groen yn bigau mân drosto fel papur tywod. Tynnodd ei llaw yn ôl yn sydyn, â chywilydd ei bod wedi bod mor hy. Tynnodd yntau'n ara ar ei sigarét cyn ei thaflu i lawr a'i sathru dan ei draed, heb dynnu'i lygaid oddi ar Non.

Yna cododd ei law chwith a thaenu bawd ar draws y croen dan ei llygaid. Roedd hi'n amlwg ei bod wedi bod yn crio, mae'n siŵr, a'r dagrau wedi sychu'n llinellau hallt.

Amneidiodd Bruno tuag at y tŷ a throdd Non a dechrau cerdded at y drws, gan glywed Bruno'n ei dilyn. Gallai deimlo'i lygaid yn edrych ar siâp ei thin drwy'r ffrog denau.

Doedd 'na neb arall adra. Doedd hi'm 'di bod yn bellach na'r gegin fach o'r blaen. Roedd y lolfa'n llawer llai croesawgar, rywsut, gyda soffa frown tywyll a'r waliau'n felynfrown. Sylwodd fod sgwaryn bach o bwytho wedi'i osod ar fraich un gadair wrth ymyl y lle tân, lle roedd mam Bruno wedi'i adael cyn mynd allan. Tŷ oedd y brodwaith, o be welai Non. Tŷ ar ei hanner, a'r ffenestri'n wag.

Gallai deimlo llygaid Bruno'n naddu i mewn iddi, yn rhedeg i fyny ac i lawr ei choesau, ar hyd ei breichiau, at y pant yng ngwaelod ei gwddw . . .

Cododd a mynd at silff oedd i'r chwith o'r lle tân. Llun gŵr a gwraig yn cofleidio ac yn gwenu'n braf ar y camera. Doedd dim modd peidio nabod mam Bruno yn ei hugeiniau, ei gwallt tywyll yn fframio'i llygaid duon llydan, yr esgyrn bochau uchel, urddasol. Tad Bruno oedd y dyn, mae'n rhaid. Welodd Non rioed mo hwnnw o'r blaen. Doedd o ddim o gwmpas erbyn iddyn nhw ddechrau dŵad i'r Maison, beth bynnag. Dyn bychan a golwg swil arno fo. Wedi cael ei orfodi i sefyll yn llonydd a chael tynnu'i lun, yn amlwg. Yn gwingo isio cael dengid. Lluniau o fachgen bach oedd y gweddill, efo rhyw hen fwngral o gi bach annwyl; un llun ohono efo beic newydd, ac un arall efo'i fam. Bruno.

Yn sydyn daeth sŵn bwledi o rywle ymhell tu allan, ac aeth Non at y ffenest i edrych allan ar y sioe dân gwyllt. Roedd Bruno wrth ei hymyl mewn eiliad. Gallai deimlo'i anadl yn cosi blewiach ei gwar yn ysgafn. Caeodd ei llygaid. Fe fyddai hyn mor hawdd. Mor hyfryd o hawdd a naturiol. Teimlodd ei law yn dod o'i chwmpas a chwpanu'i bron dros ei blows, yn tylino'n ysgafn cyn glanio ar y deth wedi i honno galedu, yn barod iddo fo. Roedd ei wefusau'n gynnes ac yn wlyb ar ei gwddw, yn llyfu'r halen ar ei chroen. Safodd Non a gadael iddo fo neud, heb symud dim, heb ddeud dim. Symudodd ei law i lawr yn ara a dechrau mwytho'i chlun, yn modfeddu'n nes ac yn nes i mewn. Iesu, roedd hyn yn deimlad da. Y teimlad o fod yn gannwyll llygad rhywun.

Trodd ac edrych arno. Roedd o'n ddyn i gyd, yn dalp o destosterôn. Ac roedd o 'i hisio hi, isio'i dadwisgo hi, a chusanu pob modfedd ohoni. Ond allai hi ddim. Allai hi? Allai hi wir roi'i chorff i gorff diarth, i deimlad croen dyn arall? I arogl chwys dyn arall? Doedd 'na neb ond Gareth wedi bod erioed. Wel . . . chydig o ddynion yn y coleg cyn Gareth, ond wedyn . . . neb ond Gareth.

Symudodd oddi wrtho, yn ôl i ganol y stafell. Roedd hyn i gyd yn symud yn rhy sydyn. Ac eto, roedd eistedd ar bwys Gareth, yn rhan o'r criw o gylch y bwrdd petryal yn y Maison yn teimlo fel oes yn ôl. Yn oes arall. Yn fywyd arall. A'r stafell fach glòs, dywyll yma a dyn fel Bruno o fewn trwch blewyn iddi, roedd hwnnw'n fywyd arall wedyn. Pa mor hawdd fasa fo iddi hi garu o'r newydd efo dyn hollol newydd fel hyn, a pheidio edrych yn ôl? A pheidio cofio bod ei Gareth hi wedi bod yn Gareth i rywun arall, yn gariad i rywun arall?

Trodd yn ôl ato eto, a sefyll yn ei wynebu, chydig fodfeddi oddi wrtho, ond heb ei gyffwrdd. Gallai deimlo'i anadl cynnes ar ei chroen. Edrychodd i fyw ei lygaid wrth iddo'n ara, ara ddechrau datod botymau'i blows. Gwenodd y ddau ar ei gilydd wrth iddi orfod ei helpu gydag ambell un. Wedi cyrraedd y botwm ola, piliodd y defnydd yn ofalus dros ei sgwyddau; clywodd Non siffrwd wrth i'r flows lanio'n ysgafn ar y llawr. Ochneidiodd Bruno, a chau'i lygaid am funud cyn eu hagor drachefn. Edrychodd hithau'n ôl arno, ei hedrychiad yn crwydro'n ddioglyd o'i lygaid at ei geg, ac yn ôl at ei lygaid, a gwên yn chwarae ar ei gwefusau. Roedd hyn yn mynd i fod yn ffantastig . . . rhyw efo carwr profiadol oedd yn gwybod yn union be i' neud. Yna roedd Bruno wedi codi'i gên efo'i fys ac yn chwilio am ei gwefusau. Lledodd ei gyffyrddiad yn drydan drwy'i chorff. Doedd dim rhaid iddo fo gyffwrdd yn unlle arall. Roedd hi ar dân iddo fo.

Aeth yn nes ato a chydio amdano fo, a'i freichiau amdani hithau. Agorodd ei llygaid fymryn ac edrych dros ei ysgwydd ar y stafell. Ac yna gwelodd y sgwennu bras.

Ar y silff wrth ymyl y lle tân, ar ben rhyw bapurau eraill, roedd 'na gasgliad o erthyglau papur newydd. Roedd rhywun wedi gludo pob erthygl yn blentynnaidd ar damed o bapur, fel rhywun ag obsesiwn. Roedd y papur eisoes wedi dechrau crino yn ei gorneli – yr haul, mae'n siŵr. A'r gwres. Ai'r ffaith fod y pennawd yn Saesneg oedd wedi dal ei sylw? Ynta oedd hi wedi nabod ei llun Hi, er ei fod yn gam, a'i ben i waered? Llun Esyllt yn gwenu'n ddel, a'r pennawd moel: 'WOMAN DIES IN FALL HORROR'.

Fferrodd Non. Synhwyrodd Bruno'r tynhau yn ei chymalau yn syth. Tynnodd yn ôl oddi wrthi, a throi i edrych lle roedd hi'n syllu. Edrychodd Non arno heb ddeud gair. Edrychodd yntau ar ei draed am eiliad ac yna ysgydwodd ei ben. Doedd dim arlliw o wrid nac embaras ar ei wyneb. Dim ymddiheuriad yn ei lais. A doedd o ddim yn byhafio fel rhywun o'i go', o be welai hi.

'*La pauvre . . .*' meddai. Druan. Am bwy oedd o'n siarad? Amdani hi? Non? '*Pauvre Iseult . . .*' meddai wedyn, gan chwalu pob amheuaeth.

Heb wybod be roedd hi'n neud, taflodd Non y tamed papur ar y llawr a rhythu ar Bruno. Camodd Bruno ymlaen fel ei fod yn silwét, a'i gefn yn erbyn y golau gwan o'r ffenest. Gwyddai Non ei fod yn syllu arni, yn edrych ar y slwten fach o Gymru oedd newydd ddallt ei fod o, hefyd, wedi bod mewn cariad efo '*pauvre Iseult*', yn union yr un fath â phob dyn arall oedd wedi dŵad yn agos ati.

Cododd Bruno'r papur a'i roi'n ôl yn ofalus ar y silff.

'*Je peux expliquer*,' medda fo'n ddistaw gan syllu ar y llawr. '*Tout à propos de Iseult . . . je peux expliquer.*'

'Be fedri di egluro am Esyllt?' meddai Non yn ffyrnig. Ond a oedd arno fo unrhyw beth iddi hi? Hi ddaeth yma, a'i blys yn amlwg. Roedd hi'n gwybod sut un oedd o, yn garwr, styd y pentre. Ond fo . . . ac Esyllt? Yn feddalach, dywedodd y geiriau eto. 'Be sy 'na i' esbonio, Bruno?'

'*Viens . . .* ' medda fo, gan afael yn ei llaw a'i harwain at y soffa.

Pennod 31

Cadi

Doedd dim yn synnu Cadi bellach. Dim byd. Petai Santa Clôs wedi troi i fyny ar stepan y drws wedi meddwi'n chwildrins, mi fyddai wedi derbyn y peth yn ddigwestiwn a'i helpu o efo'i sach dros y rhiniog. Roedd hon yn noson od, a daeth llun i'w meddwl o bêl yn rholio i lawr llethr, allan o reolaeth yn llwyr a phawb yn trio rhedeg ar ei hôl.

Roedd hi wedi sychu'i dagrau erbyn hyn ac wedi tawelu Ben, oedd yn poeni ei bod hi wedi cael ei brifo'n gorfforol wrth i Tim ei thaflu o'r neilltu yn y ffeit. Ben druan. Teimlai'n wag y tu mewn fel mae rhywun ar ôl crio. Ond roedd y gwacter yn iawn, yn rhywbeth roedd hi wedi dechrau dŵad i arfer ag o.

Doedd hi ddim wedi synnu, felly, o weld Tim yn sefyll yno efo dyn diarth. Roedd hi'n siŵr nad oedd Tim wedi cynllunio ymddangosiad Emyr, ei ffrind o dwrna. Roedd yr olwg ar ei wyneb yn ddigon i'w hargyhoeddi. Safai fel dyn pren yn symud yn chwithig o un goes i'r llall ac yn osgoi llygaid pawb, yn enwedig rhai Gareth. Cerddai'r twrna o gwmpas y gegin fel 'tai o mewn llys barn. A beth bynnag, fyddai Tim rioed wedi ymosod fel'na ar Gareth tasa fo'n gwybod bod rhywun o fyd y gyfraith ar fin camu ar y set.

Doedd Emyr ddim fel 'tai o wedi sylwi ar Gareth yn rhythu arno, a Ben a hithau'n gegrwth. Braf arno fo, meddyliodd Cadi. Dyn ar drothwy canol oed oedd o, fymryn yn hŷn na nhw, y crychau bach yn dechrau dyfnhau rownd ei lygaid, a'i wallt melynaidd yn dechra teneuo ar dop ei ben. Sylwodd fod ei dalcen yn sgleinio yng ngolau'r lamp uwchben y bwrdd, ond allai hi ddim penderfynu p'un ai saim 'ta chwys oedd yn gyfrifol. Fe fydda fo wedi bod yn hogyn del yn ei ddydd. Roedd ganddo osgo 'dyn ar ei wyliau'; roedd pobol wastad yn dal eu hunain ac yn symud yn wahanol ar eu gwyliau – eu camau'n frasach, a'u dwylo wedi'u plymio'n ddwfn yn eu pocedi.

Pan gerddodd Tim ac yntau i mewn i'r gegin, roedd y ddau'n sgwrsio'n daer. Fedrai Cadi ddim peidio clywed rhywbeth am 'Emma' a 'llythyr'. Ysgwyd ei ben roedd Emyr, beth bynnag. Tawodd yr holi unwaith y sylweddolodd Tim eu bod o fewn clyw. Gwenodd Cadi'n nerfus arno, a sylwodd fod Tim yn dal amlen frown a chyfeiriad arni. Doedd hi ddim mor hy â cheisio craffu i'w ddarllen. Er bod stamp ar yr amlen, doedd o ddim wedi'i ffrancio gan Swyddfa'r Post.

'Emyr Roberts 'di hwn,' meddai Tim. 'Ffrind ysgol 'stalwm. Emyr twrna, i ni yn y dre. Ond Emyr Pen Rallt fydd o i mi am byth!' Allai Cadi ddim llai na sylwi ar y cryndod yn ei lais.

Gwenodd Emyr yn wresog ar bawb, yn fwy fel pregethwr na thwrna, meddyliodd Cadi.

'Dwi'm isio'ch styrbio chi a chitha'n ca'l swpar! Dach chi 'di dechra'r parti cyn i mi gyrraedd! Chofish i ddim am y Bastille 'ma! Mae o'n beth mawr, 'dydi?'

'Digwydd . . . pasio oeddach chdi?' gofynnodd Ben, yn amlwg wedi'i anesmwytho.

Roedd Gareth erbyn hyn wedi troi'n ôl i rythu ar y bwrdd. Sylwodd Cadi arno'n taenu cefn ei law ar hyd ymyl ei geg yn llechwraidd. Roedd 'na chwydd bychan ar y wefus isa yn barod, a chlais yn datblygu o dan ei lygad.

'Wel, ar 'yn ffordd i lawr i'r de ffor'na ydan ni. Nice . . . lle neis!' Chwarddodd yn harti ar ei jôc fach bitw. 'Efo Angela dwi. Mae honno'n aros amdana i yn y gwesty yn La Rochelle. Coblyn o le del ar yr harbwr. Werth pob ceiniog!'

Hwyrach mai blynyddoedd o fod yn dwrna ac yn biler cymdeithas oedd wedi creu'r hyder yma ynddo. Roedd o'n amlwg yn ariannog. Anaml iawn y byddai pobol dlawd yn sgwario fel hyn, ym mhrofiad Cadi. Doedd o ddim yn edrych fel twrna na phregethwr heno, yn ei drowsus tri chwarter golau a'i grys llewys cwta. Ac eto, roedd o'n byhafio fel dyn oedd wedi cyrraedd ei le ar silff cymdeithas ac yn hapus ei fyd.

'Feddylis i 'swn i'n galw fory, ond roedd Angela 'cw isio gneud yn fawr o'n hamsar yma cyn cychwyn am y de 'na a gweld dipyn o'r seits fory. Mi jansia i y byddan nhw adra heno, medda fi wrthi. A dyma fi! A dyma chi!' ychwanegodd, a'r wên fawr yn lledu fymryn.

'Gymri di lasiad o win?' gofynnodd Cadi.

''Sa well 'mi beidio, wrth bo fi ar fusnas 'ma, fel 'tai. A finna isio dreifio. Diolch am gynnig 'run fath, 'te?' Ai dychymyg Cadi oedd o, neu oedd Tim yn gwelwi wrth i Emyr sôn am fod yma ar fusnes? 'Dwi 'di clywad cymaint am y Maison du Soleil 'ma rioed . . . gin Esyllt . . . a Tim, 'te? Ydi pawb yma, yndi? Pawb sy *fod* yma?'

Roedd ei lygaid yn sganio'r criw, yn trio cofio pwy oedd pwy, faint o griw oedd i fod.

'Nag yw!' brathodd Gareth.

Ymddangosai Emyr ryw dwtsh yn anghyfforddus am y tro cynta, ac edrychodd yn ymchwilgar ar Tim am esboniad. Ei siomi gafodd o.

''Sa ti'n licio *guided tour*? Wrth bo' chdi yma?' gofynnodd Tim yn nerfus, a dechrau arwain Emyr gerfydd ei benelin i gyfeiriad y drws a'r grisiau.

'Grêt!' Lledaenodd y wên yn syth. Iddo fo y crëwyd yr ymadrodd 'yn wên o glust i glust' meddyliodd Cadi. Ond dal i siarad wnaeth Emyr. 'Ma' Angela a finna wastad 'di meddwl 'sa'n neis ca'l rhyw *pied à terre* bach yn rwla. A tydi rhywun ddim yn licio gneud yng Nghymru'r dyddia yma, nacdi? Dwi'm isio i hogia Glyndŵr ga'l esgus i wastio matsys, nagoes? Wedi deud hynny, ma'n nhw 'di bod reit ddistaw yn ddiweddar 'ma, 'do? Mi 'nes geiniog reit ddel yn amddiffyn ambell un sbelan yn ôl . . . '

'I'r pant y rhed y dŵr!' meddai Ben dan ei wynt, a chyfarfod â llygaid Emyr wrth ddeud y geiriau.

'Ffor 'ma 'li, Emyr,' meddai Tim a thywys y ragarŷg cyn iddo fo gael cyfle i fynd i ormod o hwyl. Diflannodd y ddau i fyny'r grisiau.

'*Prat!*' meddai Gareth. Wnaeth neb anghytuno.

'Be ma'n neud yma? Dyna liciwn i wbod!' meddai Ben yn anniddig.

Roedd o'n deimlad rhyfedd, cael rhywun arall yn y tŷ. Y sŵn cerddediad, y synau tagu diarth, y clirio gwddw, tôn llais newydd; roedd o'n gneud gwahaniaeth, yn symffoni wahanol. Fel roedd 'na ogla gwahanol yn tŷ nain a taid erstalwm ar ôl i fisitors adael ddiwedd yr haf, a nain a taid yn cael mynd 'nôl i mewn i'r tŷ o'r garej. Ogla sentiach newydd, ogla bwydydd pobol ddiarth fel mwg drwy'r tŷ.

Gallai Cadi dracio sŵn eu traed wrth i Tim dywys Emyr o gwmpas y Maison. Gobeithiai na fydden nhw'n mynd i mewn i'w stafell nhw. Roedd gwich drws yn ddigon i ddeffro Guto weithia. Ond, gyda lwc, roedd yr helfa pilipalod yn y gwres wedi blino digon arno iddo fo gysgu'n sownd.

'Ti'n meddwl bo' Tim 'di cynllunio hyn?' gofynnodd Ben.

'Nacdi, siŵr. Mae o 'di'i synnu gymaint â ninna,' meddai Cadi. Ond doedd ei geiriau'n fawr o gysur i Ben.

Tri ohonyn nhw oedd ar ôl wrth y bwrdd: Ben, Gareth a hithau. Ond falla mai dau oedd yno mewn gwirionedd. O sbio ar Gareth, dyn a ŵyr lle roedd o go iawn. Roedd y briw ar ei wefus bellach wedi chwyddo'n rhosyn gwaedlyd.

'Ond 'dan ni'n gwbod bo' rwbath ar droed,' mynnodd Ben. 'Ma'r llythyr 'ma i fod i . . . '

Ogla llosgi! Cododd Cadi ar frys wrth gofio fod y tamed cig wedi cael ei roi'n ôl yn y popty.

Roedd o wedi gor-neud, doedd dim dwywaith am hynny. Roedd o'n golsyn du pwdlyd yn y tun. Ond falla, o'i dorri, y byddai 'na ddarnau bwytadwy. Falla. Fe fyddai'n biti i bob mymryn o'r noson fynd yn wastraff.

'Fedri di 'i achub o?' gofynnodd Ben iddi.

'Bosib iawn. Mi fydda'n biti i . . . '

'I bob dim orfod cael ei daflu . . . ' adleisiodd Ben, a gwenodd y ddau ar ei gilydd.

'Iawn rŵan? Gwell?' gofynnodd Ben wedyn.

Nodiodd Cadi'i phen. Os mai gwell oedd bod yn wag.

'Idiot!' Torrodd llais Gareth ar draws y ddau. 'Blydi idiot!'

Roedd 'na resiad o bobol fyddai'n gymwys ar gyfer y teitl yn nhyb Gareth, meddyliodd Cadi, a phenderfynodd beidio gofyn iddo ehangu. Mae'n rhaid fod Ben wedi meddwl yr un fath â hi, achos fe symudodd i ffwrdd i ben pella'r stafell, heb ofyn mwy i Gareth.

''Nest ti'm ca'l anaf, 'do fe? Pan dowlodd Tim ti i'r ochor fel'na? Sori 'nes i'm gweud dim ar y pryd, o'n i jest mor . . . '

'Mi nath Ben,' meddai Cadi. Dyna'r oll oedd angen ei ddeud.

'Do . . . whare teg . . . '

Dechreuodd Cadi chwalu drwy'r drôr am rywbeth i godi'r cig.

''Dd'ar pryd, Cad?' Roedd Gareth wedi symud yn nes ati hi erbyn hyn.

'Sori?'

''Dd'ar pryd oedd e'n gwbod? 'Bytu ni . . . ?' O gornel ei

llygaid roedd Cadi'n ymwybodol o Ben yn edrych arnyn nhw. Rhoddodd besychiad ac estyn am lymaid arall o win. Dychmygodd Cadi ei fysedd yn gwynnu fymryn wrth iddyn nhw afael yn dynn yn y gwydryn oer.

'Dd'ar pryd, gwed?'

'Be wn i?' meddai Cadi'n swta, a throi'n ôl i wynebu'r stof. Daeth o hyd i ddwy fforc a'u plannu'n ddel o dan y tamed cig. Cododd o'n ofalus a'i osod ar blât oer, glân. Roedd hi isio i Gareth gau'i geg. Roedd o wedi deud gormod fel roedd hi, ac roedd hi'n mynd i ddŵad yn amlwg i Ben fod Cadi hefyd yn rhan o'r cynllwyn, ac wedi'i gadw'n gyfrinach oddi wrtho.

'Dwi am fynd i'r ardd am dro bach. I weld a oes 'na ryw olwg o Non . . . ' meddai Ben yn ddistaw. Clywodd Cadi sŵn y drws yn agor ac yn rhwbio ar gau. Teimlodd ryddhad fod Ben wedi mynd allan o'r ffordd, ond hefyd roedd 'na ryw 'sictod yng ngwaelod ei bol. Roedd o wedi'i frifo. Doedd ganddi ddim rheswm i amau'i fod o'n gwybod ei bod hi'n ymwybodol o'r garwriaeth, heb sôn am y ffaith ei bod hi wedi chwarae rôl ymarferol ynddi. Be oedd yn brifo Ben oedd fod y garwriaeth wedi digwydd o gwbwl. Doedd Gareth a Ben ddim yn llawiau, wrth gwrs nad oeddan nhw. Ond roedd y criw yn griw, a'r cod moesol rhyngddyn nhw'n gadarn, os yn annelwig weithia. Sut oedd hi wedi bod mor wirion â pheidio ystyried hyn? Yr holl redeg negeseuon iddi. I Esyllt. Yr holl basio geiriau 'nôl a mlaen. Rhoi benthyg ei thŷ, ei gwely iddyn nhw. Golchi'r cynfasau wedyn fel morwyn. Iddi hi.

Doedd dim rhaid iddi droi i wybod fod Gareth wedi symud i fod reit wrth ei hymyl erbyn hyn. Gallai deimlo'i gorff yn anadlu'n ysgafn, ei frest yn esgyn ac yn disgyn.

'Dwn i'm, Gareth. Doedd gin i'm syniad fod Tim yn gwbod. Wir i ti. Dim syniad o gwbwl.'

Safodd y ddau'n ddistaw, yn syllu ar y tamed cig du o'u blaenau. Wedi'i ddifetha.

'Sdim ots nawr ta beth, o's e?' meddai Gareth. 'Sdim ots.' Roedd tôn ei lais yn bradychu'i eiriau ffwrdd-â-hi. Arhosodd iddo gario mlaen. 'Fi'n treial, Cad. 'Da Non. Babi bach sy isie, ac mi fyddwn ni'n deulu, 'yn byddwn ni? Ma' ddi'n haeddu 'ny, on'd yw hi? Haeddu 'ny o leia.'

'Welist ti hi? Y diwrnod . . . ddigwyddodd o?' gofynnodd Cadi. Doedd o ddim wedi cymryd arno efo hi hyd yma. A doedd hithau ddim wedi sôn ei bod yn gwbod chwaith.

Roedd hithau wedi bod draw i'r fflat at Esyllt. 'Wedi bwrw'i bol; wedi tywallt pob un dim fel nad oedd na'm byd ar ôl. Dim dropyn o ddim. Ond roedd Esyllt yn feddw; wedi bod yn yfed ers y pnawn – ers i Gareth alw. Yn simsanu wrth y drws, a gwydryn yn ei llaw. Bu bron i Cadi droi'n ôl; stwffio'r geiriau i gyd yn ôl i mewn cyn iddyn nhw gael cyfle i ddianc. Ond isio dianc oeddan nhw. Ers cyhyd. Mi fasa unrhyw un yn gweld fod 'na'm synnwyr mewn deud sut oedd hi'n teimlo wrth Esyllt yn ei chyflwr hi. Ond allan ddaeth y geiriau, yn un rhes garbwl.

Roedd Gareth wedi dechrau parablu, siarad mwy nag roedd Cadi wedi'i glywed yn siarad ers tro.

'Fues i draw 'na'n y prynhawn . . . ' meddai Gareth. 'Hi oedd yn moyn 'y ngweld i. O'n i'n ame bod rywbeth yn bod. Yn gwybod fod rywbeth . . . ' Roedd o bron yn siarad efo fo'i hun. Yn ail-ddeud geiriau roedd o wedi'u defnyddio dro ar ôl tro ar ôl iddo fo ddigwydd.

'O'dd hi'n moyn cwpla 'da fi, Cad.' Roedd ei lais yn graciau i gyd. 'Isie i ni gwpla. Moyn i fi fynd a byw 'da Non a neud babis. O'dd hi'n pallu g'rando! O'dd hi ddim moyn fi!'

'O, Gareth.' Cafodd yr ysfa i dynnu'i ben ati a mwytho'i wallt yn ôl a blaen, yn ôl a blaen fel mam.

'Ond pam arall fydde hi 'di 'ngwrthod i, Cad? Hala fi mas.

226

Gafel ynddo i ac wedyn gwthio . . . Cau'r drws! Cau'r ffycin drws arna i! A 'na'r tro ola . . . ' Roedd y geiriau'n ei dagu.

Esyllt yn yfed i gael peidio meddwl, i gael peidio teimlo. Roedd Cadi wedi bod yn rhy hwyr, wedi colli'i chyfle. Ond nid felly Gareth. Gafaelodd yn ei sgwyddau a'i wynebu. Gallai deimlo'r cyhyrau'n tynhau o dan ei dwylo.

'Gada'l i chdi fynd oedd hi, Gar. Ti'm yn gweld? Isio i chdi ga'l dy gyfla . . . efo Non. Gada'l i chdi fynd . . . at Non . . . '

'Beth?' Roedd o'n ysgwyd ei ben, yn methu derbyn be oedd hi'n ddeud.

'Gada'l i chdi fynd, i ti ga'l y cyfla 'sa hi'm yn medru'i gynnig i chdi.'

'Ond hi o'n i isie! Nage beth o'dd hi'n galler 'i gynnig i fi!'

'Gada'l i chdi fynd oedd hi,' meddai Cadi eto. 'I neud bywyd efo Non.'

Roedd llygaid Gareth yn tyllu i mewn iddi, yn chwilio.

'Ond hi . . . '

'Am 'i bod hi'n . . . ' Roedd y geiriau'n brifo. 'Am 'i bod hi'n dy garu di, dyna pam gaeodd hi'r drws, Gareth. Ti'm yn gweld?'

'Ti'n credu? Ti . . . Ti wir yn credu 'ny, Cad? O ddifri?'

'Yndw, Gareth. O, yndw.'

Esyllt hardd, feddw yn gadael iddo fo fynd. Ac yn gadael fynd iddyn nhw i gyd wrth gamu oddi ar y gris top a thywallt yn enfys i lawr y grisiau.

Dadebrodd y ddau o glywed llais Tim yn agosáu at y gegin, a neidio oddi wrth ei gilydd fel 'taen nhw wedi bod yn cusanu.

'Waeth i mi fwrw iddi ddim, i chi ga'l mynd mlaen efo'ch noson,' meddai Emyr, ac estyn y *briefcase*. Roedd o'n lledr ac yn sgleiniog, a golwg ddrud arno fo. Cês i dorri cyt yn y llys, meddyliodd Cadi.

Sychodd ei dwylo ar y tywel oedd yn hongian ar y bachyn yn ymyl y sinc. Roeddan nhw wedi llwyddo i gael rhyw lun o bryd. Doedd 'na'm llawer o steil, ond roedd Emyr fel 'tai'n derbyn mai fel hyn roeddan nhw wrthi yn y Maison.

Sgubodd Emyr gledr ei law ar hyd y bwrdd i neud yn siŵr ei fod yn lân ar gyfer ei gês. Symudodd y gliced i'r ochr a diflannodd am eiliad y tu ôl i betryal lledr y clawr cyn ymddangos eto ar ôl ei gau.

'Wrach y daw'r lleill 'fyd, yn munud.'

'Lleill?' meddai Ben. 'Dim ond Non sy ar ôl, neb arall.' Atebodd Emyr mohono, ond sylwodd Cadi nad oedd o wedi ymddiheuro am neud camgymeriad, chwaith.

'Tydi hyn ddim yn arferol, wrth gwrs,' meddai, yn edrych a swnio'n wahanol rŵan ei fod yn gwisgo'i fantell twrna. Torrodd Ben ar ei draws.

'Mewn swyddfa twrna fydd rhywun fel arfar yn darllan 'wyllys, ia ddim?'

'Fel arfar, mewn ffilmia, ella . . . ' meddai Emyr yn dalog, a gwelodd Cadi Ben yn gwrido fymryn. 'Ond gall ewyllys gael ei darllen yn rwla, a deud y gwir.'

'Dos yn dy flaen, Emyr,' meddai Tim, gan daflu golwg ddilornus ar Ben. Fe wnaeth Emyr hynny ar unwaith.

'Dwi'n gwbod fod yr ewyllys fel arfer yn cael ei darllan yn eitha buan ar ôl i'r ymadawedig fynd . . . rhag ofn fod yna ddymuniadau neilltuol parthed yr angladd ac ati.' Cymerodd saib fechan cyn cario mlaen. 'Ond roedd o'n ddymuniad, yn yr achos arbennig yma, fod yr ewyllys yn cael ei darllen yn ystod y pythefnos arbennig yma pan oedd pawb yn y Maison du Soleil.' Gwenodd yn ysgafn cyn parhau. 'A chan 'mod i'n nabod Esyllt . . . wel, a Tim, wrth gwrs, ers blynyddoedd, roeddwn i'n fodlon iawn cydymffurfio â'r dymuniad.'

Edrychodd Cadi ar Tim o gil ei llygaid. Roedd o'n edrych ar y bwrdd, ei ben i lawr, fel 'tai o'n methu cyfarfod â llygaid

Emyr. Roedd Gareth hefyd yn sbio am i lawr, yn sbio i lawr ar ei ddyrnau.

Estynnodd Emyr damed o bapur gwyn a theip arno. Nid rhyw sgrôl felynaidd ac urddasol yr olwg wedi'i chlymu â rhuban coch, ond tamed o bapur A4.

Pesychodd Emyr cyn cario mlaen.

'Reit . . . yr arferol . . . Hon yw'r ewyllys olaf; dyddiedig Mai 8fed . . . '

'Be?' meddai Tim. 'Dim hwnna oedd y dyddiad. Ddaethon ni'n dau ata chdi, ti'm yn cofio? Diwedd ha' dwetha oedd hi, dwi'n cofio'n iawn.' Trodd pawb i edrych yn ddigon blin ar Tim am darfu.

'Hon ydi'r ewyllys ddiweddara,' meddai Emyr yn bendant. 'Mi dda'th Esyllt ata i fis Mai 'leni.'

Yn y saib, gallai Cadi glywed taranu pell y tân gwyllt yn y pentre yn cychwyn. Cododd Emyr ei lygaid ac edrych yn syth arni.

'Mae hi'n dy enwi di fel 'sgutor, Cadi.'

'Fi!'

'Dyna ma'n ddeud yn fan'ma. Ti'n iawn efo hynna?'

Edrychodd Cadi ar Tim ac edrychodd hwnnw'n ôl arni hithau cyn edrych ar Emyr.

'Ond ddim y gŵr sydd fel arfar . . . ' dechreuodd Tim. Ond torrodd Emyr ar ei draws.

'Fel arfar, ia,' meddai. 'Ond nid bob tro. Ac nid felly yma. Iawn, awn ni mlaen, ia? Ti'n iawn efo hynna, Cadi?' gofynnodd eto. Nodiodd Cadi'i phen a gwrido o weld pawb yn edrych arni. Aeth Emyr yn ôl at ei bapur a chario mlaen i ddarllen. 'Diddymaf unrhyw ewyllysiau a rhoddion ewyllysol blaenorol . . . '

Ar hynny, agorodd y drws a daeth Non i mewn, gyda Bruno wrth ei chwt.

Roedd bochau'r ddau'n goch fel tasan nhw wedi bod yn

rhedeg. Edrychai Non yn llawer gwell rŵan nag oedd hi ryw awr neu ddwy yn ôl. A deud y gwir, roedd hi'n edrych yn well nag roedd hi 'di gneud ers tro.

'Wel? Oes 'na le i mi ista, ta be?' meddai Non, a gwasgu ar y gadair rhwng Cadi a Ben gan adael Bruno'n sefyll yn dalog y tu ôl iddi, heb embaras yn y byd. Rêl Bruno. Sylwodd Cadi fod ei fraich mewn plastar, a'i fod yn gwisgo'r plastar fel tarian.

'Non dwi'n cymryd, ia?' meddai Emyr yn glên.

'Ditectif ddylia chdi fod, ddim twrna!' meddai Non yn joclyd. Edrychodd hi ddim unwaith i gyfeiriad Gareth.

'A chi ydi?' mentrodd Emyr gan edrych ar Bruno, fel 'tai o'n gwybod cyn gofyn nad ateb Cymraeg a ddeuai o enau'r boi mawr o'i flaen. Newidiodd Emyr ei ymarweddiad yn llwyr wrth glywed Non yn deud enw Bruno.

'A!' meddai, a hanner codi o'i sêt wrth ddeud 'Bruno! Croeso atan ni! *Bienvenue* . . . Ac *asseyez vous* wir, Bruno bach! *Asseyez vous!*'

'Diolch,' meddai Bruno, a rhoi winc ar Non wrth eistedd ar fraich y gadair.

Pennod 32

Tim

Edrychodd Tim allan drwy ffenest ei stafell wely am y tro ola a theimlo'n falch ei bod yn tywallt y glaw eto. Petai'r haul yn tywynnu a'r ardd a'r caeau o flodau haul ac ŷd yn edrych yn hyfryd o ddioglyd yn y gwres, fe fyddai hi wedi bod yn anos gadael. Dim fod ganddo ddewis. Ond roedd hyn yn gneud pethau'n haws.

Clywodd gnoc ar y drws, a throdd i weld Cadi yno. Roedd hi'n edrych yn ymddiheurol ac yn amlwg wedi bod yn troi a throsi drwy'r nos yn ôl y bagiau oedd o dan ei llygaid, yn trio dygymod efo'r ffaith fod Esyllt wedi'u twyllo nhw i gyd, mae'n debyg. Roedd pob un wan jac ohonyn nhw wedi cael drwy oriau tywyll y nos i ddŵad i delerau â'r newyddion am ddyfodol y Maison.

'Tim? 'Di'n iawn i mi . . . ?'

'Ty'd i mewn. Ma' hi'n fan'na i chdi, yli.' Amneidiodd Tim tuag at y ffrog felen yn y bag plastig oedd yn gorwedd ar y gwely, a throi'n ôl at y ffenest. Roedd o isio amsugno pob cornel o'r llun o'r ffenast tra oedd o'n medru.

Clywodd sbrings y gwely'n ochneidio'n ysgafn wrth i Cadi eistedd ar y fatres. Ac yna sŵn y bag plastig wrth iddi afael yn y bwndel melyn. Ond nid sŵn gafael ynddo a gadael oedd hwn. Trodd Tim yn ôl ati yn ddifynedd braidd. Mi fasa'n well o lawer ganddo fo tasa hi jest yn cymryd y blydi ffrog a chau'r drws ar ei ffordd allan – yn lle eistedd a chodi'r ffrog at ei hwyneb fel'na. Doedd ganddo fo ddim mynedd efo rhyw sentiment diawl. Os mai tin-droi oedd hi gan feddwl cynnig rhesiad o eiriau'n gysur, yna roedd hi'n wastio'i hamser. Roedd Esyllt wedi'i chladdu, a heddiw roedd o am adael pob dim ohoni ar ôl yn y Maison a symud ymlaen.

Daeth llun i'w ben o ddyn yn brasgamu i lawr lôn hir, syth ynghanol rhyw anialwch yn Mericia yn rhywle. Doedd o ddim hyd yn oed yn llun gwreiddiol. Llun o ryw ffilm oedd o, o'r dyn 'ma ar ei ben ei hun yn cerdded at y llinell bell nad oedd yn bod. Ond y cerdded at rywbeth oedd yn bwysig. Y cerdded ymlaen. Y symud ymlaen. Roedd o wedi bod mor sgiamllyd o'r jargon seicolegol ar ôl colli Esyllt. Ond rŵan roedd pob dim wedi newid. Allai o ddim bod yn ddilornus o'r 'symud ymlaen' erbyn hyn. Doedd ganddo ddim dewis arall.

'Cym di rwbath arall ti isio,' meddai, i drio'i hysgwyd o'i hosgo breuddwydiol, ac i neud yn glir nad oedd arno ddim angen unrhyw eiriau cysur craplyd. 'Neu mam Bruno fydd yn hawlio pob un dim fel arall. Ma' hi'n ysu i ga'l 'i bacha budron ar bob dim sy 'ma, fatha ma'r mab 'na sgynni hi'n methu'n glir â'n gweld ni'n mynd o 'ma'n ddigon buan iddo fo ga'l dŵad yma'i hun.'

'Ma' gynno fo hawl, Tim,' meddai Cadi'n ddistaw. Cododd a gosod y bag plastig efo'r ffrog yn ofalus yn ei dwylo, a'i chario fel tasa hi'n cario person. Fel tasa hi'n cario merch.

'Oes! Diolch i Esyllt.'

'Dyna oedd ei dymuniad hi, Tim,' meddai Cadi, a symud o'r stafell fel rhyw ysbryd a'r blydi ffrog yn ei breichiau. Y ffrog felen oedd hi 'di bod isio. Mi fyddai hi, o leia, yn hapus rŵan.

'Anodd credu 'fyd, 'dydi, Cad?' meddai Tim, a rhyw bwl o rywbeth yn dod drosto o nunlle. 'Ei bod hi 'di gada'l y lle iddo fo. Hannar brawd neu beidio.'

'Diolch am hon . . . ' meddai Cadi, a throi i fynd.

232

'Ti'n meddwl fod Bruno'n gwbod rioed, Cad? Fod Arthur yn dad iddo fo? Ti'n meddwl i fod o 'di gwbod am yr affêr?'

Yr ên benderfynol 'na oedd ganddo fo. Y fflach herfeiddiol yn ei lygaid . . . Esyllt yn cadw'i gefn o byth a beunydd. Sôn o hyd am sut y byddai hi a Bruno'n chwarae allan o fora gwyn tan nos pan oedd hi'n dŵad i aros yma erstalwm efo'i thad. Fel brawd a chwaer . . . Edrychodd ar ei draed.

'I feddwl 'mod i 'di ama . . . ' dechreuodd, cyn tewi. Doedd dim lle rŵan i'r holl amheuon oedd wedi bod fel cysgod rhwng Esyllt ac yntau o'r dechrau. Dyna'r pris roedd o wedi'i dalu am gael hogan fel Esyllt, debyg. Hogan oedd yn tynnu'r byd ati fel potyn mêl. Hogan na fyddai byth mo'i thebyg.

'Wsti, Cad . . . ' meddai Tim eto, ond pan sbiodd at y drws roedd Cadi wedi mynd.

Clywodd sblash ac edrychodd drwy'r ffenest. Ffurf Non yn torri drwy'r dŵr yn y pwll nofio, ac yn dechrau mynd 'nôl a blaen, 'nôl a blaen heb stopio, heb gymryd anadl, heb godi'i phen i deimlo'r glaw.

Roedd pawb wedi codi'n reit gynnar er gwaetha'r noson hwyr neithiwr. Cymaint i'w neud. Cymaint o flynyddoedd i'w pacio i'r cês.

Roedd y glaw wedi peidio erbyn iddyn nhw sefyll tu allan i'r drws fel côr adrodd: Tim, Cadi, Ben, Non a Guto bach. Doedd o ddim yn deimlad rhyfedd troi'r goriad yn y clo am y tro ola. Ddim o gwbwl. Un tro bach o'i arddwrn, dyna'r cyfan oedd o. Garddwrn Bruno fyddai'n troi'r goriad yn y twll yna'r tro nesa. Ond be am hynny? Roedd 'na gloeon eraill i Tim eu hagor. Drysau eraill.

Roedd sŵn car Gareth ar y cerrig mân wedi'i ddeffro yn gynnar iawn y bore hwnnw. Heblaw ei fod o wedi yfed gormod mi fyddai wedi mynd yn syth ar ôl i Emyr adael. Gwynt teg ar ei ôl o, meddyliodd Tim, a synnu braidd o deimlo'r chwerwder yn dal yn ffres, yn dal yn gignoeth. Fe fyddai'n rhaid iddo weithio ar hynna. Trio troi'r chwerwder yn ddifaterwch. Maddeuant? Na, doedd Gareth ddim yn haeddu hynny. Fe fyddai'n rhaid i Tim rŵan geisio ail-lunio'i fyd heb fod Gareth yn stelcian yn y cefndir. Ond maddau? Roedd hynny'n rhywbeth arall.

Doedd o fawr o barti wedyn. Yn groes i'r hyn roedd Tim wedi'i ddisgwyl, doedd Non ddim wedi taflu'i hun at Feistr newydd y Maison a dechrau lapswchan efo fo. Roedd Bruno wedi gadael yn fuan wedyn. Ond roedd Non ac yntau wedi ffarwelio'n reit gynnes ar stepan y drws, sylwodd Tim. Fel tasan nhw'n dallt 'i gilydd. Ond doedd na'm awgrym o ddim byd cryfach, o be welai o. Roedd o wedi clywed sŵn igian crio'n dod o gyfeiriad ei stafell hi yn nhrymder nos. Ond roedd y bora wedi dod ag agwedd newydd i bawb. Mae'n debyg fod clywed ei bod wedi etifeddu hanner cyfoeth Esyllt efo Tim wedi bod yn 'sgytwad iddi. Doedd hi ddim wedi gallu edrych i fyw ei lygaid o o gwbwl dros frecwast. Greaduras ddiawl. Colli gŵr ond ennill ffortiwn.

Esyllt yn cael y gair ola eto. Esyllt yn rheoli. Ei phres hi'n rhoi sêl ei bendith ar i Gareth a Non fyw'n hapus hebddi. Ond doedd y cynllun ddim cweit wedi gweithio.

'Pob dim gin bawb?' meddai Ben yn ddigon joli. Roedd y bychan yn ei freichiau, ond yn gwingo i gael dŵad oddi yno, i gael mynd at ei fam. Fe fyddai Tim yn colli'i weld yn tyfu i fyny, yn dŵad yn hogyn bach, yn ddyn. Agorodd Cadi'i breichiau iddo, a dringodd iddyn nhw fel mwnci, yn fodlon rŵan.

'Non? Ti 'di cofio pob dim? Sgin i'm llawar mwy o le yn y bŵt, cofia,' meddai Ben.

'Ben! Ti 'di gofyn hynna dair gwaith mewn pum munud!' meddai Non, gan godi'i llygaid i'r nefoedd. Roedd ei gwallt yn dal i lynu'n gudynnau gwlyb o gwmpas ei hwyneb ar ôl nofio am y tro ola. Heb y masgara trwchus ar ei llygaid, edrychai'n 'fengach, yn ddelach. Yn hapusach.

'Ti'n siŵr ti'm isio lifft efo fi? Ma hi'n siwrna hir, sti!' meddai Tim dan wenu.

'Fedra i ddiodda chydig oria! O leia dwi'm yn 'i ddosbarth o'n yr ysgol na dim byd erchyll felly!' gwenodd Non. Crychodd Ben ei dalcen am eiliad cyn gwenu.

'Hei! Llai o'r atab yn ôl 'na!' meddai'n gellweirus. Chwarddodd pawb, a rhyddhad yn y sŵn.

Roedd 'na saib bach anghyfforddus wedyn. Hen bryd i bawb fynd, meddyliodd Tim.

'Wel . . . diolch am bob dim, 'ta . . .' meddai Ben yn chwithig. Roedd Tim yn gobeithio'r nefoedd nad oedd o'n mynd i dorri i ryw sbîl godog am ddiwedd cyfnod a rhyw lol felly. 'A diolch i Esyllt 'fyd, 'de? Am . . . wel, y cildwrn i Guto bach. Clên iawn, wir.' Chymerodd Tim ddim arno'i fod wedi clywed hynny.

'Well ti'i heglu hi os ti'n gobeithio cyrraedd St Malo cyn nos, washi,' meddai, cyn ychwanegu, 'ddo i i gysylltiad, bois.' Roedd yr ewyllys yn mynd i orfodi rhywfaint o gyswllt pellach am ryw hyd, felly doedd o'm yn gelwydd noeth.

Estynnodd Ben ei law iddo, ac ysgydwodd y ddau ddwylo. Roedd y ffurfioldeb yn teimlo'n chwithig, ac eto'n addas dan yr amgylchiadau. Taflodd Ben un cipolwg arall ar y Maison, cyn troi a dechrau cerdded am y car. Rhoddodd Non gofleidiad brysiog i Tim.

'Wela i di . . .' meddai, gan osgoi ei lygaid, cyn troi a cherdded i ddal i fyny efo Ben.

Roedd Cadi'n oedi wrth ei ymyl, yn tindroi a rhwbio blaen ei sandal yn y pridd ar ymyl y gwely blodau wrth y drws. Doedd o ddim wedi sylwi tan rŵan fod rhywun wedi plannu rhosmari yno, ac wedi gosod cerrig mân o'i gwmpas i neud bedd bach petryal. Bruno oedd 'di gneud, mae'n siŵr. *'Rosemary for remembrance,'* fyddai Esyllt yn ei ddeud.

Edrychodd oddi wrtho yn ôl at droed Cadi. Roedd honno wedi gneud llinell igam-ogam yn y pridd tamp yn ymyl y rhosmari efo blaen ei hesgid, gan ddangos y pridd sych oddi tano. Gwingodd Guto o'i breichiau a thrio gneud yr un fath efo'i droed bach yntau. Plygodd Tim ymlaen, torri tamed bach o'r rhosmari i ffwrdd a'i wasgu wrth ei drwyn cyn ei gynnig i Guto. Roedd yn ogla ffres, newydd.

'Ty'd, Cadi,' meddai Tim, gan deimlo rhyw chwa o dynerwch tuag ati hi. 'Sgin Esyllt na'i thŷ ddim cyfrinacha ar ôl i ni rŵan, nago's? Ty'd!'

Gwenu'n ddistaw wnaeth Cadi, cydio yn llaw fach binc Guto a dechrau dilyn Ben a Non i'r car.

Gwyliodd Tim y ddau'n mynd cyn plygu a gosod y goriad wrth fonyn y goeden rhosmari fechan oedd yn dechrau byw. Trodd wedyn, a cherdded am y car heb edrych yn ôl o gwbwl.